우리는 실내형 인간

우리는 실내형 인간

하루의 90%를
육면체 공간에서 보내는 이들을 위한
실내 과학

에밀리 앤시스 지음
김승진 옮김

마티

[차 례]

들어가는 글

낮은 베이지색 건물들이 빼곡한 일본 미타카의 도심에 스카이라인을 삐죽 비집고 나온 희한한 아파트가 하나 있다.[1] 아홉 개 호실이 있는 이 아파트는 갖가지 모양과 색상이 만화경처럼 뒤섞여 있는 것이, 밖에서 보면 똑 아이들 장난감 블록처럼 생겼다. 초록색 원기둥이 보라색 정육면체 위로 솟아 있고 파란 정육면체가 노란 원기둥에 얹혀 있는 식이다. 안으로 들어가 보면 건축 버전의 환각 체험이 따로 없다. 각 집에는 둥근 거실이 하나 있고 난데없이 정중앙에 부엌이 툭 놓여 있다. 침실은 네모낳고 욕실은 드럼통 모양이며 서재는 완전한 구형이다. 각각의 집이 열두 개 이상의 색으로 칠해져 있는데 모두 강렬한 색상이다. (예를 들어 302호의 경우, 부엌은 파란색과 라임그린색, 서재는 레몬색, 욕실은 짙은 초록색이다.) 거실 사다리는 아무 데로도 연결되지 않는다. 콘크리트 바닥에는 자몽 크기의 턱들이 징처럼 박혀 있다. 주거용 아파트라기보다는 축제장의 도깨비집을 키워놓은 것처럼 보인다. 모든 요소가 엉뚱해 보이지만, 이 기상천외한 건물은 사실 굉장히 진지한 목적에서 지어졌다. 바로 죽음을 피하는 것이다.

이 건물은 부부 예술가 아라카와 슈사쿠와 매들린 긴즈의 작품으로, 이들은 "천명반전"(天命反轉)이라는 개념을 구현하는 일에 평생의 경력을 바쳤다. 그들은 죽음이 "한물간" 현상이고[2] "비도덕적"이며[3] 전혀 예정된 운명이 아니라고 생각했다. "오랫동안 필멸성이 인간이 처한 압도적인 조건이었다고 해서 앞으로도 늘 그래야 하는 것은 아니다." 2002년에 그들은 한 선언문에서 이렇게 밝혔다. "필멸성, 우리를 질식시키는 이 피할 수 없는 질곡에 맞서는 저항은 이제껏 너무 단편적으로만 수행되었다. … 필멸에 맞서는 싸움은 지속적이고 끈질기고 총체적이어야 한다."[4]

그들은 건축이 이 싸움에서 가장 강력한 무기라고 보았다. 죽음에 저항하기 위해 신체와 정신에 도전적인 자극을 제공하는 공간을 창조함으로써 우리를 둘러싼 환경을 급진적으로 재발명해야 한다는 것이었다. 그들에 따르면, 미타카의 천명반전 주택 같은 공간은 거주자가 계속해서 균형이 어긋난 상태에 처하게 하고, 일상적인 습관을 교란하고, 인식과 관점을 흔들고, 면역계를 자극함으로써 그를, 그렇다, 불멸이 되게 한다. "사람들이 자신을 둘러싼 건축 환경과 긴밀하고 복잡하게 연계된 상태로 존재할 수 있다면 (불가피한 것인 양 보이는) 사형 선고를 누르고 계속해서 생존할 수 있으리라고 우리는 믿는다."[5]

아라카와와 긴즈의 글을 처음 읽었을 때 나는 이런 말이 다 세련된 은유이고 예술가적인 도발이겠거니 생각했다. 하지만 2018년 가을에 맨해튼의 천명반전재단 본부에 가보고서 그들의 말이 정말 문자 그대로를 의미한 것이었음을 알게 되었다. 천명반전재단은 2010년에 아라카와와 긴즈가 설립했다. 이 재단의 컨설팅 큐레이터 데즈카 미와코는 이렇게 말했다. "나는 그런 건축이 달성될 수 있다면 인간 수명의 연장이 가능하리라고 아라카와와 긴즈가 진심으로 믿었다고 생각합니다. 그들은 그 믿음에 정말로, 정말로, 정말로 열정을 가지고 있었어요."

아라카와와 긴즈는 믿음을 실행에 옮겨 미국과 일본에서 대여섯 개의 프로젝트를 진행했다. 일본 요로에서는 약 1만 8000제곱미터 규모의 공원을 디자인했는데, 균형 감각과 안정성을 크게 교란하도록 구성되었기 때문에 방문객에게 헬멧을 제공한다.[6] 뉴욕의 이스트햄튼에는 심지어 미타카의 천명반전 아파트보다 더 극단적인 단독주택 "생명 연장의 집"을 지었다. 눈이 튀어나올 정도로 강렬한 색상이 마흔 가지나 사용되었고, 창문은 마구잡이로 배치된 것 같아 보였으며, 부엌은 움푹 들어가 있었고, 부엌 주변의 바닥은 경사지고 울퉁불퉁했다.[7] 천명반전재단의 컬렉션 디렉터 스티븐 햅워스가 "발목 접지르지 않게 조심하세요"라고 주의를 주었다. "조심하지 않으면 부엌으로 넘어지실지도 몰라요. 화장실 가실 때도 서두르지 말고 천천히 가세요."

그들의 건축물은 저마다 독특하고 고유하지만, 모양과 색상과 표면이 서로 충돌하고 방향과 규모가 갑작스럽게 달라져서 방향 감각을 교란하게끔 되어 있다는 점은 공통적이다. (이들이 디자인한 공간은 일반적인 직관과 너무 상충하기 때문에 사용법을 적은 설명서가 딸려 있다.[8]) 햅워스는 아라카와와 긴즈가 지은 건물에 있다가 나오면 "롤러코스터에서 막 내렸을 때처럼 약간 기우뚱하게 느껴진다"고 말했다.

아라카와와 긴즈에게는 더 큰 꿈도 있었다. 천명반전 개발구역, 천명반전 마을, 천명반전 도시 등으로 프로젝트를 확대해 "무덤 없는 도시"를 만든다는 것이었다.[9] 그들은 필멸에 맞서서 건축으로 전면전이자 총력전을 벌이려 했다. 하지만 그들이 영생의 비법을 발견했는지는 몰라도 본인들이 그 비법을 누리는 데 성공하지는 못했다. 아라카와는 2010년에 숨졌고 (긴즈는 사인을 밝히기를 거부했고 『뉴욕타임스』와의 인터뷰

에서 "이 필멸스러운 일은 안 좋은 소식"이라고 말했다), 4년 뒤에 긴즈도 암으로 사망했다.[10]

하지만 그들의 작품은 계속 살아 있다. 죽음을 부정하고 싶다면 에어비앤비를 통해 미타카 아파트에 묵어볼 수 있다.[11]

건축을 통해 영생할 수 있으리라는 생각은 물론 공상이다. 하지만 집에 틀어박혀서도 건강을 증진하고 조금이나마 수명을 늘리는 것이 가능하다는 생각은 어떤가? 내게는 저항하기 어렵도록 솔깃한 개념으로 들린다. 나는 천상 '집콕 족'이다.[12] 자연을 싫어해서는 아니다. 나는 자연이 멋지다고 생각한다. 캠핑도 많이 다녀보았고 매번 즐거웠다. 다만, 나는 원체 걱정이 많고 위험을 피하는 편인데, 집은 따뜻하고 아늑하고 안전하다. 많은 저널리스트가 머나먼 곳을 찾아가서 세렝게티의 야생동물이라든가 메콩강의 범람이라든가 남극의 빙상코어 같은 것을 보도하지만, 나는 집에 콕 들어앉아서 일하는 쪽이 늘 제일로 마음 편한 사람이었다.

내가 지나친 편일 수는 있지만 집콕 성향은 나만 가진 것이 아니다. 현대 인간은 본질적으로 '실내 종'이다. 북미와 유럽 사람은 90퍼센트의 시간을 실내에서 보내고[13] 몇몇 큰 도시는 실내 규모가 옥외 규모를 압도적으로 능가한다. 맨해튼만 해도 섬 자체의 크기는 약 60제곱킬로미터밖에 안 되지만 실내 바닥 면적은 그것의 세 배나 된다.[14] 게다가 옥외 세계와 달리 실내 세계는 계속 팽창하고 있다. 유엔은 2017년의 한 보고서에서 앞으로 40년 사이에 전 세계적으로 실내 공간 면적이 두 배가 될 것이라고 추산했다. 이것은 "지금[2017년]부터 2060년까지 현재 일본의 바닥 면적만큼이 매년 새로 추가되는 것과 마찬가지"다.[15]

내게는 몹시 반갑게도, 실내 환경이 진지한 연구대상이 될 만하다고 생각하기 시작한 과학자들이 늘고 있다. 다양한 분야의 연구자들이 실내 세계를 조사하고 지형도를 그리고 비밀을 밝혀가고 있다. 미생물학자는 우리가 일상을 보내는 실내 공간에서 번성하고 있는 박테리아들을 드러내고, 화학자는 우리 집을 떠돌아다니는 기체들을 추적하고, 신경과학자는 우리의 뇌가 상이한 건물 구조에 어떻게 반응하는지 알아보고, 영양학자는 식당 디자인이 우리의 식품 선택에 어떻게 영향을 미치는지 연구하고, 인류학자는 사무실 디자인이 노동자의 생산성, 관여도, 직업 만족도에 미치는 영향을 알아보고, 심리학자는 창문과 정신건강의 관계, 조명과 창조력의 관계, 가구 배치와 사회적 상호작용의 관계를 연구한다.

이러한 연구 결과들은 실내 환경이 우리의 삶에 매우 방대하게, 때로는 매우 의외의 방식으로 영향을 미칠 수 있음을 시사한다. 예를 들어, 퍼져 있는 구조의 병동에서 출산한 산모가 촘촘한 구조의 병동에서 출산한 산모보다 제왕절개를 많이 한다.[16] 따뜻하고 은은한 조명은 학생들이 덜 산만하고 덜 공격적이 되게 한다.[17] 환기가 잘되는 사무실은 노동자의 인지 기능을 향상시킨다.[18]

집이 위치한 물리적 장소도 우리 삶에 다양한 파급 효과를 일으킨다. 2016년에 한 캐나다 의료진이 수행한 연구는 고층건물의 높은 층에 사는 것이 말 그대로 치명적일 수도 있다는 사실을 보여주었다.[19] 집에서 심정지를 겪은 성인 약 8000명의 의료기록을 조사한 결과, 쓰러졌을 당시 높은 층에 있었던 사람들이 구급대원 도달 시간이 오래 걸려서 생존 확률이 더 낮았다. 심정지 당시 3층 이하에 있었던 사람들은 4.2퍼센트가 생존했는데 16층 이상에 있었던 사람 중에서는 그 비율이 1퍼센트가 채 되지 않았고 25층 이상에 있었던 사람 중에는 생존자가 없었다.

하지만 1층에 사는 것이 만병통치약은 아니다. 한 연구에서 과학자들은 맨해튼의 몇몇 고층 아파트에서 꼭대기쪽 층에 사는 초등학생들이 지상에 가까운 층에 사는 학생들보다 읽기 역량이 뛰어나다는 사실을 발견했다.[20] 집의 층수와 읽기 역량이 무슨 상관일까? 알고 보니 이 아파트들은 큰 고속도로를 가로지르는 다리 근처에 있어서 지상과 가까운 층은 교통 소음이 훨씬 심했다. 이렇게 시끄러운 환경에서 아이들이 단어를 구성하는 음소들 사이의 미세한 차이를 듣고 구분하기가 어려워졌을 수 있다. 그런데 그 구분은 읽기 능력에서 매우 중요하다. 실제로 지상 가까운 층에 사는 아이들은 청각변별력 점수가 더 낮았고, 이후의 연구에서 시끄러운 환경이 언어 학습을 방해할 수 있다는 사실이 확인되었다.[21]

아라카와와 긴즈의 아이디어도 그렇게 황당하기만 한 것은 아니다. 적절하게 도전적인 자극이 신체와 정신을 강화할 수 있다는 것은 과학적인 사실이다. 근력 운동을 하면 근육이 생기고 외국어를 새로 배우면 뇌가 새로운 연결을 일으킨다. 그리고 도전적인 자극이 집 안에서 생기지 말라는 법은 없다. 다양한 자극이 있는 공간에서 키운 동물(같은 우리에 다른 동물과 함께 두거나 동굴, 장난감, 미로, 사다리, 쳇바퀴 등이 있는 우리에 둔 경우 등)이 밋밋한 우리에 혼자 둔 동물보다 건강하다는 사실이 지난 수십 년 동안 수많은 실험에서 입증되었다.[22] 이러한 종류의 강화된 환경이 동물의 면역계를 증강시키고, 종양의 성장을 늦추고, 뉴런이 손상을 잘 입지 않게 해주고, 노화에 따르는 인지 능력 감퇴를 막아줄 수 있다.

더 많은 관여를 유발하는 흥미로운 환경이 동물뿐 아니라 인간에게도 유익할 수 있음을 시사하는 몇몇 정황 증거도 있다. 예를 들어, 연구자들은 농촌보다 도시에서 치매율이 낮은 경향이 있다는 사실을 발견했다. 정확히 왜 그런지를 말하기는 어렵지만, 한 가지 가설은 도시 생활이 자극적이고 복잡해서 뇌 기능이 잘 보호되기 때문이리라는 것이다.[23] "우리를 다양한 방식으로 관여하게 만드는 흥미로운 공간이 아마도 우리가 더 건강하게 나이 들게 해주는 환경인 것으로 보입니다." 콜로라도 주립대학의 인지과학자이자 건축가 로라 맬리닌이 내게 말했다. 맬리닌도 몇몇 기초 데이터를 수집해 분석했는데, 시각적으로 복잡한 방이 노인의 인지 역량을 높일 수 있음을 시사하는 결과가 나왔다.[24]*

그렇다면, 아라카와와 긴즈가 완전히 엉뚱하기만 한 일을 한 것은 아니다. 맬리닌은 이렇게 말했다. "나는 우리 각자가 삶을 살아가는 전체 과정에서 운명을 구성해나간다고 생각하기 때문에 천명을 '반전'하는 것까지는 잘 모르겠지만, 아라카와와 긴즈의 아이디어와 시도가 무언가 새로운 가능성의 문을 열긴 했다고 봅니다. 물리적 환경이 우리가 건강한 상태를 유지하는 데 쓸 수 있는 (그리고 아직까지는 그리 활용되고

---

*　어느 면에서 이 개념은 노인에게 덜 자극적인 환경을 제공하고자 해온 일반적인 노력과 상충한다. 맬리닌은 이렇게 말했다. "노인을 위한 건물 디자인 가이드라인을 보면, 대다수가 중립적인 색상, 단순한 세팅, 단순하고 단단한 바닥재, 베이지색 벽 등을 제시하고 있습니다. 즉 우리는 모든 것이 한 가지 수준으로만 구성된 공간, 시각적으로 단순한 공간, 수월하게 돌아다닐 수 있는 공간을 만들고 있는데, 어떤 면에서는 그렇게 함으로써 더 강화된 환경이 아니라 더 빈약한 환경을 만들고 있었는지도 모릅니다.

있지 못한) 강력한 잠재력의 원천이라는 점에서요."

전적으로 우리가 만들어낸 이 인공 세계를 더 깊이 알아보기 위해, 나는 위대한 실내 공간으로 탐험을 떠나기로 했다. 실내의 우주는 어떻게 생겼으며 우리에게 얼마나 강력한 영향을 미치는가? 실내의 우주는 어떤 생태계를 담고 있으며 우리는 그 생태계와 얼마나 조화를 이루고 있는가? 실내의 풍경은 우리의 사고와 감정과 행위에, 사회적 상호작용과 인간관계에, 건강과 행복과 후생에 어떻게 영향을 미치는가?

답을 찾으려면 집에서 잠시 벗어나야 한다. 이어지는 장들에서 우리는 의료 과실을 최소화하도록 디자인된 수술실, 아이들의 신체 활동을 촉진하게끔 고안된 초등학교, 수감자의 정신심리적 필요를 고려해 설계된 감옥 등을 둘러보게 될 것이다. 과학자들이 어떻게 뇌파 측정 헤드셋, 바이오메트릭 팔찌, 환경 센서, 디지털 매핑, 기계학습, 가상현실 등을 사용해 건조환경과 그것에 대한 사람들의 반응을 연구하고 있는지도 살펴볼 것이다. 거주자의 건강 상태를 체크해주는 스마트홈부터 기후변화의 시대에 우리의 생존을 도와줄 수륙양용 주택까지, 건물이 어떻게 우리의 미래를 구성하게 될지도 알아볼 것이다. 또한 잠시 동안 아주 먼 거리를 이동해서, 언젠가 우리가 화성에 정착촌을 세우는 데 사용할지 모를 얼음집도 구경하게 될 것이다.

이제 실내 환경에 진지한 관심을 기울여야 마땅하다. 오랫동안 우리는 실내 환경에 별로 신경을 쓰지 않았다. 너무나 익숙한 나머지 실내 환경이 가진 힘과 복잡성을 간과한 것이다. 다행히 이러한 경향이 달라지고 있으며, 우리가 실내 풍경의 면면을 더 많이 파악할수록 그것을 변화시킬 기회도 더 많이 갖게 될 것이다. 세심하고 사려 깊은 디자인은 삶의 거의 모든 면을 향상시킬 수 있다. 우리는 환경의 산물이지만 꼭 환경의 희생자가 되어야 하는 것은 아니다.

작은 디자인 변화가 극적인 효과를 내기도 한다. '로드아일랜드 여성 및 영유아 병원'이 신생아 중환자실을 새로 연 뒤에 생긴 변화가 이를 잘 보여준다.[25] 전에는 조산아가 태어나면 커다랗고 개방된 구조의 병동에서 아기들을 돌보았다. 이러한 개방 구조 병동은 복잡하고 붐비고 기계 소음과 말 소리가 끊이지 않고 들려서 상당히 시끄러웠다. 보통 10여 명의 신생아가 (상당수는 인큐베이터에 들어간 채로) 벽 앞에 쪼르륵 줄지어 있었고 아기와 시간을 보내고 싶은 부모가 있을 만한 공간은 거의 없었다.

그런데 2009년에 새로 문을 연 신생아 중환자실은 기존의 개방형 구조를 벗어나 각각의 조산아를 널찍한 가족용 개인 병실에 배정했다. 병실에는 소파 겸용 침대가 있어서 부모가 밤에 아기 곁에서 잘 수 있었다. 개방 구조 병동에서 개별 병실로 바꾼 것만으로도 조산아의 성장발달이 큰 차이를 보였다. 태어나고 첫 몇 주를 새 병실에서 지낸 아기들이 개방 구조 병동에 있었던 아기들보다 체중이 더 빠르게 늘었고 퇴원할 때 체중도 더 많이 나갔다. 또한 패혈증을 덜 일으켰고 추가적인 의료 시술도 덜 필요로 했으며, 스트레스나 통증을 나타내는 징후도 더 적었다.

　　건축이 우리의 문제를 다 해결해주지는 않는다. 디자인상의 개입으로 얻을 수 있는 효과는 종종 미묘하고 복잡하며, 건조환경에 대한 연구는 수행하기도 해석하기도 까다로울 수 있다. 또한 만성질환을 막는 것부터 더 인간적인 범죄자 교정 시스템을 만드는 것까지 이 책에 등장하는 전문가들이 해결하고자 하는 문제들은 건물 인프라를 개선하는 것보다 훨씬 많은 일을 필요로 한다. 위에서 본 신생아 중환자실의 놀라운 사례만 해도 그렇다. 물론 물리적 공간이 달라진 것이 아기들에게 직접적으로 영향을 미치기도 했을 것이다. 예를 들어, 여러 연구에 따르면 소음은 심장박동을 증가시키고 혈압을 높이고 혈액의 산소포화도를 낮추는 등 조산아의 성장발달에 악영향을 미칠 수 있다.[26] 분명 이러한 생리학적 반응이 조용한 개인 병실에 있었던 아기들이 더 양호한 건강 지표를 보인 한 이유일 것이다. 하지만 개인 병실이 가져다준 이득을 건축 요인으로만 설명할 수는 없다. 새로운 병실 디자인이 그렇게 강력한 효과를 낼 수 있었던 중요한 이유 하나는 부모가 아기와 시간을 보내면서 아기를 돌볼 수 있게 되었다는 점이었다.[27]

좋은 디자인이 하는 일이 바로 이것이다. 가능한 것을 한층 더 확장하는 것. 좋은 디자인은 우리가 바람직한 쪽으로 가도록 은근슬쩍 밀어주고 문화와 조직에 변화를 만들도록 지원하며 우리가 소중히 여기는 가치를 표현하도록 도와줄 수 있다. 좋은 건축은 우리가 더 건강하고 행복하고 생산적인 삶을 영위하고, 더 정의롭고 인간적인 사회를 일구고, 위험한 세상에서 생존 가능성을 높이도록 도와줄 수 있다. 좋은 건축은 우리가 더 나은 미래를 짓는 데 인프라가 되어줄 수 있다. 우리를 불멸의 존재로까지 만들어주지는 않더라도 말이다.

1 실내 정글

계절치고는 따뜻하던 10월의 어느 맑은 오후에 나는 옷을 다 입은 채로 샤워부스에 들어갔다. 파란 합성 니트릴 고무장갑을 끼고 까치발을 하고서 조심스럽게 샤워헤드를 돌려 분해했다. 그리고 꺼림칙했지만 안을 들여다보았다. '휴우, 다행이다.' 두려워했던 것만큼 끔찍하지는 않았다. 배설물 같은 것도, 흐리멍텅한 물질도, 켜켜이 쌓인 끈끈한 물질도 없었다. 사실 딱히 눈에 보이는 더러운 것은 하나도 없었다. 마음을 놓고 면봉 두 개로 샤워헤드 안쪽을 훑어서 얇은 플라스틱 통에 넣었다.

그리고 부엌 식탁에 앉아 우리 집 샤워기에 대해 상세한 질문지에 답을 작성하기 시작했다. 어디에 설치되어 있는가? 물이 분사되는 패턴은 어떠한가? 얼마나 자주 샤워헤드를 닦는가?

'엥? 샤워헤드를 닦아야 하는 거였어? 다른 사람들은 샤워헤드를 닦는단 말야?'

나는 "한 번도 닦은 적이 없다"에 체크하고 문답지와 면봉을 흰 봉투에 넣어 우편으로 보냈다.

면봉이 향하는 곳은 콜로라도 볼더 대학의 미생물학자 노아 피어러였다. 피어러는 숨어 있는 생명의 징후를 찾기 위해 내 면봉을 샅샅이 살펴볼 예정이었다. 더 구체적으로 말하면, 그는 내 면봉에서 미생물을 찾아볼 예정이었다. '미생물'은 박테리아(막대 모양, 구 모양, 나선 모양 등으로 생긴 단세포 조직)와 이스트나 곰팡이 같은 균류 등 너무 작아서 우리 눈에 보이지 않는 생명체를 통칭한다. (물론 깜빡 방치한 빵이나 오래된 치즈에 피어난 곰팡이를 보면 알 수 있듯이, 곰팡이균의 군집이 충분히 커지면 눈에 보이기도 한다.)

미생물이야말로 지구의 지배자다. 미생물은 지구상의 거의 모든 서식지를 제 집으로 삼을 수 있다. 에베레스트산 정상에도 살고, 지표면에서 수 킬로미터 아래로 들어간 지하에도 산다. 사르가소해에도, 나미브사막에도, 온천에도, 비구름에도, 심해에도, 덜 마른 아스팔트에도, 대두 뿌리에도, 열대 지역 애벌레의 창자에도 산다. 그리고 우리 몸에도 산다. 우리 신체는 무수한 미생물이 살아가는 집이다. 어떤 것은 질병을 일으키지만 어떤 것은 우리의 건강을 유지하는 데 필수적인 파트너다. 미생물은 우리가 음식을 소화시키고 감염에 저항할 수 있게 도와주고, 신진대사를 유지하게 해주고, 면역계가 섬세하게 작동하도록 미세 조정을 돕는다. 우리 뇌에 영향을 미쳐서 우리의 기분과 행동에 변화를 일으키기도 한다. 2016년에 나온 한 추산에 따르면, 우리 신체에는 대략 인체 세포 수와 비슷한 만큼의 박테리아 세포가 존재한다.[1]

피어러는 연구자로서의 경력 내내 파나마, 뉴질랜드, 남극 등 세계의 온갖 곳에서 미생물을 사냥했다. 그리고 지금은 훨씬 덜 이국적인 장소에 관심을 쏟으려 하고 있다. 내 샤워기 말이다. 이 연구에 대해 내게 처음 설명해주던 날 피어러는 이렇게 말했다. "황당한 소리로 들리시지요? 실험용 샘플을 추출할 장소치고는 너무 아무렇게나 정한 것처럼 들리실 거예요. 하지만 댁의 샤워기에 아주 많은 박테리아가 살고 있어요." 박테리아 군집은 뭉쳐서 얇고 끈끈한 층을 이루는데, 이것을 생물막이라고 부른다. (샤워기에만 있는 것은 아니고, 강의 바위, 의료 삽입물 등 모든 종류의 표면에 형성될 수 있다. 치석도 생물막이다.) 샤워헤드 안에서 일어나는 일은 샤워헤드 안에서 그치지 않는다. 물이 분사될 때 미생물의 일부가 함께 밖으로 나오기 때문이다. "샤워하는 사람이 그것을 직접 흡입하게 되지요. 나는 이것이 우리가 박테리아에 노출되는 매우 중요한 메커니즘 중 하나라고 생각합니다."[2] 그런데 샤워부스에서 우리가 정확히 어떤 종류의 박테리아에 노출되는지는 아직 과학자들이 알아내지 못했다는 데 생각이 미쳤고, 피어러는 직접 알아보기로 했다. 그는 노스캐롤라이나 주립대학의 생태학자 로브 던과 함께 미국 전역에서 수백 개의 샤워헤드를 수집하는 일에 착수했다. 그들은 각각의 샤워헤드에 숨어 있는 미생물 종의 목록을 만들고, 집집마다 그것이 어떻게 차이나는지 분석하고, 미생물이 우리에게 어떻게 영향을 미치는지 알아보고자 한다.

이 연구는 '실내 생태학'이라는 떠오르는 분야에서 나왔다. 피어러와 던은 우리의 집에 거주하는 눈에 보이지 않는 야생생물을 조사하는 용감한 실내 탐험가 군단의 일부다. "우리는 우리와 같이 살고 있는 거대한 블랙박스를 이제 막 열기 시작했습니다." 던이 말했다. 우리가 사는 집에는 눈으로 볼 수 있는 것보다 훨씬 많은 것이 존재한다. 아무리 반짝반짝하게 청소한 집도 보이지 않는 무성한 생태계를 담고 있다. 실내 생태학 연구들은 이러한 미생물의 생활이 우리의 생활과 뗄 수 없게 연결되어 있음을 시사하고 있으며, 이는 이 생명체들에게 관심을 더 기울이면 집을 우리가 더 건강하게 살 수 있는 공간으로 만들 수 있으리라는 의미이기도 하다.

이 전망은 유혹적이면서도 불편하다. 실내 미생물의 세계에 대한 자료를 읽을수록 나는 우리 집에 살고 있는 눈에 보이지 않는 룸메이트들에게 점점 더 강박적으로 신경이 쓰였다. 요리를 하면서도 균류가 생각나고 목욕을 하면서도 박테리아가 생각났다. 급기야는 내 집에서 내가 이방인처럼 느껴지기 시작했고 내 집 지붕 아래에서 벌어지는 일에 대해 내가 얼마나 아는 것이 없는지 생각하니 스스로가 초라하게 느껴졌다. 나는 우리 집의 미생물에 대해 알아보러 나서야겠다고 결심했다. 그리하여 그날 면봉으로 샤워헤드를 훑게 된 것이다. 그리고 샤워기 프로젝트의 배후 인물을 만나러 콜로라도로 갔다.

콜로라도 볼더 대학에 도착한 날은 1월 초였다. 겨드랑이에 자전거 헬멧을 끼고 나타난 피어러는 붉은 낯빛에 강인하고 사람 좋아 보이는 얼굴을 하고 있었다. 그와 함께 환경과학대학 건물에 있는 연구실까지 걸어가는 동안, 짧은 겨울 방학이 끝나고 새 학기의 첫 주를 맞은 학생들이 교정을 우르르 지나갔다. 불이 밝혀진 2층의 실험실 내부를 손으로 휙 둘러 가리키면서 그가 말했다. "여기가 마법이 일어나는 곳입니다." 뒤쪽 벽 앞에 네 대의 커다란 냉동고가 줄지어 있었고 그 안에 콜로라도의 흙, 알래스카의 이끼, 코스타리카의 애벌레 등 다양한 샘플이 들어 있었다. 모두 미생물이 활발하게 살고 있는 서식지였다.

　피어러는 하나씩 지워나가는 과정을 통해 천직을 찾았

다.[3] 학부에서 생물학과 미술사학을 전공한 뒤 그는 몇몇 연구 일자리를 전전했다. 도롱뇽이나 새와 같은 동물을 다루는 일도 했고, 2년 동안은 이스라엘 사막에서 야생 모래쥐를 잡기도 했다. 하지만 그 일이 싫었다. "쥐는 역겨웠고 나를 물려고 했어요. 동물 다루는 일을 하고 싶지 않았습니다." 그래서 오레곤 해안 지역에서 나무를 연구하는 일을 하게 되었다. "나는 식물을 좋아합니다. 그렇지만 딱 이거다 싶지가 않았어요." 이렇게 해서 야망 있는 젊은 생태학자는 동물계와 식물계를 미래의 연구대상에서 제외했다.

1990년대 말에 대학원에 들어간 피어러는 더 작게 생각하기로 했다. 그는 토양과 그 안에 살면서 유기물질을 분해해 양분을 재순환시키는 미생물을 들여다보며 연구하기 시작했다. 타이밍이 매우 좋았다. DNA 시퀀싱 기술이 발달해 미생물학 분야가 대대적으로 열리고 있던 시점이었기 때문이다.

박테리아는 물지는 않지만 연구에 나름의 난점이 있다. 실험실에서 잘 자라지 않거나 아예 자라지 않는 종류가 많은 것이다. 그런데 DNA 시퀀싱 기술이 나오면서 과학자들은 토양이나 물에서 샘플을 채취해 그 안에 있는 모든 미생물의 DNA를 확인할 수 있는 강력한 수단을 갖게 되었다. 그다음에 그것을 알려져 있는 박테리아나 균류의 유전체와 비교하면 샘플 안에 어떤 미생물 종이 있는지 파악할 수 있었다. DNA 시퀸싱이 더 수월해지고 빨라지고 비용도 낮아지면서 많은 미생물학자가 이 기술을 이용해 북극 빙하부터 아마존 정글의 덤불숲까지 온갖 종류의 옥외 환경에서 샘플을 채취해 그곳에 서식하는 미생물 종의 목록을 만들었다. 그러다 몇몇 과학자들이 '집에서 더 가까운 곳'을 들여다보면 무엇이 나올지 궁금해하기 시작했다. 피어러는 이렇게 말했다. "우리는 실내에서 많은 시간을 보냅니다. 그리고 우리가 일상에서 날마다 접하게 되는 생명체 중 많은 것이 우리 집 안에 있는 생명체들입니다."

피어러는 2010년에 실내 미생물의 세계로 첫 탐험을 떠났다.[4] 대학 캠퍼스 내의 12개 화장실에서 샘플을 채취해 그곳에 살고 있는 박테리아의 목록을 만든 것이다.* 이듬해에는 가정집 부엌의 미생물을 연구했고 로브 던과 함께 '우리 집 안의 야생생물'이라는 프로젝트를 시작했다.[5] 우선 노스캐롤라이나주에서 소규모로 진행한 시범 프로젝트에서 40가구를 선정해 부엌 조리대 상판, 도마, 냉장고 선반, 베갯잇, 변기 의자, TV

---

*   연구팀은 다음과 같은 사실을 발견했다. "흥미롭게도, 화장실 변기 손잡이에 화장실 바닥에 존재하는 것과 비슷한 박테리아 군집이 있었다. 이는 변기를 사용하는 사람 중 일부는 손잡이를 발로 누른다는 것을 시사한다. 변기 손잡이를 발로 누르는 것은 세균에 대해 결벽증이 있거나 위생적으로 깔끔하지 않은 화장실을 이용해야 할 때 많은 이들이 사용하는 방식이다."

스크린, 문틀 등 집 안의 일곱 군데 표면을 면봉으로 훑어 샘플을 채취했다.[6]

분석 결과, 이 집들에는 미생물이 가득 꼬물거리고 있었다. 평균 2000종류가 넘었다. 집 안에서도 장소에 따라 상이한 미생물 군집이 형성되어 있었다. 부엌에는 식품과 관련된 박테리아가 많았고 문틀에는 토양이나 잎에 주로 사는 미생물이 많았다. 또한 미생물 측면에서 보자면 변기 의자와 베갯잇이 놀랍도록 비슷했다. 둘 다에서 우리의 피부와 입에 주로 서식하는 박테리아가 많이 발견되었다.

이러한 공통점 외에 집집마다 차이도 컸다. 각 가정이 고유한 미생물 프로필을 가지고 있었다. 즉 조금씩 다른 미생물 군집을 품고 있었다. 하지만 이 연구에서는 그 이유가 설명되지 않았기 때문에 피어러와 던은 미국 전역에서 1000여 가구를 선정해 면봉으로 실내 문틀에서 샘플을 채취해 두 번째 연구를 시작했다.[7] 던은 이렇게 설명했다. "문틀은 사람들이 청소를 하지 않기 때문에 그곳으로 정했습니다. 적어도 자주 청소하지는 않지요. 당신은 예외일 수도 있지만요." (저도 예외 아니에요.) 실내 문틀에 있는 먼지는 몇 달 혹은 몇 년에 걸쳐 쌓인 것일 수 있으므로, 피어러와 던은 이 샘플로 실내에 거주하는 생명체들을 가능한 한 가장 폭넓게 살펴볼 수 있으리라고 기대했다. 몇 달이나 몇 년 동안 그 집에서 떠다니고 기어다니고 돌아다니던 미생물들을 확인해볼 수 있으리라고 말이다. 던은 "각각의 먼지 조각이 우리 삶의 미세 역사"라고 말했다.

　　연구자들은 실험실로 돌아와 각 먼지 샘플에 있는 DNA 조각들을 분석했고 발견된 모든 생명체를 기록했다. 숫자는 놀라웠다. 실내 먼지 샘플 전체에서 박테리아 총 11만 6000종과 균류 6만 3000종의 DNA가 나왔다.[8] 던은 "특히 균류의 다양성이 정말 놀라웠다"고 언급했다. 북미 전역을 통틀어 이름이 붙어 있는 균류는 2만 5000종이 채 안 된다.[9] 다시 말하면, 과학이 아직 알지 못하는 생명체가 우리의 집에 가득하다는 말이다. 그뿐 아니라, 실내 먼지 샘플을 외부 문틀에서 채취한 먼지 샘플과 비교해보았더니 실외보다 실내에 미생물이 더 다양했다.

　　피어러와 던이 발견한 미생물 종 중 일부는 밖에서 들어온 것이었다. 옷에 묻어 들어오거나 창문을 통해 들어오거나 했을 것이다. (집 안에 들어왔을 때 살아 있는 상태가 아니었을 수도 있다. DNA 시퀀싱은 샘플에 들어 있는 생물 종을 모두 판별할 수 있지만 살아 있는 것인지 죽은 것인지는 구분하지 못한다.) 반면, 어떤 박테리아는 원래부터 우리 집 안에, 그러니까 벽에, 파이프에, 에어컨에, 식기 세척기에 살고 있는 것들이었고, 어떤 것들은 식품이나 집에서 키우는 식물에서 나온 것들이었다.

우리 몸에도 많은 미생물이 산다. "우리는 신체의 모든 구멍과 부위에서 지속적으로 박테리아를 떨구고 있습니다." 피어러가 말했다. "역겹거나 더럽거나 한 것은 아니에요. 원래 그런 것일 뿐입니다." 각 개인의 미생물계, 즉 우리 몸 안팎에 살고 있는 미생물 군집은 고유하며, 따라서 우리 각자는 자신이 사는 곳에 고유한 미생물 지문을 남긴다.[10] 당시 시카고 대학에 재직 중이던 미생물 생태학자 잭 길버트의 획기적인 연구에서 연구팀은 이사를 하는 세 가구를 추적 조사했는데, 세 가구 모두 불과 몇 시간 만에 새 집에 고유한 미생물 군집을 형성했다.[11] 또한 길버트의 연구팀은 가족의 각 구성원이 그 집의 미생물 군집에 기여한 바도 추적해낼 수 있었다. "부엌에서 시간을 많이 보내는 사람의 미생물계가 부엌을 지배합니다. 방에서 시간을 많이 보내는 사람의 미생물계는 방에 더 많은 흔적을 남기게 되고요. [이를 활용해] 사람들의 움직임과 동선을 포렌식하듯 추적할 수도 있게 될 것입니다."

집 안에서 발견되는 박테리아의 종류는 그 집에 사는 사람이 누구인지에 크게 좌우된다. 피어러와 던은 식구 중에 남성보다 여성이 많은 집에서 락토바실리쿠스를 더 많이 발견했는데, 이것은 질의 미생물계를 주로 구성하는 박테리아다.[12] 식구 중에 남성이 많은 집에서는 창자에 주로 서식하는 로세부리아와 피부에 주로 서식하는 코리네박테리움, 데르마박테르

등이 더 많이 발견되었다. 코리네박테리움은 겨드랑이에도 살고 있으며 체취를 일으키는 것으로 알려져 있다. "남자가 많은 집에서는 겨드랑이 냄새가 더 많이 날 수도 있다는 말이지요. 미생물학적으로 보면 그렇게 말하는 것은 공정합니다." 이는 성별에 따른 피부 생물학적 차이에 기인한 것일 수 있다. 남성이 피부에 코리네박테리움을 더 많이 가지고 있고 환경에 더 많은 피부 미생물을 떨군다. (연구자들은 남자 혼자 사는 집의 박테리아 프로필이 '위생 습관' 때문일 수 있다고도 본다.) 이후의 연구에서 피어러와 동료들은 먼지 박테리아만 분석해도 기숙사 방에 사는 학생의 성별을 정확하게 맞출 수 있다는 것을 보여주었다.[13]

한편, 반려견도 집 안에 자신의 침과 배설물 미생물계를 보태며 집 밖의 토양에 거주하는 미생물을 집으로 가지고 들어오기도 한다.[14] (던이 멍멍이가 집으로 미생물 동물원을 통째로 들여온다고 말해도 견주들은 개의치 않는 것 같았다. 던은 "대개 개 주인에게 그렇게 말하면 꽤 유쾌하고 좋은 대화로 이어진다"고 했다. 그리고 이렇게 덧붙였다. "만약 사람들에게 이웃이 당신 집에 올 때마다 유용한 미생물과 병을 옮기는 미생물의 방대한 혼합물을 가지고 들어온다고 말한다면 다들 온갖 곳을 벅벅 닦으려고 할 거예요.") 고양이는 개에 비해 집 안의 미생물 구성에 영향을 덜 미치는데, 몸집이 작고 밖에도 덜 자주 나가기 때문일 것이다. 피어러와 던은 먼지 DNA 분석만으로도 어느 집이 개나 고양이를 키우는지를 80~90퍼센트 정확하게 맞출 수 있었다.

집 안의 박테리아는 대부분 우리에게서 (그리고 우리의 반려동물에게서) 나오지만 균류는 이야기가 다르다. 균류는 우리 신체의 미생물계에는 훨씬 적고 집 안에 있는 균류는 주로 밖에서 들어온 것들이다.[15] 피어러와 던에 따르면 각 가정의 균류 지문은 집의 위치에 가장 크게 좌우된다. 동부에 있는 집은 균류의 군집이 서부의 집과 다르다. 습한 기후대에 있는 집은 건조한 곳의 집과 균류 프로필이 다르다. 균류 군집은 지리적인 상관관계가 매우 강해서 피어러와 던은 균류 DNA만으로도 샘플이 채취된 집의 위치를 약 240킬로미터 오차 이내에서 거의 맞출 수 있다.[16]

물론 피어러와 던은 실외보다 실내에서 더 흔히 발견되는 균류도 700종 정도 찾아냈다.[17] 여기에는 가정에서 자라는 곰팡이, 이스트, 식용 가능한 버섯 등이 있었고 인간의 피부에 사는 균류도 있었다. 또한 지하실이 있는 집은 지하실이 없는 집과 균류 프로필이 달랐고, 나무 등 건축자재를 먹고 사는 균류도 있기 때문에 집이 무엇으로 지어졌는지도 그 집에 사는 균류의 종류에 영향을 미쳤다. 던은 이렇게 설명했다. "아기돼지 삼형제 이야기 같달까요? 돌로 만든 집, 나무로 만든 집, 진

흙으로 만든 집은 각각 더 잘 육성하는 균류가 다릅니다. 박테리아와 달리 균류는 집을 먹거든요."

집 한 채 한 채씩, 미생물 한 종 한 종씩, 고된 연구 한 건 한 건씩, 연구자들은 실내 미생물계에 대한 정보를 알아내고 방대한 미생물 제국의 지도를 그려나가고 있다. 강의실, 사무실, 체육관, 공중 화장실, 병원, 공항 등 생각할 수 있는 모든 유형의 실내 공간에서 미생물 군집이 발견되었다. 식기세척기에는 검은이스트가, 국제 우주정거장에는 열에 강한 박테리아가 있었고, 뉴욕의 모든 지하철에는 발과 관련된 박테리아가 있었다.[18] 지하철 연구를 선구적으로 이끈 미생물학자 노먼 페이스는 "걸음을 걸을 때마다 신발 바닥이 땅에서 떨어졌다가 다시 땅을 밟을 때 발 바로 아래의 공간에서 공기가 뿜어져 나오고 그와 함께 박테리아들이 쏟아져 나오는 것으로 보인다"고 설명했다. "그곳을 수백만 명이 지나간다고 생각해 보세요. 폽, 폽, 폽, 폽, 폽. 사람들이 걸음을 밟고 떼고 할 때마다 발 미생물이 조금씩 뿜어져 나오는 것을요."

　　연구 결과들은 '전형적인 실내 미생물계' 같은 것은 존재하지 않음을, 그리고 디자인상의 가장 기본적인 의사결정이 미생물 군집에 영향을 미칠 수 있음을 명백하게 보여준다. 오레곤 대학 '생물학과 건조환경 센터'(BioBE)의 선임연구원 제프 클라인은 "건축가들이 설계에서 주로 고려하는 공간 배치 결정, 즉 어느 공간을 어느 공간 옆에 두고 어느 공간들을 서로 떨어뜨려 놓을지 등은 미생물 군집의 구성에도 차이를 가져온다"고 설명했다.

BioBE의 연구자들이 캠퍼스 내의 한 4층짜리 건물에서 먼지 샘플을 채취해 분석한 결과, 중심부에 있고 많은 사람이 사용하는 복도나 강의실 같은 공간은 외진 곳에 있고 사람들이 덜 다니는 교수 연구실이나 기계실 같은 공간과 미생물 군집이 크게 달랐다.[19] 또 어느 두 공간이 생물학적으로 더 많이 연결되어 있을수록, 즉 방문자가 둘 사이를 왔다 갔다 할 때 사용할 수 있는 문의 수가 적을수록 그 두 공간의 미생물 프로필이 비슷했다. 또한 미생물 군집은 방의 크기나 바닥 종류 등에도 영향을 받았다.

BioBE 과학자들은 햇빛이 들어오면 실내 먼지에서 몇몇 박테리아의 증식이 억제되며[20] 열고 닫을 수 있는 창문이 있거나 자연 통풍이 잘 되는 방은 식물, 토양, 물과 관련된 미생물이 더 많다는 것도 발견했다. 이와 달리, 기계로 환기를 하는 방에는 인체에서 나오는 미생물이 더 많았다.[21]

집 짓는 방식의 변천과 함께, 즉 옥외 환경에 개방되어 있던 집에서 벽으로 막힌 집으로 건물 종류가 달라지면서, 실내 미생물도 달라졌다. 던은 "우리가 밖에서 집으로 얼마나 많은 미생물을 불러오는지 집집마다 정말로 다양하다"고 말했다. 2016년에 발표된 연구에서 한 국제 연구팀이 아마존강 유역의 상이한 네 주거지에서 샘플을 채취해 미생물을 관찰했다.[22] 오지 마을, 농촌 마을, 페루의 소도시 이키토스, 그리고 전형적인 대도시인 브라질의 마나우스였다. 정글의 오지 마을 사람들은 나무와 갈대로 지어진 커다란 초가집에 살았다. 바닥은 흙바닥이고 외벽, 내벽 모두 없어서 집은 바깥 환경에 완전히 개방된 구조였다. 농촌 마을의 집은 외벽은 있었지만 내부에는 공간을 구획하는 벽이 거의 없었다. 또 실내 화장실이 없었고, 집의 재료는 대개 나무, 짚, 벽돌, 양철이었다. 두 마을 모두 집에 물, 토양, 곤충과 관련된 환경 박테리아가 가득했다. 이와 달리, 외벽이 벽돌, 양철, 시멘트로 만들어져 있고, 실내 화장실이 있으며, 집 안의 각 공간 사이를 벽들이 막아서 구획하고 있는 소도시와 대도시의 집들에서는 주로 인체에 사는 박테리아가 미생물의 주종을 이루고 있었다.*

하지만 꽁꽁 밀폐된 공간이라 해도 미생물계는 정적이지 않으며 거주자들이 들어오고 나가면서, 또 환경 조건이 달라

★　　동물 서식지의 미생물계는 더 극단적이다. 던은 생물인류학자들과 함께 서부 탄자니아의 침팬지 서식지에서 샘플을 채취했는데, "침팬지 서식지에는 모든 종류의 환경 미생물계가 다 있어서 그곳에 침팬지가 있었다는 것을 알아볼 수 없을 정도"였다.

지면서 계속해서 변화한다.[23] 습하면 박테리아와 균류 모두 성장이 촉진된다.[24] 꼼꼼하게 청소하고 닦으면 미생물의 풍성함과 다양성을 일시적으로나마 조금 줄일 수 있다.[25] 피어러는 "미생물계는 정말로 동적인 시스템"이라고 말했다.

우리의 건물은 풍성한 생물학적 원더랜드이며 이는 미생물 이야기만이 아니다. 실내 생태학자들이 새로운 발견을 할 때마다 우리의 집이 얼마나 다양한 생물 종을 보유하고 있는지가 새삼 놀랍게 드러난다. 그리고 아직 발견되지 않은 것이 얼마나 많은지도. 가령, 현재 우리는 집에 사는 곤충을 거의 알지 못하기 때문에 아주 기초적인 조사만 해도 엄청나게 놀라운 결과를 보게 된다. 던 자신도 미국 전역에서 2000여 가구를 선정해 꼽등이가 있는지를 조사해보고 깜짝 놀랐다.[26] 북미가 원산지인 꼽등이는 약 150종이 있는데 대개는 숲에 살지만 지하나 광에 사는 것들도 있다. 그래서 던은 미국의 가정에 꼽등이가 얼마나 많이 침투해 있는지 알아보고 싶었다.

던은 미국 가정에 꼽등이가 매우 흔하고 특히 동부 지역이 그렇다는 데(동부에 있는 집의 28퍼센트에서 꼽등이가 발견되었다)는 크게 놀라지 않았다. 그가 놀란 것은 미국 가정에서 발견된 꼽등이 중 북미 토착종이 너무 적다는 점이었다. 확인 가능한 꼽등이가 나온 모든 집 중 12퍼센트에서만 북미 토착종이 나왔고 다른 집에서 발견된 꼽등이는 아시아에서부터 어찌어찌 태평양을 건너온 외래종이었다. 아시아 꼽등이가 북미의 집에 서식하고 있다는 것은 알려져 있지 않았지만, 아무튼 어느 시점에 이들은 대대적으로, 그것도 전혀 들키지 않고, 침입해 있었다.

그리고 꼽등이는 우리 집에 사는 곤충의 절반도 되지 않는다. 2012년에 던의 연구팀은 노스캐롤라이나주에서 50가구를 선정해 집 안에 존재하는 모든 절지동물을 조사했다.[27] 무척추동물 중 곤충, 거미, 지네 등이 절지동물에 포함된다. 던의 연구팀은 1만 마리 이상의 절지동물을 찾아냈다. 500종이 넘었고 한 집에 평균 100종이 있었다. 좀, 거미, 톡토기, 집게벌레, 바퀴벌레, 흰개미, 지네, 노래기, 꼽등이, 벌, 말벌, 개미, 딱정벌레, 나방, 날파리, 진드기, 이 등 수많은 벌레가 발견되었다.

수시렁이, 꼬마거미, 혹파리, 개미는 모든 집에 있었다. 책좀은 한 집만 빼고 모두에서 발견되었다. 동물 사체, 개 먹이, 손발톱 등을 먹고 사는 약탈자, 기생자, 넝마주이 벌레들이 집 안에 셀 수 없이 존재했다. 고고학 유적지에서 발견되었던 것과 동일한 종의 딱정벌레와 파리도 발견되었는데, 이들이 수천 년 동안 인류와 집을 공유해왔음을 시사한다. 던은 "우리가 그리 관심을 두지 않은 사이에 수천 년 동안 우리 집에 함께 살아온 것들이 아주 많다"고 말했다. "나는 그게 정말 흥미롭습니다."

던은 페루, 스웨덴, 일본 등지에서 집 안에 사는 절지동물을 계속 조사해 실내 절지동물의 종류와 분포를 좌우하는 요인이 무엇인지 알아내려 하고 있다. 던과 피어러는 미국 가정의 먼지 샘플에서 발견된 절지동물 DNA의 염기서열을 풀어서 기초 조사를 진행했다.[28] 농촌 집의 샘플에서 교외나 도시보다 다양한 절지동물 DNA가 나왔다. 개나 고양이가 살거나 지하실이 있으면 절지동물이 더 풍성해졌다. 피어러는 "지하는 다양한 절지동물이 육성되는 온실"이라고 말했다.

어떤 생명체는 음식 부스러기나 불빛 등에 이끌려 집 안팎을 옮겨 다닌다. "본질적으로 당신의 집은 거대한 라이트 트랩[불빛으로 유혹해 해충을 잡는 장치]처럼 작동합니다." 피어러는 이렇게 설명했다. 반면, 어떤 생명체는 전 생애를 인간의 건물 안에서만 살아가며, 우리의 건물은 몇몇 종들의 고유한 서식지다. 벼룩과 독일바퀴벌레는 기본적으로 인간 거주지에만 살고,[29] 욕실과 세탁기에 사는 검은이스트는 토양이나 썩은 나뭇잎에 사는 검은이스트와 유전적으로 상이한 것으로 보인다.[30] 던은 "우리가 집 안에 형성한 새 서식지가 균류에게 새로운 생태적 환경을 제공하는 것 같다"고 설명했다. 또 피어러는 최근에 대학 기숙사 방의 공조시스템 필터에서 새로운 바이러스를 발견하기도 했다.[31]

요컨대 우리의 집은 단지 생태계이기만 한 것이 아니라, 실내 환경에 잘 적응하는 종을 육성하면서 실내 환경에서 종이 새로운 방향으로 진화하도록 이끄는 '고유한' 생태계이기도 하다. 실내에 사는 미생물, 곤충, 쥐 등은 살균제, 살충제, 독성 물질에 내성을 발달시키면서 인간의 화학적 공격에서 살아남는 능력을 진화시켰다.[32] (독일바퀴벌레는 바퀴벌레 덫에 미끼로 흔히 쓰이는 포도당을 싫어하도록 진화했다고 알려져 있다.[33]) 또 몇몇 실내 곤충은 실내가 실외에 비해 먹이를 찾을 기회가 적기 때문에 먹이가 희소한 상태에서 생존할 수 있는 역량을 진화시킨 것으로 보인다.[34] 던을 포함해 생태학자들은 지구가 더 개발되고 도시화되면서 실내에서 번성하는 데 필요한 특질을 진화시키는 종이 더욱 많아질 것으로 내다본다.[35] (충분히 긴 시간이 지나면 실내 환경은 인간도 새로운 방향으로 진화시킬 것이다. '집콕 족'인 내 모습이 인류의 미래를 보여주는지도 모른다.)

실내 생태계는 인간이 만든 것이지만 인간 역시 그 생태계의 일부다. 우리가 만든 생태계가 다시 우리에게, 우리의 건강과 후생에 영향을 미친다. 우리 집에 사는 바퀴벌레와 집먼지 진드기는 알레르기를 일으킨다. 파리, 날벌레, 모기는 질병을 옮긴다. 피어러와 던은 여러 실내 먼지 샘플에서 리켓시아 박테리아를 발견했는데, 이것은 진드기, 이, 날파리 같은 것들

안에 살면서 발진티푸스부터 록키산 홍반열까지 다양한 질병을 일으킨다.[36] 정신건강에도 영향을 미칠 수 있다.[37] 공공주택 주민을 대상으로 수행된 2018년의 한 연구에서, 바퀴벌레가 들끓으면 우울증 발병 위험이 높아질 수 있음을 시사하는 결과가 나왔다.

하지만 실내의 벌레 중에는 우리를 질병에서 보호해주는 것도 있다. 태국에서는 집에 사는 거미가 뎅기열을 옮기는 모기를 잡아먹는다.[38] 케냐에서는 집 안의 거미가 말라리아를 옮기는 모기를 잡아먹는다. 아프리카와 남미의 몇몇 마을에서는 오래전부터 실내에 거미류가 있을 때 얻을 수 있는 이득을 잘 알고 있어서 천연 방충제 역할을 하도록 일부러 거미를 집 안에 들여오기도 했다.[39]

우리 집에는 동물계뿐 아니라 식물계에 속하는 생명체도 풍성하다. 화분이 하나도 없는 집이라 해도 밖에서 꽃가루 등 식물성 물질이 들어올 수 있다. 피어러와 던의 연구 결과, 북서부의 집에서는 이끼와 사이프러스의 DNA가 많이 발견되었고 남동부의 집에서는 따뜻한 기후대에서 자라는 풀의 DNA가 많이 발견되었다.[40] 피어러와 던이 실내에서 발견한 식물 종의 8퍼센트 정도가 알레르기를 유발하는 항원을 가지고 있는 것으로 나타났다. 피어러는 이렇게 설명했다. "흔히 꽃가루가 밖에만 있다고 생각하지만 집 안에도 많습니다. 당신이 카펫위를 걸어다닐 때마다 4개월 전에 나무에서 들어온 꽃가루를 발로 차고 있는지 모릅니다."*

생물학의 범주를 넘어서 보면 실내에 존재하는 또 다른 위험 요인들이 드러난다. 납은 여전히 공중보건상의 커다란 걱정거리다. 또 방염제는 암을 유발할 수 있고 신경 발달을 지연시키며 호르몬 문제도 일으킨다고 알려져 있는데, 소파부터 TV까지 집 안의 수많은 물건에 방염제가 스며들어 있다. 그리고 요리나 청소 등 집에서 하는 기본적인 활동 상당수가 인체에 흡입되면 위험한 기체나 미세입자를 공기 중에 띄워 올린다. 콜로라도의 한 연구팀이 최근에 수행한 실험 결과, 추수감사절 상차림을 다 갖추어 준비하면 실내의 공기 질 지수가 200 이상으로 올라갈 수 있는 것으로 나타났는데, 이는 "건강에 매우 안 좋은" 수준이다.[41] (이론상으로는 집 안에 식물이

★ 실내 먼지 샘플에서 발견된 더 흥미로운 식물도 있다. 피어러는 "커피 DNA와 올리브도 발견했다"고 말했다. 또 쌀, 차, 바나나 유전자도 찾아냈다. 미국 사람들이 집 안이나 집 근처에서 기르는 것들은 아닐 테지만 미국 사람들이 먹는 것들이기는 하다. 커피를 내리거나 바나나를 블렌더로 갈 때마다 일부가 떨어져나와 조리대에, 바닥에, 그리고 우리가 샘플을 채취하는 문틀에 떨어졌을 것이다. 당신이 먹은 음식이 당신 집 먼지에 기록되는 셈이다. "이론적으로 말하자면, 우리는 당신 집의 거실 문틀에서 채취한 먼지 샘플의 식물 DNA를 분석해 당신이 무엇을 먹는지 알아낼 수 있습니다. 여러 식당에서 먼지 샘플을 채취해 보내오면 그것을 분석해 그곳의 메뉴를 되구성해보는 연구 같은 거 너무 해보고 싶어요."

있으면 공기 정화에 도움이 되지만, 실질적으로 유의미한 정화 효과를 볼 수 있을 만큼 집 안에 식물을 많이 두기는 매우 어려울 것이다.[42])

칠면조 한 마리를 굽는 것이 나의 폐에 영향을 미치고, 집 안의 먼지에 들어있는 미량의 꽃가루가 알레르기를 일으켜 맹렬한 재채기를 유발하고, 한두 마리의 곤충이 나를 가려워 못 견디게 만든다면, 수십 억 마리의 실내 박테리아는 나에게 무엇을 하고 있을까?

집에 살고 있는 몇몇 미생물은 질병을 유발한다고 알려져 있다. 벽에서 자라는 검은곰팡이는 알레르기와 호흡기 장애를 일으킬 수 있다. 베개에 사는 균류인 아스페르길루스 푸미가투스는 면역계가 약해진 사람에게 폐렴을 유발할 수 있다.[43] 재향군인병이라고 불리는 급성 폐렴의 원인인 레지오넬라 뉴모필라는 실내 배관을 좋아한다. 뜨거운 물탱크, 급수탑, 수도꼭지 등에 살면서 에어로졸[공기 중에 떠다니는 고체나 액체 미립자]화되어 공기 중으로, 또는 물방울을 통해 전파된다. 피어러와 던에 따르면 인후염, 부비강염, 이염, 충혈, 뇌수막염, 폐렴을 일으키는 스트렙토코쿠스 박테리아는 집 밖보다 집 안에 더 많다.[44] 이러한 미생물이 존재한다고 해서 꼭 위험하다는 말은 아니고 꼭 모두 질병을 일으킨다는 말도 아니지만, 건물은 질병을 퍼트리는 인프라 노릇을 할 수 있다. 공기 중으로 전파되는 인플루엔자는 사무용 건물의 환기 계통을 따라 퍼질 수 있다. 또 스트렙토코쿠스가 묻어 있는 문 손잡이는 부비트랩이나 마찬가지일 수 있다.

하지만 많은 실내 미생물이 전적으로 무해하며 어떤 것은 평생에 걸쳐 우리의 건강에 득이 된다. 산업화된 국가들에서 최근 몇십 년 사이 천식, 알레르기, 자가면역질환 등이 급증했다. 몇몇 과학자들은 이러한 질병의 증가가 현대의 생활양식과 관련 있다고 본다. 현대에 들어서면서 우리가 인간이 진화해온 대부분의 시간 동안 인간을 둘러싸고 있었던 강고한 미생물 생태계에서 멀어지게 되었고 그 때문에 우리의 면역계가 적절히 훈련받지 못하게 된 것이 원인일 수 있다는 것이다.*

이 가설을 뒷받침하는 몇몇 실증근거도 있다. 여러 연구에서 개를 키우는 집 아이들이 알레르기에 덜 예민하고 천식

★　　이 이론은 처음에 '위생 가설'이라고 불렸는데, 이 용어는 오해를 일으킬 소지가 있다. 우리가 지켜야 하는 기본적인 위생 습관 자체가 문제라는 잘못된 인상을 줄 수 있기 때문이다. 누군가가 위생 가설을 손 씻지 말라는 메시지로 받아들인다면 이는 큰 오해다. (손은 꼭 씻으세요.) 위생 가설은 우리 환경이 너무 깨끗해서 문제라는 의미가 아니라 도시화, 가족 규모 축소, 항균제의 광범위한 사용과 같은 다양한 요인에 의해 우리가 더 이상 이전 시기 인류가 생활 속에서 접할 수 있었던 풍성한 미생물에 접하지 못하게 되었다는 의미다. 오해의 소지 때문에 이제는 많은 학자들이 '위생 가설'보다 '옛 친구 가설'이라는 용어를 선호한다.45

을 일으킬 가능성도 더 낮은 것으로 나타났는데, 개가 있으면 집 안에 박테리아의 다양성과 풍부함이 증가한다.[46] (개는 면역계의 가장 좋은 친구일 것이다.) 마찬가지로, 농장에서 자라서 가축과 가축의 미생물에 접한 아이들도 알레르기와 천식에서 더 잘 보호되는 것으로 보인다.[47]

미국의 두 농촌 공동체인 아만파와 후터파 공동체에 대한 연구에서도 강력한 실증근거를 찾을 수 있다. 두 공동체는 대가족 중심, 중부 유럽 혈통 등 공통점이 많지만, 아만파 아이들은 5퍼센트만 천식을 일으키는 반면 후터파 아이들은 21퍼센트가 천식을 일으킨다. 그리고 두 공동체는 농업 관습이 다르다. 일반적으로 아만파는 전기를 사용하지 않고 가족 농장 중심으로 농사를 지으며 말과 쟁기를 이용하는 전통 농사법을 사용한다. 아만파 아이들은 집 가까운 곳에 있는 헛간에서 노는 일이 많다. 반면, 후터파는 산업적 규모의 대농장에 모여 살고 첨단 농사 도구와 장비를 사용하며 아이들은 가축과 접촉할 기회가 적다.[48]

이러한 차이는 아이들이 접촉하는 미생물 군집에 영향을 미쳤을 것이고 다시 이는 아이들의 면역계 발달에 영향을 미쳤을 것이다. 2016년에 과학자들은 아만파 가정에서 수집한 먼지 샘플이 후터파 샘플보다 몇몇 박테리아의 세포막에 포함되어 있는 분자인 내독소 수치가 더 높은 것을 발견했다.[49] 아이들의 혈액을 분석한 실험에서도 후터파 아이들에 비해 아만파 아이들이 감염과 싸우는 데 도움을 주는 백혈구 세포인 호중구는 더 많고 알레르기 반응에 중요한 역할을 하는 호산구는 더 적은 것으로 나타났다.

또한 아만파 가정에서 채취한 먼지와 후터파 가정에서 채취한 먼지에 각각 물을 부어 섞은 뒤 어린 쥐의 비강에 주입하고 그 쥐를 알레르기를 일으키는 항원에 노출시켰더니, 후터파 먼지를 주입한 쥐는 예상대로 기도가 경련을 일으키고 뒤틀리는 반응을 보였지만 아만파 먼지를 주입한 쥐는 계속해서 비교적 편안하게 숨을 쉴 수 있었고 알레르기 반응을 잘 막아내는 것으로 보였다.

더 알아보아야 할 것이 여전히 많지만 현재로서 과학 연구들은 초대하지 않은 손님이 가득한 집이 건강에 더 좋은 집일 수 있다고 말해주는 듯하다. 피어러는 이렇게 말했다. "우리는 매일 미생물에 노출됩니다. 많은 것이 무해하거나 잠재적으로 이로운 것들입니다. 우리는 멸균된 집을 갖고 싶은 게 아닙니다." 다행이다. 샤워기 분석 결과 우리 집이 멸균된 상태와는 아주 거리가 먼 것으로 나타났기 때문이다.

샤워헤드 속을 들여다본 지 1년 뒤에 이메일을 하나 받았다. "당신의 샤워헤드 데이터입니다." 나는 걱정스러운 마음으로

메일을 열었다. 미생물이 도처에 있다는 사실을 머리로는 알고 있었지만 눈으로 보았을 때 내 샤워기가 얼룩 하나 없이 깨끗했기 때문에 지난 몇 달간 나는 피어러가 미생물을 하나도 찾아내지 못하면 어쩌나 좀 걱정하고 있었다. 최상으로 깨끗한 내 샤워헤드가 그들의 연구를 통째로 무산시키면 어떡하는가?

물론 괜한 걱정이었다. 내 샤워헤드에는 놀랍도록 다양한 생명체가 살고 있었다. 토양과 수돗물에서 흔히 발견되는 브래디라이조비움과 몇 가지 흔한 오염물질을 분해할 수 있는 막대 모양의 박테리아 스핑고모나스가 가득했다. 잘 알려지지 않은 거주자도 있었다. RB41이라고 불리는 것은 개의 코와 구석기 시대의 동굴 벽화에서 발견된 적이 있고[50] MLE1은 청록조류와 가깝지만 광합성을 하기보다는 탄수화물에서 에너지를 얻는다. 그런데 MLE1이 우리 집 화장실에서 무엇을 하고 있었던 것일까?

피어러는 자기도 모른다고 했다. "MLE1은 불과 한두 해 전에 발견된 것이고 아무도 그것을 실험실에서는 배양할 수 없었어요. 그래서 그것이 정말로 무엇을 할 수 있는지 우리는 아직 알지 못합니다. 흥미롭게도 샤워헤드 샘플 상당수가 MLE1을 꽤 많이 가지고 있었어요. 샤워헤드가 그렇게 이국적인 환경은 아닌데 말이에요. 우리는 평범한 샤워기에 대해 이야기하고 있지만 거기에서 아직 연구가 제대로 되어본 적이 없는 미지의 박테리아들을 발견하기도 합니다."

내 샤워헤드에서는 하나의 미생물 속(屬)이 두드러지게 많이 발견되었다. 마이코박테리아로, 여기에는 약 200종의 미생물이 속해 있다. 이들은 생존 능력이 뛰어나서 뜨거운 물이나 클로린 세제에도 끄떡없다. 인체에 흡입되면 정말 힘든 질병들을 유발하기도 한다. 결핵, 한센병, 그리고 비결핵 항산균 폐렴이라고 불리는 병도 일으키는데 이 병은 미국 등 몇몇 국가에서 증가하는 추세다.[51] 피어러와 던은 잠재적으로 위험한 종류의 마이코박테리아가 하와이, 서던 캘리포니아, 플로리다, 대서양 중부 등 마이코박테리아 관련 호흡기 질환이 잘 발생하는 지역의 샤워헤드에서 많이 발견되었다고 했다.[52] 피어러는 "사람들이 어디에서 이 질병에 걸리는지에 대해 논란이 있어왔는데 이 연구 결과는 샤워헤드가 매개일 가능성을 시사한다"고 말했다.

좋은 소식이 아닌 것 같았다. 내 샤워헤드에서 나온 박테리아의 67퍼센트가 마이코박테리아였기 때문이다. "걱정하실 건 없어요. 대부분이 병을 유발하지 않는 종류일 겁니다." 썩 위안이 되는 말은 아니었지만, 피어러는 마이코박테리아 속은 매우 복잡하고 흥미로운 미생물 그룹이라고 했다. "이 박테리아 중 어떤 것은 흡입하면 오히려 면역계를 증진시킨다는 것을 보여준 연구도 있어요." 피어러와 동료들은 쥐를 미국 가정의 욕실에서 발견된 몇몇 마이코박테리아 종에 노출시켜서 어떤 마이코박테리아가 어떤 효과를 일으키는지 알아낼 수 있기를 기대하고 있다.

좋은 마이코박테리아와 나쁜 마이코박테리아를 구별할 수 있게 되기 전까지는 내 샤워헤드 분석 결과를 가지고 무엇을 해야 할까? 알 수 없다. 피어러와 던은 금속 샤워헤드(내 것도 금속제다)가 플라스틱 재질보다 마이코박테리아가 더 많다는 사실을 발견했지만 플라스틱 재질로 바꾼다고 실질적으로 내게 어떤 득이 생길지는 분명하지 않다.[53] 피어러는 너무 강박적으로 신경 쓰지 말고 샤워헤드 분석 결과를 큰 틀에서 보라고 했다. 샤워헤드에 사는 미지의 마이코박테리아에 대해 고민하며 호들갑을 떨 수 있다는 것 자체가 사치일지 모른다. 세계의 여러 지역이 물에 콜레라균처럼 훨씬 더 위험한 미생물이 많아서 고통을 겪는다. 미국에서도 깨끗한 물에 접근할 수 있다는 것이 모두에게 당연하지는 않다. 미시간주 플린트의 납 수돗물 사건이 이를 잘 보여준다. 이곳 사람들은 앞으로도 오랫동안 그 여파를 겪어야 한다.* 우리 집에 이렇게 깨끗한 물

✴   플린트가 저소득층이 주로 사는 곳이었다는 것은 우연이 아니다. 좋지 않은 실내 환경이 일으키는 부담은 주로 가난한 사람들이 진다.

이 나와서 나는 정말 운이 좋은 것이다. 피어러는 자신의 연구로 "강박증과 결벽증을 일으키고 싶지 않다"고 말했다. "내가 가장 원치 않는 상황은 사람들이 박테리아가 너무 걱정된 나머지 석 달에 한 번씩 샤워헤드를 교체하는 거예요."

그래서 나는 우리 집 욕실 시설을 일단 그대로 둘 것이다. 하지만 집 안에 더 건강한 미생물 군집이 형성되게 할 수 있는 다른 일은 없을까? 이론적으로는 위험한 종을 솎아내고 건강에 좋은 종을 번성시키는 식으로 실내에 미생물 정원을 육성하는 것이 가능할 법하다. 2017년 '전국 과학, 공학, 의학 아카데미'는 "미래에는 건강한 미생물계의 육성과 유지를 염두에 두고 건물을 설계하는 것이 가능해질지 모른다"고 언급했다.[54]

집을 건강에 더 좋은 공간으로 만드는 확실한 방법 하나는 내부 환경을 건조하게 유지하는 것이다. 집에 있는 많은 균류가 습기에 닿기 전까지는 사실상 동면 상태다. 하지만 물이 넘치거나 새거나 습기가 약간만 많아져도 살아나 증식하기 시작한다. 덴마크에서 수행된 한 연구에서, 코펜하겐의 서로 다른 네 군데 매장에서 구매한 건식 벽 패널 신제품이 놀랍게도 검은곰팡이 등 여러 종류의 균류로 "이미 오염된 상태"였던 것으로 나타났다.[55] 건식 벽 패널을 멸균한 물에 넣었더니 균류가 증식하기 시작한 것이다.

습도를 줄이는 것 외에 환기를 자주 하는 것도 병균과 오염물질 제거에 도움이 된다.[56] 카펫에는 먼지, 비듬, 부스러기 등이 많으므로 카펫을 제거하면 알레르기를 유발하는 미생물이 실내에 쌓이는 것을 줄일 수 있다.[57] 피어러는 "미생물 측면에서 보면 카펫은 더러운 물건"이라고 말했다.

또한 전문가들은 명시적으로 미생물을 죽일 목적으로 만들어진 가정용품을 되도록 사용하지 말라고 조언한다. 노스웨스턴 대학의 미생물학자 에리카 하트만은 이렇게 말했다. "우리가 건조환경에 막대하게 사용하고 있는 자재와 물건 상당수가 항균 제품입니다. 우리는 항균 물질을 건축 자재에도 넣고, 도마에도 넣고, 모든 종류의 플라스틱, 타일, 페인트에도 넣고, 하여간 온갖 물건에 넣습니다. 우리는 항균 제품을 정말 모든 곳에 사용하고 있습니다."

문제는, 박테리아가 이러한 화학물질에 빛의 속도로 적응하며 항균 물질을 사용하면 집에서 새로운 슈퍼 벌레들이 생겨나도록 촉진하는 격이 될 수 있다는 점이다. 하트만의 연구 결과, 박테리아가 항균제에 내성을 갖게 하는 몇몇 유전자와 널리 사용되는 두 개의 항균 화합물질 사이에 상관관계가 있는 것으로 나타났다.[58] 실내 먼지 샘플에 항균 화학물질 농도가 높을수록 항균제 내성 유전자가 더 많이 나온 것이다. 하트만은 이렇게 설명했다. "꼭 항균제에 노출된 것이 박테리아가 내성이 강해진 원인이라는 말은 아니지만 그럴 가능성이 있습니다. 이것은 우리가 건조환경에 항균제를 사용하는 방식을 새로운 관점에서 다시 생각해볼 필요가 있음을 의미합니다."

그뿐 아니라 집을 항균 화합물로 도배하면 나쁜 미생물만이 아니라 좋은 미생물까지 죽일 수 있다. 집에서 병균은 없애고 싶더라도 건강에 좋은 미생물은 남겨두고 싶을 것이다. 그런데 여기에 또 다른 막대한 난점이 있다. 어떤 것이 좋은 미생물인지를 아직 우리가 잘 모른다는 점이다. 피어러는 "병균을 짚어내는 데서는 의학이 정말 뛰어나지만 유용한 미생물을 짚어내는 일은 그리 잘하고 있지 못하다"고 말했다.

그런데도 기업들은 프로바이오틱, 가정용 세정제, 공기청정제, 유용한 박테리아를 뿌려준다는 스프레이 같은 제품을 쏟아내고 있다. 한 프로바이오틱 스프레이 회사는 그 제품이 "건강한 박테리아의 균형을 회복시켜" "집에서 건강한 면역계를 일굴 수 있게 해준다"고 선전한다.[59] 하지만 이러한 제품 중 엄정하게 테스트가 이뤄진 것은 거의 없다.[60] 먹는 유형의 제품 등 몇몇 다른 종류의 프로바이오틱 제품에 대한 테스트에서는 대체로 실망스러운 결과가 나왔다. 또 과학자들이 어찌어찌해서 유용한 프로바이오틱 물질을 찾아내는 데 성공한다 해도, 그것을 스프레이로 뿌리는 것보다 더 좋은 방법이 있을 것이다. 일리노이 공대에서 '건조환경 연구 그룹'을 이끌고 있는 브렌트 스티븐스는 "스프레이는 프로바이오틱 물질을 실어 나르기에 가장 효과가 없는 방식으로 보인다"고 말했다. "비타민을 흡수하고자 할 때 공기 중에 비타민을 뿌리고 그 주위를 돌아다니지는 않잖아요?"

그리고 마법 같은 하나의 미생물을 발견하게 될 가능성은 없어 보인다. 하나의 이상적인 생명체가 있어서 그것이 감기를 막아준다든지 열을 막아준다든지 하는 일은 없을 것이다. '이상적인 미생물계'라는 것도 존재하지 않을 것이다. 건강한 사람 100명에게서 미생물 샘플을 채취하면 서로 다른 미생물계 100개를 발견하게 될 것이다. 어떤 미생물이 어떤 사람에게는 건강을 증진시켜주지만 다른 사람에게는 질병을 일으킬 수도 있다. 아동의 성장발달을 돕는 미생물이 노인에게는 위험할 수도 있다. 그렇다면, 정확히 무엇을 목표로 삼아야 할지 모르는 상태에서 건강한 미생물 군집이 육성되도록 건물을 디자인한다는 것이 가능한가? 캘리포니아 주립대 샌디에고 캠퍼스의 미생물계 연구자 로브 나이트는 "어느 방향으로 가고 있는지 모르는 상태로 액셀을 밟는 것이나 마찬가지"라고 표현했다.

집 안에 건강한 미생물계를 육성하는 최선의 방법이 어떤 기가 막힌 제품이나 기술일 것 같지는 않다. 건조하고 눅눅하지 않은 상태를 유지하고, 세제를 덜 사용하고, 직물로 된 깔개를 덜 사용하고, 항균제가 첨가된 물질을 덜 사용하고, 창문을 자주 열고, 개를 (혹은 가능하다면 소를) 키우는 것이 현재로서는 더 합리적인 방법이다.

　무엇보다 우리 집에 미생물이 생각보다 훨씬 많다는 반박 불가능한 사실을 편안하게 받아들여야 한다. 우리의 건물은 살아 있고 그 안의 가장 작은 거주자도 우리의 후생에 매우 큰 영향을 미칠 수 있다. 이는 꺼림칙한 생각일 수도 있지만 실내 공간을 정말로 우리의 건강을 증진시켜주는 방식으로 조직할 수 있는 기회를 의미하는 것이기도 하다. 여기에 대해 교훈을 얻기에 병원보다 좋은 장소는 없을 것이다. 건물 디자인이 말 그대로 생사의 문제가 될 수도 있는 곳이니 말이다.

2 자기만의 병실

2013년 2월, 시카고에 10층짜리 병원 '케어 앤드 디스커버리 센터'가 문을 열었다. 첫 환자들이 들어오기 시작했을 때 이들은 각자의 미생물계를 함께 가지고 들어왔다. 그들은 로비에 박테리아를 떨구었고 복도에 바이러스를 흘렸으며 침대에 균류를 묻혔다. 그리고 퇴원할 때 그 병실을 쓸 다음 환자에게 자신의 미생물계를 남겨놓았다. 이 병원에서 1년짜리 미생물 연구 프로젝트를 이끈 미생물 생태학자 잭 길버트는 이렇게 설명했다. "환자가 병실에 새로 들어오면 병실 안에 있던 박테리아, 즉 직전에 그 병실을 사용한 환자의 박테리아들이 짧은 시간 동안 새 환자를 점령한다. 병실을 깨끗하게 청소해도 마찬가지다."[1]

하지만 하루가 지나면 미생물의 흐름이 역전된다. 새로 들어온 환자의 미생물계가 병실로 이동하는 것이다. 24시간이 지나기 전에 침대 레일, 수도꼭지, 그 밖에 병실 안에 존재하는 표면들이 새 환자가 가지고 들어온 것과 매우 비슷한 미생물 군집을 갖게 된다. 길버트는 이 역전이 "매우 빠르게 발생한다"고 설명했다. 그 환자가 퇴원하면 사이클이 다시 반복된다. 새로운 환자가 들어와서 처음에는 이전 환자의 미생물계에 점령되었다가 곧 자신의 미생물계를 병실에 뿌려놓는 것이다. 끝없이 이어지는 미생물 '전화 놀이'처럼 말이다.

미생물 군집의 이러한 이동은 모든 건물에서 일어나지만 병원에는 병균을 가진 사람이 많으므로 이 과정이 특히 해로울 수 있다. 2002년 중국에서 치명적인 호흡기 바이러스인 사스(SARS)가 발생했을 때 병원과 응급실에 바이러스가 퍼지면서 환자들이 서로서로와 의료진에게 감염을 일으켰다.[2] 병균은 그것을 내놓은 환자가 퇴원한 뒤에도 계속 살아 있을 수 있다. 어떤 환자가 클로스트리듐 디피실리 균(심한 설사를 일으키고 목숨을 앗아가기도 한다)에 감염되면 그 뒤에 그 병실을 사용한 환자가 같은 병에 걸릴 가능성이 높아진다.[3]

입원 환자들은 대개 면역계가 약해졌거나 겉으로 드러난 상처 부위가 있어서 감염에 취약하다. 항생제에 내성이 있는 박테리아나 균류는 의료관련감염(전 세계적으로 입원 환자 중 7~10퍼센트가 적어도 한 가지 이상의 의료관련감염을 겪는다)을 더 위험해지고 치료하기도 더 어려워지게 만든다.[4]

이 문제는 의료기관 건축에서 미생물을 염두에 두는 새로운 접근 방법을 불러왔다. 스웨덴 말뫼의 스코네 대학 병원은 2005년에 감염 병동을 다시 지으면서 새 병동이 "포스트 항생제 시대" 환경에서 환자들에게 더 안전한 곳이 될 수 있게끔 설계하고자 했다.[5] "포스트 항생제 시대"는 효과적인 항생제가 점차 사라지면서 감염병이 전 세계에 급속도로 전파될 수 있는 시대를 말한다.

설계팀은 환자들이 동일한 공간을 공유해야 하는 상황을 절대적으로 최소화하고자 모든 환자에게 개인실을 배정했다. 개인실은 감염의 확산을 막는 데 효과가 있다고 알려져 있다. (그리고 그 효과는 매우 클 수 있다. 몬트리올 종합병원이 여러 환자가 함께 사용하던 중환자실을 각자 개인실을 쓰는 구조로 바꾸자 환자들이 약에 내성이 있는 몇몇 박테리아도 포함해서 잠재적인 병균을 얻는 비율이 50퍼센트 이상 줄었고 평균 입원 기간도 10퍼센트나 감소했다.[6])

설계팀은 한 발 더 나아가서 환자들이 복도에서조차 서로 마주치지 않도록 병실이 있는 위층 전체를 삥 둘러 외부 발코니가 달린 원통형 건물로 병원을 설계했다. 각 병실에는 문이 두 개 있는데, 병원 내부 복도로 가는 문은 주로 의료진이 이용하고 다른 문은 외부 통로와 맞닿아 이어져 있어서 환자들이 밖에서 각자의 병실에 곧바로 들어갈 수 있다. 이 감염 병동을 이끌고 있으며 설계 과정에 관여한 토르스텐 홀름달은 "환자들이 밖에서 개인 병실로 곧바로 들어가기 때문에 열나고 기침하는 상태로 대기실 같은 데서 기다리지 않아도 된다"고 말했다. (1층의 외래 진료실과 응급실도 출입구가 외부에서 직접 들어갈 수 있도록 나 있다.)

병실의 내부쪽 문과 외부쪽 문 모두에 작은 대기실이 있어서 의료진과 방문객은 그곳에서 손을 씻거나 손소독제를 바르고 필요할 경우 마스크와 가운을 착용한다. (실증 결과들이 모두 같은 방향으로 나오지는 않았지만, 몇몇 연구에 따르면 세면대와 손세정제가 편리하게 마련되어 있으면 의료진의 손위생을 높이는 데 도움이 되어 의료진이 한 환자에게서 다른 환자에게로 박테리아를 옮길 가능성을 줄여주는 것으로 보인다.[7])

대기실에는 공기밀폐문이 있으며 내부 압력을 높여서 오염된 공기가 들어오는 것을 막을 수 있다. 홀름달은 이것이 "환자를 외부의 오염원으로부터 보호해주는 동시에 외부를 환자로부터 보호해준다"고 말했다. 감염병이 급속하게 퍼지는 시기에는 2인실로 바꾸어 사용할 수 있도록 병실을 의도적으로 크게 지었으며, 대기실을 폐쇄하고 환기 속도를 높이면 고위험 환자의 격리 병실로도 사용할 수 있다.

홀름달에 따르면, 2010년에 문을 연 이래 이 병동은 대체로 잘 기능하고 있고 예전 건물에 비해 질병이 곧바로 퍼지는 정도가 낮은 것으로 보인다. 아직 과학자들이 건물 개비 이후 환자 상태를 공식적으로 분석하지는 않았지만, 이곳의 병동 재설계는 미생물의 활동을 진지하게 고려하는 미래의 건축을 예고하는 듯하다. 장소가 병원이라는 점도 더없이 적절해 보인다. '근거 기반 디자인'이라는 개념이 탄생한 곳이 병원이기 때문이다.

지난 10~20년 사이, 병원 디자인이 환자 상태에 매우 크게 영향을 미친다는 것을 보여주는 수많은 실증근거가 나왔다. 병원에서 건축은 말 그대로 생명을 구할 수 있으며, 디자인상의 의사결정이 제대로 이뤄지면 환자의 스트레스를 줄이고, 고통을 경감하고, 수면의 질을 높이고, 기분을 고양하고, 의료 과실을 줄이고, 낙상을 방지하고, 감염을 막고, 회복 속도를 높일 수 있다.[8] 이제 수천 건의 연구 결과가 분명하게 말해주고 있듯이, 좋은 디자인은 강력한 치료제다.

현대의 병원은 수천 년 전으로 거슬러 올라가는 개념의 최근 형태라고 볼 수 있다. 인류 역사 내내 많은 사회가 나름의 방식으로 환자를 돌보는 건물을 운영했다.[9] 고대 그리스에서는 아픈 사람들이 신전을 찾아가서 의술의 신 아스클레피오스에게 병을 고치기 위한 지침을 받았다. 로마 사람들은 발레투디나리움(valetudinarium)이라고 불리던 군 병원을 지어서 다치거나 병든 병사를 치료했다. 중세 유럽에서는 의료가 종교와 관련된 경우가 많아서 수도원에 치료소가 딸려 있었고 독립적인 병원도 성직자들이 주로 운영했다.

그러다 18세기와 19세기 초에 의료가 점점 과학화, 전문화되면서 종교와 분리된 세속 병원이 많아지기 시작했다. 이러한 병원은 가난한 사람을 돌보는 것이 주된 용도였는데, 그리 기대를 걸어볼 만하지는 못했다. 늘 자금이 부족했고, 환자는 너무 많았으며, 공간은 어둡고 불결하고 위험했다. 환자들은 병실만이 아니라 때로는 침상도 공동으로 사용했다. 병원에 감염병이 만연했고 돈 있는 사람은 집에서 치료받는 편이 훨씬 나았다.

경악스러운 병원 환경은 영국 간호사 플로렌스 나이팅게일이 팔을 걷어붙이고 나서는 계기가 되었다.[10] 크림 전쟁 중이던 1854년에 나이팅게일은 터키에서 영국 부상병을 돌보게 되었다. 헛간을 개조한 임시 병원에는 이, 벼룩, 쥐가 들끓었다. 물은 오염되었고 배수도 잘되지 않았으며 병동 바닥에는 오수가 넘쳤다. 기본적인 물자도 부족해서 환자들은 불결하고 피가 묻어 있는 침구를 사용해야 했다.

군 지도부의 반대를 무릅쓰고 나이팅게일은 청결 운동을 벌였다. 나이팅게일의 지휘 아래 병원 직원들은 부상병을 씻기고, 옷가지와 침구를 빨고, 막힌 파이프와 배수로를 뚫고, 해충이 들끓는 바닥을 교체하고, 병동을 석회로 소독했다. 질병의 '세균유래론'이 아직 확고히 알려지기 전이었지만 나이팅게일은 훗날 미생물학자들이 확인하게 될 사실을 직관적으로 파악했다. 신선한 공기가 계속 들어와야 질병의 확산을 늦출 수 있다고 말이다. 나이팅게일은 환기를 촉진하고자 창문을 설치하고 지붕에 환기구를 뚫었다. 곧 사망률이 크게 떨어졌다.*

전쟁이 끝난 뒤 나이팅게일은 여러 편의 보고서를 통해 병원의 설계와 운영을 개혁해야 한다고 촉구했다. 나이팅게일은 위생 개선도 주장했지만 그것에만 그치지 않았다. 환자 1인당 더 넓은 공간을 제공하고, 건물의 채광을 극대화하고, 자연 통풍을 우선순위에 놓아야 한다고 촉구했다.[11] (나이팅게일은 1859년에 출간된 저서 『병원에 대한 기록』에서 "환자들을 인위적으로 데워진 공간에 밀집시켜 두는 것은 그들을 느린 오븐에서 굽는 것이나 마찬가지"라고 언급했다.[12]) 또한 다음과

★   나이팅게일이 병원 개혁을 주창한 유일한 인물은 아니며, 나이팅게일이
     있었던 병원의 사망률 감소가 전적으로 환경의 변화에만 기인한 것도 아니다.
     나이팅게일은 병원의 운영 관리와 수술 방식도 개혁했고, 영양 공급도
     개선했으며, 체계적인 인력 관리 시스템을 도입했고, 물자 부족의 원인이었던
     부패도 척결했다.

같이 우아하게 창문의 중요성을 강조했다. "내가 경험으로 말할 수 있는 빛의 효과 중 환자의 회복 촉진에 눈에 띄게 효과가 있었던 것은, 죽어 있는 벽이 아니라 창밖의 경관을 볼 수 있는 벽이다. 화사한 꽃을 내다볼 수 있고, 침대 머리맡에서 창문으로 들어오는 빛에 의지해 무언가를 읽을 수 있는 것… 이러한 것들은 일반적으로 정신에 영향을 미친다고 알려져 있고, 물론 정신에 영향을 미칠 것이다. 하지만 신체에도 그에 못지않은 영향을 미친다."[13]

나이팅게일은 당시 떠오르던 설계 개념인 '파빌리온 양식' 병원을 지지했다.[14] 파빌리온 양식은 중앙 복도에서부터 환자 병동이 손가락처럼 뻗어나가도록 되어 있었다.[15] 기다란 각 병동에는 침대가 2열로 평행하게 배치되고, 벽에는 큰 창문이 있으며, 병동들은 널찍한 잔디밭이나 뜰로 서로 간격이 떨어져 있고, 맞바람이 쳐서 통풍이 원활하게 이뤄지게 한 구조였다. 파빌리온 양식 건물에서 환자들은 맑은 공기, 자연 채광, 자연 경관을 곧바로 접할 수 있었고, 이 양식은 19세기 병원에 점점 더 널리 사용되었다.

하지만 이 트렌드는 오래가지 못했다. 질병의 세균유래론과 소독 개념이 확산되면서 병원들은 자연 세계로부터 병원 공간을 밀폐하고, 질병의 확산을 막는 기제로 햇빛이나 신선한 공기보다 항균제와 화학적 소독제에 의존하는 쪽으로 이동했다.[16] 이어서 20세기에 엑스레이부터 엘리베이터까지 새로운 의료 기술과 건축 기술이 발달하면서 병원 디자인은 다시 한번 크게 바뀌었다. 1980년대 말이 되면 선진국의 병원은 환자의 치유를 촉진하기보다는 의료진의 효율성을 최적화하는 데 더 초점을 둔, 기본적으로 차갑고 살균된 공간으로 바뀌게 된다.* 클렘슨 대학에서 건축과 보건 분야 대학원 프로그램을 이끄는 데이비드 앨리슨은 "의료시설의 건축 상태는 솔직히 상당히 절망스럽다"며 "대체로 의료를 [효율적으로] 배달하는 공장식 모델에 초점을 두고 있다"고 설명했다.

이 대목에서 로저 울리히라는 연구자가 등장한다.

로저 울리히가 현대 병원의 디자인 개혁에 전념하게 되기까지 밟아온 길은 길고 구불구불했다. 길 이야기가 나와서 말인데, 울리히가 여기까지 오게 된 경로의 출발점은 길에 대한 한 실험 연구였다. 미시건 대학 지리학과 박사과정 시절에 울리히는 인간의 공간적 행동에 연구의 초점을 두기로 결정했고, 앤아버 거주자 수십 명을 만나서 그들이 슈퍼마켓에 갈 때 어느

★   한편, 저소득 국가에서는 병원들이 적절한 살균과 소독을 하기 어려워 고전하고 있다. 2019년 세계보건기구와 유엔아동기금이 펴낸 보고서에 따르면, 최저개발국의 경우 의료시설 중 21퍼센트가 위생 서비스를 갖추고 있지 못하고 물이 공급되는 곳은 55퍼센트에 불과하다.[17]

길을 타고 갈지를 어떻게 정하는지 물어보았다.[18] 인터뷰에 응한 사람들은 모두 같은 동네에 사는 사람들이었는데, 이 동네는 제한속도가 시속 약 110킬로미터인 고속도로에서 가까웠고 그 고속도로를 타면 6분 안에 쇼핑센터에 도착할 수 있었다. 하지만 응답자의 절반 이상이 더 멀리 돌아가는 길을 택한다고 했다. 이 길은 가로수가 울창하고 구불구불 언덕진 공원 도로였고, 사람들이 이 길을 택한 이유는 경치가 좋아서였다.

결과 자체는 그리 놀랍지 않았지만, 당시 이 연구는 사람들이 자연 경관에 부여하는 가치를 실증적으로 분석한 매우 드문 연구였다. 울리히에 따르면, 그때만 해도 "인문학에서, 어느 정도는 사회과학에서도, 아름다움이란 보는 이의 눈에 달린 주관적인 것이므로 과학적인 실증 연구로 파악할 수 있는 대상이 아니라는 생각이 일반적이었다."

박사학위를 받은 뒤에도 울리히는 델라웨어 대학에서 연구를 이어가면서 옥외 경관이 사람들의 기분과 감정에 어떤 영향을 미치는지 더 깊이 알아보기 시작했다. 1979년에 발표된 한 연구에서 그는 장시간 시험을 치르고 난 대학생들에게 일련의 슬라이드 사진을 보여주고 반응을 살펴보았다.[19] 절반에게는 나무나 들판 같은 자연 풍경이 담긴 사진을 보여주었고 나머지 절반에게는 도로, 건물, 스카이라인 같은 도시 경관을 보여준 결과, 자연 사진을 본 학생들은 슬라이드를 본 뒤에 행복도가 높아지고 불안감은 낮아진 반면 도시 사진을 본 학생들은 사진을 본 뒤 기분이 더 안 좋아지는 경향을 보였다. (가령, 사진을 보기 전보다 '슬픔' 척도가 높아졌다.) 이후 몇 년 동안 울리히는 여러 다른 연구에서도 비슷한 결과를 확인했고, 이를 현실에서 적용해볼 만한 곳이 어디일지 생각해보기 시작했다. "이 결과들이 쓸모 있을 만한 곳이 어디일까? 많은 사람이 일정 기간에 상당한 스트레스를 받으며 지내는 곳이 어디일까? 생각해보니 답은 병원이었습니다."

어렸을 때 병원 신세를 자주 졌던 울리히는 병원이 주는 스트레스를 아주 잘 알고 있었다.[20] 미시건주 남동부에서 자란 그는 연쇄상구균 박테리아에 유난히 잘 감염되어서 "패혈성 인두염을 달고 살았고" 때로는 연쇄상구균이 신장염을 일으키기도 했다. 그래서 그는 미국 의료시스템이 익숙한 편이었다. 그는 "온갖 병원을 숱하게 다니느라 진력이 났을 정도"라며 "많은 경우에 병원은 꽤나 험한 환경이었다"고 회상했다. "살균 소독된 공간이자 정서적으로는 차가운 공간이었고, 기능 면에서 효율적이고 현대적이기는 해도 정서적으로 기운을 북돋워주는 환경은 아니었습니다." 그는 창밖으로 커다란 소나무가 보이는 집에서 쉬면서 회복하는 편이 더 좋았다.

소나무를 생각하자 한 가지 아이디어가 떠올랐다. 환자 중 일부는 자연 경관을 볼 수 있고 일부는 볼 수 없게 되어 있는 구조의 병원을 찾아서 두 집단의 환자를 비교해보자는 것이었다. 그는 미국 동부 지역을 샅샅이 돌아다닌 끝에 펜실베이니아주에서 이 연구에 안성맞춤으로 보이는 200병상 규모의 병원을 하나 찾아냈다.[21] 그 병원의 병동 하나가 모든 병실이 거의 동일한데 창밖으로 무엇이 보이는지에만 차이가 있었다. 일부 병실에서는 나무가 있는 정원이 보였고, 일부 병실에서는 벽돌 벽만 보였다. 울리히는 "자연 실험과 무척 비슷한 조건"이었다고 회상했다.

울리히는 그 병원에서 1972년부터 1981년 사이에 담낭 제거 수술을 받은 환자 46명의 의료기록을 조사했다. 절반은 나무가 보이는 병실에서 회복기를 보냈고 절반은 벽이 보이는 병실에서 회복기를 보낸 사람들이었다. 그리고 이 차이가 "환자들이 느끼는 통증에 매우 큰 격차를 가져온 것으로 나타났다". 자연 경관을 볼 수 있었던 환자들이 벽만 보이는 병실에 있었던 환자들에 비해 평균적으로 진통제를 덜 필요로 했고 퇴원도 하루 정도 빨리 했다. 이 연구는 자연환경에 치유 효과가 있다고 본 플로렌스 나이팅게일이 옳았다는 데 대해, 현대의 병원이 환자들을 자연 세계에서 고립시키는 것은 잘못이라는 데 대해 실증근거를 제공했다.

당시에 의료시설 설계는 실증근거보다 감에 의해 이루어지고 있었고 그곳을 지은 건축가가 다시 찾아와서 자신의 설계가 현실에서 잘 기능하고 있는지 확인해보는 일은 매우 드물었다. 울리히는 "의료 환경과 그것이 치료 결과에 미치는 영향에 대해 엄정한 연구가 이뤄져 있지 않은 것 같았다"며 "병원 디자인이 나쁜 것도 당연하다는 생각이 들었다"고 회상했다.

울리히의 연구는 1984년 『사이언스』에 게재되었고, 이 논문은 '근거 기반 디자인'의 새 시대를 연 논문으로 널리 인용되고 있다. 타이밍도 매우 좋았다. 두 개의 아이디어가 의료 분야에 혁신을 일으키려 하던 시점이었기 때문이다. 하나는 '환자 중심적 의료'라는 개념으로, 의료 활동에서 환자의 필요와 욕구를 최우선이자 중심 위치에 놓아야 한다는 것이었고,[22] 다른 하나는 '근거 기반 의학'이라는 개념으로, 의사들이 진료에서 내리는 결정이 엄정한 연구로 뒷받침되어야 한다는 개념이었다.[23] 그리고 여기에 '근거 기반 디자인'이 자연스럽게 함께 와야 하는 것으로 보였다. 의사는 "환자에게 해를 끼치지 않는다"는 선서를 한다. 그렇다면 의료시설을 설계하는 건축가도 그래야 하지 않겠는가?

그 이후로 연구자들은 병원 환경을 개선할 수 있는 수많은 방법을 발견했다. 상당수의 연구가 자연의 치유 효과에 대해 여러 실증근거를 제공하면서 울리히가 발견한 내용을 한층 더 확장한 것이었다. 이러한 연구들에 따르면, 거의 어떤 종류의 자연이라도 효과가 있는 것으로 보인다. 1990년대 초에 울리히는 심장 수술을 받은 환자들을 무작위로 나누어 그중 한 집단에만 자연을 담은 사진들을 보여주었다. 그 결과, 이 환자들이 추상화를 보았거나 아무것도 보지 않은 환자들에 비해 수술 후 불안 증세가 덜했고 강한 진통제도 덜 필요로 했다.[24] 또 다른 연구에서도 초원을 그린 벽화가 있고 자연의 소리가 나오는 곳에서 기관지 내시경 시술을 받은 환자들이 시술 도중에 통증을 덜 느낀 것으로 나타났고, 화상을 입은 환자 중 자연 경관을 담은 동영상을 본 환자들이 그렇지 않은 환자들보다 붕대를 갈 때 불안과 통증을 덜 느낀 것으로 나타났다.[25] 실내에 화분을 두는 것도 유익했다. 수술 환자 중 화분이 있는 병실에서 회복기를 보낸 환자들이 그렇지 않은 환자들보다 혈압이 낮았고, 통증과 불안을 덜 호소했으며, 진통제도 덜 사용했다.[26]

자연이 이렇게 큰 효과를 내는 이유는 무엇일까? 울리히는 '생물애(愛) 가설'에서 답을 찾을 수 있다고 생각한다. 이 가설은 유명한 곤충학자 E. O. 윌슨이 제시한 것으로, 그에 따르면 인류가 진화해온 방식 때문에, 즉 인류가 야외에서 자연과 접촉하면서 진화해왔기 때문에, 우리는 타고나길 자연 세계에 친화적이다. 따라서 자연환경 혹은 자연환경에 대한 사진이나 그림은 우리의 눈길과 관심을 끌고, 기운을 북돋워주고, 고통과 불안을 완화해준다. 울리히는 "자연은 부담스럽지 않고 스트레스를 주지 않고 원기를 북돋워주는 방식으로 사람들의 관심을 돌리는 데 꽤 효과적일 수 있다"고 설명했다.[27]

잠깐 동안만 자연에 접해도 면역계에 상당한 변화를 촉발할 수 있다. 도쿄의 니혼 의과대학에서 수행한 일련의 연구 결과, 삼림욕을 하면 바이러스와 종양을 없애는 데 도움을 주는 백혈구의 일종인 자연살해세포(NK 세포)의 수와 활동이 증가하는 것으로 나타났다.[28] 이 결과는 미생물학자들이 발견한 내용과도 크게 다르지 않다. 우리의 신체가 자연과 연결되어 있을 때, 즉 인류가 존재해온 대부분의 기간에 인류를 둘러싸고 있던 풍성한 생물 군집에 둘러싸여 있을 때, 가장 잘 기능한다고 말이다. 그렇다면, 건강한 실내 환경이란 실외 세계와의 연결을 계속 유지하도록 도와주는 환경이라고 말할 수 있을 것이다.

병실에 창문을 내면 경관도 볼 수 있지만 햇빛도 잘 들어온다. 그리고 해가 잘 드는 병실의 환자들이 그늘진 병실의 환자들보다 회복이 잘되는 경향을 보인다. 여러 연구에 따르면, 해가 잘 드는 병실의 환자들이 진통제를 덜 사용하고, 스트레스를 덜 받고, 퇴원을 더 빨리 하고, 사망률도 더 낮다.[29] 정확한 메커니즘이 무엇인지를 말하기는 어렵지만, 햇빛은 혈압을 낮추고, 기분을 북돋우며, 비타민D 생성을 돕고, (오늘날 잘 알

려져 있듯이) 살균 효과도 낼 수 있다.[30]

햇빛이 들면 생체리듬이 조화를 이루는 데도 도움이 된다. 우리 신체는 하루 단위로 돌아간다. 호흡 속도, 혈압, 호르몬 수치, 면역 활동 모두 낮과 밤이 바뀌는 사이클에 따라 달라진다. 아침에 빛이 많이 들어오면 신체의 내부 시계가 자연에 시간을 잘 맞출 수 있다. 반면, 어둡고 칙칙한 병실에 있는 환자는 생체리듬이 교란된다. 낮에 너무 어두워도 그렇지만 밤에 너무 밝아도 생체리듬이 교란된다. 밤에도 환히 불이 밝혀져 있는 병동의 환자들이 수면 방해에 더 많이 시달리는 것으로 나타났으며, 이는 면역 기능을 떨어뜨리고 회복을 지연시킬 수 있다.[31]

'생체리듬 조명'을 시도하는 병원도 있다. 햇빛의 강도와 색이 시간에 따라 달라지는 것을 인공적으로 흉내내서, 아침에는 푸른 파장 쪽의 밝은 빛을 내보내고 저녁으로 가면서 점차 색상 스펙트럼의 호박색 쪽으로 이동해 더 따뜻하고 은은한 빛을 내보내는 것이다. (생체리듬 조절을 돕는 망막 세포는 색상 스펙트럼에서 푸른색 쪽에 있는 단파장 빛에 가장 민감하다. 푸른색의 빛은 망막 세포가 뇌에 아침이 왔다는 신호를 보내게 한다.)

그리고 진정으로 환자들이 푹 쉴 수 있는 환경을 만들고 싶다면 병원은 소음을 해결해야 한다. 나는 간단한 수술을 몇 차례 받아보았는데, 신체의 통증을 제외하고 가장 괴로웠던 것은 그치지 않는 소음이었다. 알람이 귀가 찢어지게 울렸고 도처에서 기계가 삑삑거렸다. 카트 바퀴 굴러가는 소리와 의료진의 말소리도 바닥과 벽에 계속해서 울렸다. 병원은 고속도로 못지않게 시끄러울 수 있으며 세계보건기구가 권고하는 기준보다 상당히 더 시끄러운 경우는 꽤 흔하다.[32]

2002년 울리히의 연구팀은 스웨덴 후딩에 대학 병원에서 관상동맥 수술 후 중환자실에 있는 환자 94명의 상태를 조사했다.[33] 두 달의 연구 기간 중 어느 시점에 병원은 소리가 울리는 석고로 된 중환자실 천장을 소리를 흡수하는 재질의 타일로 바꾸었다. 중환자실 환자들은 모두 병세가 '중한' 환자들이다. 그런데 천장이 교체된 이후에 들어온 환자들은 이전의 환자들에 비해 잠도 더 잘 자고 생리적인 스트레스도 덜 겪는 것으로 나타났다. 또 세 달 안에 재입원할 확률도 훨씬 낮았다. (천장 교체는 간호사에게도 유익했다. 간호사들은 천장이 바뀐 뒤 근무 중에 느끼는 부담과 스트레스가 줄었다고 답했다.)

천장 재질을 바꾸는 것은 빠른 개선책으로 좋은 방법이지만, 환자들에게 평안과 고요함을 주는 더 나은 방법은 개인 병실을 주는 것이다. 텍사스 A&M 대학의 '의료시스템 디자인 센터' 부소장 커크 해밀턴은 "60년대와 70년대에는 개인 병실이란 돈 많은 사람들이나 이용하는 비싼 고급 병실이라고 여겨졌다"고 말했다. 하지만 자기만의 공간은 단지 사치품이 아니다. 해밀턴은 "환자가 더 개인화된 환경에 있어야 할 필요성을 말해주는 임상 의학적 근거들이 많다"고 설명했다.

개인 병실은 환자들 사이의 교차 감염을 줄이는 것은 물론, 더 조용하고 방문객이 오기에도 더 좋다.[34] 환자와 의사가 소통하기에도 더 좋다. (한 연구에서, 응급실 환자 중 단단한 벽과 문으로 막힌 개인실에 있는 환자들이 복닥대는 개방형 공간에서 커튼으로만 분리되어 있는 환자들에 비해 병력의 일부를 말하지 않거나 검사의 일부를 거부할 가능성이 더 낮은 것으로 나타났다.[35]) 또 환자의 상태가 도중에 달라지더라도 입원부터 퇴원까지 죽 같은 병실에서 지내도록 하면 환자의 안전을 더 향상시킬 수 있다. 여러 연구에 따르면, 그렇게 할 수 있는 '중증도 적응형' 병실이 치료 지연, 환자 낙상, 의료 과실 등을 줄이는 효과가 있는 것으로 나타났다.[36] 환자가 다른 병실이나 다른 의료팀으로 인계되는 도중에 그런 사고가 발생하기 쉽기 때문이다.

이와 같은 개선은 병원의 수익에도 도움이 된다. 2004년 일군의 의료 건축가, 연구자, 경영진이 모여서 300병상 규모의 가상 병원인 '페이블 병원'의 구상안을 저널에 발표했다.[37] 환자가 더 나은 치료 효과를 얻을 수 있고 의료진의 만족도도 높아진다고 알려진 디자인 요소들을 도입한 병원 설계안이었다.

'의료 디자인 센터'의 공동 창립자이자 페이블 병원의 아이디어를 낸 주인공인 데릭 파커는 "[가상으로] 이상적인 고객을 만들어서" 계획을 짰다고 말했다. "이 모든 연구 결과를 한데 모아 하나의 멋진 공간을 만들어보면 어떨까? 이것이 내 생각이었습니다."

파커와 동료들은 해가 잘 들고 널찍하며 '중증도 적응형'으로 설계된 개인 병실, 소음을 흡수하는 바닥과 천장, 명상을 할 수 있는 공간, 옥외 정원, 실내 화분, 음악, 미술품 같은 편의 시설 등이 갖추어진 병원을 구상했다. 그들은 이러한 요소를 추가하는 데 건설 비용이 1200만 달러 정도 더 들 것으로 추산했다. 하지만 의료관련감염, 환자 낙상, 병실 전환, 의약 비용, 간호사 이직률 등을 줄임으로써 운영 첫해에 1140만 달러를 절약할 수 있을 것으로 예상되었다. 최첨단 디자인 요소를 도입하기 위해 추가로 들인 비용을 1년이면 거의 다 메울 수 있는 것이다. 파커는 "예상 투자 수익은 정말로 설득력이 있었다"고 말했다.

페이블 병원은 상상으로만 머물지 않았다. 꿈의 병원에 대한 파커의 구상이 저널에 게재된 2004년에 비영리 의료기관 오하이오헬스가 현실에서 그러한 병원을 구상하기 시작했다. 오하이오헬스는 오하이오주 콜럼버스의 교외 지역인 더블린에 소규모 지역 병원을 세울 계획이었는데 이 병원을 환자와 의료진 모두에게 더 이로운 최첨단 시설로 만들고자 했다. 오하이오헬스가 고용한 건축가들은 오하이오헬스 담당자들에게 근거 기반 디자인에 대해 속성 강의를 해주었다. 이렇게 해서 '더블린 감리교 병원'이 세워진다. 초대 병원장인 간호사 셰릴 허버트는 설계 당시에 건축가들이 알려준 문헌을 자신이 정말 열심히 공부했다고 회상했다. "나는 페이블 병원에 대한 논문을 읽고, 읽고, 또 읽었습니다. 아마 페이블 병원 구상안에서 언급된 디자인 요소 중 족히 90퍼센트는 더블린 감리교 병원에 도입되었을 것입니다."[38]

2008년에 문을 연 이 병원은 자연환경의 중요성을 강조하는 기조를 강하게 이어갔다. 잎이 무성한 나무들이 중앙 로비에 들어섰고 유리로 된 높은 아트리움에는 3층 반 높이의 폭포가 있었다. 자연 풍광을 담은 커다란 사진이 건물 여기저기에 걸렸고 모든 병실, 공공 공간, 복도, 사무 공간에 밖이 보이는 창문이 있었다. 응급실도 포함해 모든 병실은 개인 병실이고 상당수가 중중도 적응형 병실이었다. 각 병실에는 가족이 지낼 수 있는 공간과 미니 냉장고, 방문객이 밤을 보낼 수 있는 소파 겸용 침대가 마련되었다. 천장 타일은 소리를 흡수해 소음을 최소화하는 재질을 사용했다. 허버트는 "조용한 환경은 영혼에 큰 치유제"라고 말했다.

문을 열고 몇 년 동안 이 병원의 환자 만족도 순위는 여러 항목에서 일관되게 매우 높게 나왔고, 환자의 낙상, 의료관련감염, 의료 과실도 거의 발생하지 않았다. 2011년 허버트는 이러한 내용을 담은 보고서를 발표했다.[39] 그는 "이 병원이 굉장히 좋은 성과를 내고 있으며 아직 세워진 지 얼마 되지 않았지만 지금까지 줄곧 좋은 성과를 내왔다"고 말했다.

더블린 감리교 병원이 도입한 디자인 요소들 각각은 실증근거로 뒷받침되지만 병원은 매우 복잡한 환경이어서 디자인 요인이 병원의 성공에 정확히 얼마나 기여했는지만을 콕 집어 수량화하기는 쉽지 않다. 허버트는 "이 병원을 열고 나서, 설계와 디자인의 영향을 다른 수많은 요인의 영향에서 떼어내 독립적으로 알아보는 것이 정말 어려운 일임을 알게 되었다"고 말했다.

실제로, 근거 기반의 병원 디자인이 가져다주는 장기적인 효과를 추적한 연구는 아쉽도록 적다. "연구를 계속하기에는 이런저런 어려움들이 계속 생기곤 합니다." 건강 디자인 센터의 연구담당 부소장 엘런 테일러는 이렇게 말했다. "일단 병원이 문을 열면 그다음에는 연구 자금이 지속적으로 공급되지 않는 경우가 많습니다."

장기 데이터가 없어도 근거 기반 디자인은 의료기관의 형태와 사람들의 경험을 변화시키고 있다. 울리히는 "오늘날 거의 모든 대형 병원에 근거 기반 디자인이 영향을 주고 있다는 데는 의문의 여지가 없다"고 말했다. '미국 건축가 협회'가 내놓은 디자인 가이드라인은 새로 짓는 모든 병원이 개인 병실을 마련하도록 권고한다.[40] 커다란 창문, 정원, 아트리움도 일반적이다. 명상실, 치유 정원, 실내 화분도 드물지 않다. 정원 가꾸기를 통한 '원예 치료' 프로그램을 제공하는 병원도 있다.

이제까지의 연구는 충분히 그럴 만한 이유에서 대부분 병실, 환자의 경험, 환자 만족도 등 '환자'에 집중해 이뤄졌고, 그 때문에 병원 디자인이 진료와 돌봄을 수행하는 인력에게 미치는 영향은 아직 많이 알려져 있지 않다. 이 부분이 근거 기반 의료시설 디자인의 새로운 개척지다. 연구자들은 병실 이외의 공간으로도 연구를 확장해, 의료진이 어떻게 행동하고 어떻게 상호작용하고 어떻게 진료 의사결정을 내리는지 알아보기 시작했다. 이를테면, 위험도가 높고 때로는 생사가 걸려 있는 수술실 같은 공간 말이다.

지난 몇 세기 동안 수술실도 병원과 비슷한 변화 과정을 밟아 왔다. 극장식의 커다란 개방형 공간에서 청중이 보는 가운데 수술이 시연되던 데서 소독되고 밀폐된 공간으로 바뀐 것이다. 또 수술 기법이 발달하면서 수술실은 더 붐비고 복잡해졌다.[41] 클렘슨 대학의 의료 건축 교수 데이비드 앨리슨은 "수술실은 매우 강도 높은 인간 활동이 일어나는 곳이고 생명을 위협하거나 삶을 크게 바꾸는 사건이 일어날 수도 있는 곳"이라고 말했다. 그리고 현재의 수술실은 "상당히 기계 중심적이고 테크놀로지 위주로 조직된 환경이며 이제까지 인간의 욕구나 필요에 초점이 맞춰져 있지는 않았다"고 설명했다.

현대의 수술실은 시끄럽고 복잡하다. 외과 의사, 마취과 의사, 간호사, 기술 인력, 의대생 등이 한꺼번에 엄청난 밀도와 강도로 일한다. 그들이 하는 일은 시간에 매우 민감해서 진행 속도가 굉장히 빠르다. 그리고 한 번의 수술에서 수술팀은 어마어마하게 다양한 일을 해야 한다. 물품을 가져오고, 계기판의 눈금을 맞추고, 조명 위치를 조정하고, 모니터 위치를 다시 잡고, 환자의 바이털 사인을 체크하고, 환자 차트를 업데이트하고, 검사할 시료에 라벨을 붙여 보관하고, 전화를 받고, 호출기를 확인하고, 수시로 일어나는 방해와 교란을 관리해야 한다.

수술실은 환자에게 위험한 공간이기도 하다. 선진국에서 입원 수술 환자 중 3~22퍼센트가 심각한 합병증을 겪는데[42] 연구자들은 이러한 불행의 절반 정도는 예방이 가능했던 것이었으리라고 추산한다. 클렘슨 대학의 '건강 시설 디자인 및 시험 센터'를 이끄는 안잘리 조지프는 "수술실에서 환자는 취약하며 의사가 하는 일은 시간이 생명이고 환자의 목숨에 결정적으로 중요한 일"이라며 "수술실은 더 안전한 디자인에 꾸준히 관심을 기울여야 할 필요가 있는 곳"이라고 말했다.

조지프는 사우스캐롤라이나 의과대학(MUSC)에서 안전하고 인간 중심적인 수술실을 만들기 위해 연구하는 대규모 프로젝트팀을 이끌고 있다. 2015년에 시작된 4년짜리 프로젝트에 클렘슨 대학과 MUSC의 의사와 연구자 10여 명이 참여하고 있으며 데이비드 앨리슨도 일원이다.[43] 이 통합학제적인 연구팀은 아이디어를 실행으로 옮겨볼 수 있는 드문 기회가 마침 나타나준 덕분에 팀 구성에 탄력을 받았다. 이 프로젝트가 출범했을 때 MUSC는 찰스턴에 외래 수술 센터 두 곳을 지을 계획이었는데, 이 프로젝트에서 연구팀이 발견한 결과를 새 수술 센터의 설계와 디자인에 반영하기로 한 것이다.

2018년 1월 연구팀은 하루짜리 워크숍을 열었다. 의료시설 디자인 전문가들에게 그동안의 연구 결과를 발표하는 자리였다. 나도 참관하러 찰스턴에 갔다. 1월치고 추운 아침이었고 담배 공장이던 벽돌 건물에 있는 '클렘슨 디자인 센터'에 도착했을 때는 해가 뜨기도 전이었다. 나는 피곤했고 카페인이 필요했다. 하지만 밝은 보라색 블라우스와 검은 재킷 차림의 조지프는 벌써 100명 정도 되는 청중 앞에서 메가와트짜리 미소를 띤 채 빠른 말씨로 그와 동료들이 하는 일을 설명하고 있었다.

연구팀 사람들 모두 병원 구조와 돌아가는 방식을 속속

들이 알고 있었지만 이들은 수술실을 완전히 새로운 눈으로 다시 조사하는 것부터 시작하기로 했다. 그들은 MUSC의 수술실 중 세 곳에서 진행된 수십 건의 수술을 녹화해 의사와 간호사 각각의 움직임, 동선, 활동을 조사했다.[44] 언제 집중이 흐트러지는지, 언제 도구를 떨어뜨리는지, 언제 필요한 약이 빠져 있다는 것을 발견하는지와 같은 실수와 문제도 모두 기록했다. 이러한 '흐름 교란'은 자칫 눈덩이처럼 커져 수술이 지연되거나 의료진의 안전에 문제가 생기거나 의료 과실이 발생하는 등의 상황으로 이어질 수 있다.[45]

연구자들은 흐름 교란이 28건의 수술에서 2500회나 발생할 정도로 흔한 일이라는 것을 발견했다.[46] 대부분은 간호사가 호출기를 확인하려고 잠깐 아래를 내려다보는 것처럼 사소한 교란이었지만, 수술팀이 작업을 중단하거나 해당 과정을 되풀이해야 하는 상황을 야기하는 경우도 있었다. 그리고 흐름 교란의 절반 이상이 간호사가 불편하게 놓인 장비 거치대 주위를 멀리 돌아서 가야 한다거나 장비가 집도의의 시야를 가리는 경우와 같이 수술실의 공간 구조 및 장비 배치와 관련되어 있었다. 특히 장비가 많이 놓여 있는 마취과 의사 구역과 사람들이 수시로 지나다니는 수술대 근처 공간에서 흐름 교란이 자주 일어났다.

이 조사 결과는 수술실 디자인을 어떻게 개선할지에 대

해 꽤 명백한 방향성을 제시했다. 수술대 주위에 더 널찍한 공간을 확보하고 수술실 안에는 꼭 필요한 장비와 물품만 두는 것이다. 또한 병원 설계에서 순회간호사[수술실 간호사 중 소독한 상태로 집도의 옆에서 수술을 보조하는 스크럽간호사와 달리 비멸균 영역에서 수술 진행을 보조하는 간호사]가 필요로 하는 바에 관심을 기울여야 한다는 점도 중요한 시사점이었다. 흐름 교란의 상당 부분이 순회간호사와 관련 있었는데, 순회간호사는 환자를 모니터하고 동료들이 쓸 물품과 장비를 챙기면서 수술실 안의 이곳저곳을 왔다 갔다 하느라 대개 수술팀 멤버 중 동선이 가장 긴 사람들이다. 비품 캐비닛을 순회간호사가 일하는 곳 바로 옆에 두는 것만으로도 동선을 줄일 수 있고 따라서 흐름 교란도 줄일 수 있을 것으로 보였다. (상식적인 말로 들리겠지만, 늘 모든 일이 상식적으로 이루어지는 것은 아니다. 수술실 세 곳 모두 비품이 순회간호사가 일하는 곳의 반대쪽에 놓여 있었다.)*

그날 디자인 워크숍에서 앨리슨은 디자인 센터의 회색 바닥에 컬러 테이프로 평면도를 그려가며 그와 학생들이 조사 결과를 수술실 원형 모델을 만드는 데 어떻게 적용해나갔

---

* 동선을 줄이면 의료진이 수술대 주위의 멸균 지역을 오염시킬 가능성도 줄일 수 있다. 클렘슨 대학 연구팀이 네 곳의 수술실에 배양 접시를 두어 본 결과, 동선이 많은 공간에 미생물이 더 많이 모이는 것으로 나타났다.[47]

는지 설명했다.[48] 그들은 몇 가지의 수술실 크기를 고려해보았고 이를 컴퓨터 모델로 검증했다.[49] 먼저 클램슨 대학의 산업공학자 케빈 타페가 수술팀 멤버 모두의 동선 데이터를 해당 수술실의 도면 위에 포개 업로드했다. 관찰된 그대로를 복제한 이 원천 데이터가 확보되자, 연구자들은 그것을 이리저리 움직여서 (이를테면, 문을 약 1미터 왼쪽으로 옮겨보거나 수술대를 반대쪽으로 옮겨보는 식으로) 각각의 재배치가 의료진의 동선을 어떻게 바꾸는지 알아볼 수 있었다. 그다음에 수술팀 멤버 각자가 다른 사람과 접촉하는 횟수가 어떻게 되는지 살펴보았다.

이 모델은 '최적'의 수술실 크기가 존재한다는 것을 분명하게 보여주었고, 디자이너들은 약 53제곱미터가 넘지 않는, 세로로 긴 직사각형으로 수술실 모양을 잡을 수 있었다. 수술실 크기가 그것보다 너무 작으면 수술팀 사람들 사이에 접촉이 급증하고 너무 크면 접촉 수는 별로 줄이지 못하면서 동선만 증가한다. 즉 타파의 설명을 빌리면 "수확 체감"[자원 투입에 따라 생산량이 증가하다가 어느 시점이 지나면 투입량 대비 생산량이 감소하는 현상]이 발생한다.

또한 연구팀은 수술대의 위치와 방향에 대한 아이디어를 검증하는 데도 컴퓨터 모델을 사용했다. 처음에는 기존대로 수술대를 수술실 중앙에, 머리가 문에서 먼 벽을 향하도록 수

직으로 배치했다. 앨리슨은 "수술대를 가로세로 모두에서 중앙에 두는 것이 이제까지 표준이었고 거의 아무도 이를 문제 삼지 않았다"고 설명했다.[50]

하지만 MUSC의 임상 의사들과 이야기를 나누면서 앨리슨과 학생들은 새로운 아이디어를 떠올렸다. 수술대를 중앙에 놓지 말고 왼쪽 위 구석에, 그리고 머리가 수술실 모서리를 향하도록 대각선으로 놓으면 어떻겠는가? 이렇게 하면 수술대(와 환자)를 수술실 오른쪽에 있는 문에서 멀리 둘 수 있고 사람들이 많이 다니는 수술실 문과 수술대 발치 사이에 공간을 넉넉하게 확보할 수 있다. 통상 수술대의 머리 쪽에서 일하는 마취과 의사도 한쪽 구석에 그만의 작업 공간을 확보할 수 있어서 붐비는 장소에서 이리저리 밀쳐지고 방해받으면서 집중이 흐트러지는 것을 줄일 수 있을 것 같았다.

또한 순회간호사가 일하는 구역을 문에서 더 가깝고 비품 캐비닛에도 더 접근하기 쉽도록 수술실의 오른쪽 아래 구석으로 옮겼고 간호사 작업대에 바퀴를 달아서 간호사 사신이 사용하기 편리한 위치로 쉽게 옮길 수 있게 했다.[51] 박테리아가 서식하기 좋은 틈새 공간을 줄이기 위해 캐비닛은 벽 안쪽으로 움푹 들어가도록 설치하고 수술실에 통유리창을 두어서 수술팀 사람들이 가끔씩이라도 햇빛을 볼 수 있게 하는 등 전통적이지 않은 요소들도 도입했다. "미국에서 겨울이면 많은 의사들이 해 뜨기 전에 출근해서 하루 종일 햇빛을 못 보고 일하다가 해가 진 다음에 퇴근합니다. 이것은 건강한 환경이 아니고 스트레스를 일으키는 환경이라고 생각합니다." 앨리슨이 설명했다.

또한 수술팀의 모든 일원이 수술 과정과 환자 상태를 계속해서 잘 확인할 수 있도록 커다란 디지털 모니터를 벽에 달아 환자의 의료 정보, 바이털 사인, 수술 과정의 실시간 동영상이 나오게 했다. "당신이 수술실의 어디에 있든지, 또 어떤 일을 하고 있든지 간에 당신이 필요로 하는 정보를 디지털화된 형태로 접할 수 있습니다." 앨리슨이 설명했다.

연구팀은 의사들을 불러 가상현실에서 이 수술실을 구현해보고 피드백을 받았다. 그다음 클렘슨 디자인 센터에 실물 크기의 정교한 모델을 제작하고 실제 의료 장비들을 배치했다. 워크숍이 끝나고 몇 시간 뒤에 연구팀은 공식적으로 수술실 모델을 공개하는 행사를 열었다.

저녁 6시가 되자 검은 양복, 드레스, 호피 무늬 재킷 등을 차려입은 손님들이 도착하기 시작했고 음료와 간단한 카나페(고르곤졸라가 들어간 미트볼, 작은 피멘토 치즈 비스킷에 염소 치즈와 페퍼 젤리가 올라간 것 등이 있었다)를 먹으며 담소를 나누었다. 잠시 후, 미래의 수술실을 보기 위해 다들 센터의 뒤쪽으로 이동했다.

카키색 옷을 입은 한 손님이 실물 크기의 인형이 흰 시트를 덮고 누워 있는 수술대로 뛰어가면서 장난 삼아 연기를 했다. "프레드? 프레드?" 또 다른 사람이 스텔라 아르투아 맥주를 마시면서 말했다. "상태가 안 좋아 보이는군요."

위치를 조정할 수 있는 흰색의 천장 조명에 불이 들어와 '프레드'를 환하게 비추었다. 옆쪽 벽에 환자 이송용 침대까지 놓여 있었는데도 수술대 주변 공간이 넉넉했다. 파란 타일로 된 바닥은 깨끗하고 전선 하나도 거치적거리게 나와 있지 않았다. 창문을 두기 위해 벽 패널 세 개를 없앴고, 수술실의 오른쪽 아래 구석에는 바퀴 달린 간호사 작업대가 있었다. 모형 수술실은 깨끗하고 미니멀하고 현대적이었다. 이제 이 디자인이 수술 상황에서 얼마나 효과가 있는지 알아보아야 할 때였다.

석 달 반 뒤에 찰스턴을 다시 찾았을 때는 카나페 대신 끝없이 커피가 나오는 키피 주진자가 있었고 니사인 팀은 모두 일에 몰두하고 있었다. 오전 8시가 조금 못 되어서 짙은 푸른색 수술복을 입은 간호사들이 의료 장비가 놓인 트레이를 들고 주차장에 도착했다. 모형 수술실을 테스트하러 온 사람들이었다.

첫 번째 문제가 발견되기까지는 오래 걸리지 않았다. 수술실 왼쪽 아래 구석에 나란히 서서 수술 도구 상자를 열던 두 간호사가 쓰레기통을 찾으려고 주변을 두리번거리다가 쓰레기통이 반대쪽 끝에 있는 것을 발견했다. 짙은 밤색 머리카락을 목 뒤로 낮게 묶은 젊은 여성 간호사가 물었다. "쓰레기통이 저것 하나뿐인가요?"

수술실 바로 밖에서 주의 깊게 보고 있던 클렘슨 대학의 연구 조교수 새러 베이람자데가 물었다. "더 필요하신가요?"

"이쪽에 하나가 있었으면 좋겠어요. 그리고 마취과 선생님도 하나 필요하실 거예요."

베이람자데는 그 말을 받아적었다.

순회간호사와 스크럽간호사(밝은 파란색의 수술 모자를 쓰고 있는 젊은 남성)는 도구와 물품 준비를 마무리하고 매스, 봉합 도구, 스펀지 등의 정확한 개수를 큰 화이트보드에 기록했다. 그다음에 순회간호사가 자신의 작업대로 가서 컴퓨터에 로그온을 하고 필요한 정보를 입력했다. 자, 수술 준비가 다 되었다.

순회간호사가 환자를 데리러 수술실 밖으로 나갔다가 금발의 아이 인형이 눕혀져 있는 이동식 침대를 밀고 왔다. 간호사는 아이를 수술대에 올렸다. 집도의(의 역할을 맡은 소아과 간호사)가 들어와서 동료들에게 인사를 했다. 순회간호사는 작업대를 바퀴로 밀어서 수술대 가까이로 가져왔고 수술할 환자의 기본 정보를 동료들에게 알렸다. "존 스미스. 2014년 2월 1일생입니다." 그들은 탈장 수술을 할 것이었다. 30분이 채 안 걸리는 간단한 수술이고 혈액 손실 위험도 비교적 낮은 수술이다.

본격적으로 수술 준비가 진행되는 동안 수술팀 사람들은 벽에 있는 모니터를 쳐다보지도 않았다. 모니터에는 수술 착수 전에 해야 할 필수 업무 목록이 적혀 있었다. 베이람자데가 끼어들어 물었다. "모니터를 보면 도움이 될 거라고 생각하시나요?"

집도의가 벽 쪽을 올려다 보았다. "아, 저기 있군요. 저거 맞나요?" 간호사들은 모니터가 그곳에 있는 줄을 알아차리지도 못했다. 머리 높이보다 위에 달려 있어서 일하면서 보기에는 너무 높았다. 간호사들은 모니터가 유용할 수 있으려면 눈높이에 달려 있어야 할 것 같다고 말했다.

수술을 시작할 시간이 되었다. 간호사가 장비 스탠드를 수술대 쪽으로 가져오고, 수건과 휘장을 준비하고, 위쪽 조명 등의 위치를 조정했다. 외과 의사가 음악을 틀면 어떨지 물었다. "오늘 틀만 한 노래 있어요?" 의사는 환자를 살펴보고 가상의 메스로 복부를 두 번 가상으로 절개했다. "저기 있네요. 탈장 부위요."

집도의는 가상 탈장 수술을 마치고 성공적으로 끝났다

고 말했다. 스크럽간호사가 도구와 물품 개수를 다시 세어서 실수로 환자 몸 안에 둔 것이 없는지 확인했다. "숫자 맞습니다." 이어서 집도의가 가상의 절개 부분을 봉합했다. "자, 수고 했어요. 다음 번에 봅시다." 순회간호사가 존을 회복실로 옮기기 위해 이동식 침대를 밀어서 수술실 밖으로 데리고 나갔다. 나는 존이 정말로 빨리 쾌유되기를 빌었다. 몇 분 뒤에 가상의 편도 제거 수술을 하러 수술실에 다시 와야 할 것이었기 때문이다.

어린 존의 모의 탈장 수술은 그날 하루 동안 클렘슨 연구팀이 진행할 여러 건의 모의 수술 중 첫 번째였다. 연구팀은 그들이 꾸린 모형 수술실이 간호사 입장에서 얼마나 잘 기능하는지 알아보아야 했다. 8시간 동안 두 팀의 간호사가 어린 존의 탈장 수술과 편도 제거 수술, 그리고 성인인 '스미스 씨'의 왼쪽 어깨 관절경 수술을 모의로 진행했다.

모든 것이 순조롭지는 않았다. 소아 편도 제거 수술 중에 한 간호사가 도구를 떨어뜨렸다. 어깨 관절경 수술 중에는 의사의 작업대가 벽에서 떨어졌다. 의사는 유쾌하게 가상의 위급 상황을 연기했다. "세상에! 여기 큰일 났어요!"라고 말하면서 환자 뒤에서 나와 허공에 손을 마구 흔드는가 하면, 한 번은 "아, 안 돼, 튜브를 떨어뜨렸어요"라고 말했고, 또 한 번은 "아, 안 돼. 가스가 충분치 않아요. 탱크가 거의 비었어요!"라고 말했다. (한 연구자는 즐거워하면서 귓속말로 이렇게 말했다. "수술실 레퍼토리 극장 같아요!") 간호사들은 넘어진 작업대를 정리하고 떨어진 물품을 새로 채워 넣고 가스 탱크를 교체하면서 긴급 상황에 침착하게 대처했다.

시나리오 하나가 끝날 때마다 연구자들이 내려와서 간호사를 한 명씩 불러 피드백을 들었다. 간호사들은 디자인의 여러 측면에 찬사를 보냈다. 스크럽간호사는 "대개 우리는 벽장 같은 데서 일하는데 여기는 굉장히 넓다"고 말했다. 또 간호사들은 물품이 편리하게 배치되어 있고 환자의 의료 정보를 수술대를 등지고 적어 넣지 않아도 된다며 이동식 작업대를 정말 좋아했다.

하지만 명백히 고쳐야 할 점도 있었다. 간호사들은 어수선하지 않은 수술실이 좋긴 했지만 미니멀리즘을 너무 극단까지 밀어붙인 것이 아닌가 생각했다. 쓰레기통만 더 필요한 게아니라 영상, 노트, 명찰, 라벨 등을 출력하기 위해 프린터도 몇대 필요했고 집도의는 개인 물건을 둘 곳도 필요했다.

이 문제에 올바른 해법을 찾으려면 어려운 상충관계를 해결해야 한다. 물론 프린터를 수술실에 몇 대 놓을 수 있지만 그러면 수술실이 더 어수선해진다. 앨리슨은 모니터를 높게 배치한 것에도 이유가 있다고 했다. 낮게 걸려 있으면 무언가에 가려서 보이지 않을 수 있기 때문이다. 앨리슨은 "수술 환경은 복잡할 수밖에 없어서 디자인에 대해서도 다양한 요구 사항들이 서로 경합한다"고 말했다.

　　클렘슨-MUSC 팀은 이후 몇 달에 걸쳐 한 수술팀 전원이 참여하는 또 다른 모의 수술을 진행했다.[52] 드디어 2019년 봄에 MUSC의 신규 외래 수술 센터 두 곳 중 첫 번째가 문을 열었고 이곳의 수술실은 연구팀이 제안한 디자인 아이디어를 많이 수용해서 지어져 있었다.[53] 조지프의 팀은 새 수술실이 어떻게 돌아가는지 계속 모니터링하면서, 병원 건축가들이 두루 참고하고 사용할 수 있도록 "안전한 수술실 디자인을 위한 도구"를 개발하고 있다.[54] 앨리슨은 "우리는 의료계 전반적으로 수술 환경 디자인이 개선되기를 바란다"고 말했다.

　　이들은 치밀한 관찰, 디자인, 시뮬레이션, 모의 테스트, 디자인 재수정의 체계적인 과정을 진료실부터 응급실까지 병원의 여타 공간들에도 적용하고자 한다.[55] 여기에서 그들은 동지를 찾을 수 있을 것이다. 오늘날 많은 연구자들이 병원 내 주요 공간의 작동에 대해 정교한 연구와 분석을 진행하고 있다. 필라델피아 토머스 제퍼슨 대학의 응급의학 전문의 본 쿠는 연구자들이 응급실 의료진의 활동, 움직임, 동선을 아이패드로 기록해 응급실에서 벌어지는 복잡한 행동 패턴을 파악하게 해주는 데이터 자동 입력 앱을 개발했다.[56] 특히 쿠는 응급실 디자인의 여러 측면 중 의사와 환자 사이에, 또 의료진 사이에 소통을 늘리는 데 기여할 수 있는 것이 무엇일지 알아내고자 한다. 초기 연구에서 쿠는 교대 근무 한 타임 동안 간호사 한 명이 수행하는 활동 중 고작 4퍼센트만이 의사와의 상호작용이라는 것을 알게 되었다. "말도 안 되는 일이라고 생각합니다."

쿠는 그가 개발한 디지털 매핑 도구가 의료시설 디자이너들이 자신이 내놓는 약속에 대해 책무성을 갖게 하고 실내 공간에 대해 더 엄정하고 분석적인 평가가 이뤄지게 하는 데 도움이 되기를 바란다. 이제까지 건축가나 연구자가 자신이 설계한 건물이 잘 작동하는지 알고 싶을 때 주로 사용해온 방법은 '거주 후 평가'였다. 완공된 건물에 실제로 살고 있는 사람들에게 설문 조사나 면접 조사를 하는 것이다. 사람들이 주관적으로 느끼는 인상을 물어보는 질적 평가도 물론 가치가 있지만, 쿠는 근거 기반 디자인을 발달시키려면 양적 평가를 위한 도구와 기법이 더 많이 필요하다고 생각한다. 그는 "건조환경을 연구하는 데도 신약을 개발할 때 적용하는 것만큼의 과학적 임정함이 적용되어야 한다"고 말했다.

공간 디자인에 대한 의사결정이 특히나 중요할 법한 곳으로 병원이 두드러지긴 하지만, 울리히와 그 밖의 연구자들이 발견한 사실들은 더 폭넓게 적용될 수 있다. 풍부한 자연 채광과 자연 경관은 어디에서든 우리의 회복력을 강화해준다. 근거 기반의 의료 디자인 분야가 발달하면서, 공간 디자인과 건강의 관계에 대한 개념도 확장되어왔다. 환자의 회복을 돕는 것도 좋지만, 애초에 병이 나지 않아서 병원에 갈 필요가 없게 해주는 공간을 만들면 더 좋지 않겠는가?

3 계단의 힘

19세기 중반의 뉴욕은 진정으로 죽음의 덫이었다.[1] 항구에는 황열병이 만연했고 거리에는 콜레라균이 스며들어 있었으며 빈민가의 집합주택 건물에는 결핵균이 퍼져 있었다. 1863년 뉴욕의 연간 사망률은 35명당 1명으로, 미국의 어느 대도시보다도 높았다.[2] 몇몇 해에는 태어난 사람 수의 두 배 가까운 사람이 사망하기도 했다.[3]

　뉴욕의 시민 단체들은 사망률 증가에 경악했고 이것이 뉴욕의 어마어마한 불결함과 관련 있다고 확신했다.[4] 당시 건물에는 하수관이 없었기 때문에 주민들은 오물을 길거리에 내다버렸다. 공중 변소는 자주 넘쳐서 좁은 골목길을 타고 오수가 흘렀다. 그나마 있는 하수 시설은 막히기 일쑤였다. 마구간과 도축장이 인구가 조밀한 동네 가까이에 있었고, 가축이 길거리를 흔히 돌아다니면서 그들의 대소변을 길에 보냈다.

건물 안도 나을 게 없었다. 빈민가의 집합주택 건물은 어둡고 불결하고 축축했으며, 매우, 매우 비좁아서 1인당 면적이 약 1제곱미터에 불과한 곳도 있었다. 벽에는 더께가 켜켜이 앉았다. 환기라는 것은 사실상 존재하지 않았다. 방 대부분이 아예 창문이 없었고 좁은 구역에 건물이 빼곡히 밀집해 있어서 햇빛도 바람도 들지 않았다. 변소는 대개 바깥의 작은 뜰에 있었는데 오물이 넘쳐 주거 건물 벽을 타고 흐르기도 했다.

그러니 뉴욕 사람들이 병에 걸리는 것은 이상한 일이 아니었다. 뉴욕의 하수에는 콜레라와 장티푸스를 유발하는 박테리아가 득시글했다. 물웅덩이는 황열병을 옮기는 모기에게 더없이 좋은 서식지였다. 밀집되어 있고 통풍이 잘 안 되는 주거 지역은 공기로 전파되는 병균이 돌아다니기에 최적이었다.

위생 개혁가들이 이들 질병의 생물학적 원인은 아직 몰랐어도 뉴욕 사람들의 열악한 건강 상태와 뉴욕의 불결함이 관련 있다는 것은 명백히 알 수 있었다. 1865년 '뉴욕 시민 연합'은 뉴욕이 적절한 위생 규제를 갖추기만 해도 매년 1만 명의 목숨을 구할 수 있을 것이라고 추산했다.[5] 그리고 위생 조치들이 하나씩 도입되면서 점차 그렇게 되었다. 1866년 시 공중보건 당국인 '메트로폴리탄 보건위원회'가 세워졌다.[6] 이곳은 뜰, 변소, 공터의 청소를 의무화했고, 위생감독관을 보내 콜레라 환자의 집을 제염했으며, 돼지와 염소가 길거리를 맘대로 돌아다니지 못하게 했다. 15년 뒤에는 뉴욕시에 거리 청소 부서가 신설되어 흰 유니폼을 입은 공무원들이 거리를 쓸고 쓰레기를 수거하기 시작했다.[7] (이들의 활동이 매우 효과적이어서 뉴욕시는 그들을 독려하고자 거리 퍼레이드도 열었다.)

시 의회는 일련의 주거 개혁 조례를 통과시켜 모든 집합 주택이 실내 화장실과 수도 시설을 갖추고 모든 방에 외부로 연결되는 창문을 두도록 했다.[8] (플로렌스 나이팅게일이 보았다면 매우 뿌듯했을 것이다.) 또 벌집 같은 몇몇 유형의 집합주택을 금지했고 일정 면적 이상의 뜰을 반드시 두게 했으며 집합주택을 다른 집합주택 건물 바로 뒤에 바짝 붙여 짓는 것을 규제했다. 인프라에도 투자해 하수 시설을 확대했고 궁극적으로는 지하철을 개통해 뉴욕 사람들이 복잡한 도심이 아니라 교외의 신흥 주거지로 퍼져나갈 수 있게 함으로써 인구 과밀을 어느 정도 해소했다.

뉴욕의 사망률은 크게 떨어졌고 사망자 중 감염병으로 사망한 사람의 비중도 줄었다. 백신이나 항생제 같은 의료적 발달이 질병 종식에 결정적으로 기여했지만 의학적 혁신이 널리 퍼지기 전에도 사망률은 떨어지고 있었다. 최근 뉴욕의 '디자인 및 건축국' 국장을 지낸 건축가 데이비드 버니는 "19세기와 20세기 초에 감염병 퇴치를 위해 도입된 해법 중에는 의료적인 것 못지않게 건조환경의 변화와 관련된 것이 많았다"며 "가령, 결핵은 채광, 통풍, 건축 규제, 인구 밀도 등과 밀접한데 모두 도시가 지어진 방식과 관련된 것"이라고 설명했다.*

뉴욕 사람인 나는 이러한 개혁의 직접적인 수혜자다. 브루클린에 15년을 살았지만 환기 걱정을 해보거나 오수로 뒤덮인 길을 철벅거리며 걸어야 했던 적은 한 번도 없다. (수거되지 않은 쓰레기를 보고 투덜거린 적이 있음을 고백한다.) 나는 건강에 대해 걱정이 아주 많은 편이지만 내 걱정 목록에 결핵이나 콜레라는 없다. 살면서 내가 결핵이나 콜레라에 걸릴 확률보다는 당뇨나 심장병을 얻을 확률이 훨씬 높을 것이다. 미국 등 고소득 국가에서는 공중보건상의 주된 위협으로 만성질환이 감염성질환을 능가한 지 오래다. 그렇다면, 만성질환에 대해서도 건축이 다시 한번 해법의 일부가 될 수 있을까?

2002년에 뉴욕 시장이 된 마이클 블룸버그는 뉴욕 사람들이

★　주거 공간의 질과 도시계획(혹은 도시계획의 미비함)은 여전히 세계의 많은 대도시에서 감염병의 주요 요인이다. 슬럼과 판자촌 사람들은 과도하게 인구가 밀집되어 있고 통풍이 잘되지 않으며 오수를 내려보낼 하수 시설이나 깨끗한 물을 들여올 상수 시설 같은 기본적인 위생 인프라가 없는 채로 살아간다. 주거와 인프라를 개선하는 일은 어렵고 비용도 많이 들지만, 공중보건 측면에서 막대한 이득을 가져다줄 수 있다. 브라질의 사우바도르는 하수 시스템을 확장한 뒤 소아 장염이 20퍼센트 넘게 줄었다.[9]

건강에 좋은 습관을 들이도록 돕겠다고 결심했다.[10] 우선 담배를 없애기 위한 일련의 조치를 도입했고 덕분에 뉴욕의 흡연율이 극적으로 낮아졌다.[11] 이어서 시 정부는 건강을 위협하는 또 다른 요인들로 눈을 돌렸다. 신체 활동 부족, 부실한 식사, 그리고 비만이었다.

많은 미국인이 그렇듯이 뉴욕 사람들도 대체로 앉아서 지내는 생활을 하고[12] 균형 잡히지 않은 식사를 한다. 설탕, 소금, 트랜스 지방은 너무 많이 먹고 과일과 채소는 너무 적게 먹는다.[13] 또한 산업화된 많은 나라들이 그렇듯이 뉴욕에서도 비만과 당뇨가 증가하고 있다.[14] 2004년 무렵 대략 뉴욕 거주 성인 네 명 중 한 명이 비만이었고 열 명 중 한 명이 당뇨였다.[15]

비만, 신체 활동 부족, 부실한 식습관 각각의 결과를 구분하기는 어렵지만 셋 다 질병의 위험을 높인다. 물론 과체중이면서도 건강할 수 있고 실증 연구들에 따르면 신체의 크기보다는 신체의 구성(지방과 근육의 비중)이 건강에 더 중요하지만, 인구 집단 수준에서 보면 과체중이나 비만이 증가할 때 당뇨, 고혈압, 심장질환, 몇몇 종류의 암과 같은 질병도 증가한다. 그리고 신체의 크기가 어떻든 간에 신체 활동을 늘리고 정크 푸드를 줄이면 건강에 실질적으로 득이 된다.

뉴욕 사람들의 식습관 개선을 독려하고자 뉴욕시는 트랜스 지방을 규제하고 식당에서 메뉴에 칼로리를 표시하도록 하는 등 여러 정책을 도입했다.[16]* 또한 비만, 당뇨, 고혈압이 더 흔하게 발생하는 저소득층 지역에 특히 관심을 기울였다.[17] 대개 이러한 동네에는 패스트푸드점과 구멍가게는 많지만 양질의 신선 식품을 파는 가게는 부족하다. 그래서 뉴욕시는 양질의 식품점이 별로 없는 곳에 유통업자들이 들어가도록 인센티브를 제공했고 신선 식품을 판매하기로 동의하면 노점을 열도록 허가하는 '그린 카트' 프로그램을 시작했다. 현재 그린 카트 수백 개가 운영 중이다.[18]

하지만 식품은 이야기의 절반일 뿐이다. 뉴욕시 당국자들은 사람들이 몸을 더 자주 움직이게 만들고 싶었다. 그래서 시 보건국장 톰 프리든은 2004년에 뉴욕시 '디자인 및 건축국' 국장이 된 데이비드 버니를 찾아갔다. 버니는 당시 대화를 이렇게 회상했다. "프리든이 와서 말하더군요. '앉아서 지내는 생활 습관 관련해서 나 좀 도와주세요'라고요. 당연히 나는 '아이고, 나 바빠요. 제 분야의 문제도 아니고요. 그만 가보세요'라는 식의 반응을 보였죠. 그랬더니 그가 이렇게 말했어요.

★ 정책마다 효과는 차이가 있었다. 트랜스 지방 규제는 효과가 있었던 것으로 보인다. 이 조치가 도입된 뒤 뉴욕 거주자의 혈중 트랜스 지방이 거의 60퍼센트나 떨어졌다. 또한 이 조치는 심장질환과 뇌졸중으로 인한 입원 환자의 감소와도 관련이 있는 것으로 나타났다. 하지만 메뉴에 칼로리를 표시하도록 한 조치는 그보다 효과가 적은 것으로 보인다.[19]

'무슨 말씀이세요? 당신은 건축가잖아요. 당신도 문제의 일부예요.'"

비만 인구 비중이 늘어난 데는 여러 이유가 있겠지만, 프리든의 말을 듣고 버니는 건조환경도 여기에 크게 일조하고 있다는 것을 깨달았다. "건축가와 도시계획가들은 이 문제에 정말 많은 원인을 제공해왔어요. 모든 곳을 드라이브인으로 만들었고, 엘리베이터와 에스컬레이터 같은 것도 설치했죠. 우리는 사람들이 거의 몸을 움직일 필요가 없어지게 만들었어요."

엘리베이터 같은 건축적 혁신은 현대의 뉴욕을 가능케 한 일등공신이다. 뉴욕시가 그 많은 인구를 유지할 수 있었던 것은 건물을 위로 높이 올리고 수직으로 이동하는 교통수단을 안정적으로 제공할 수 있었던 덕분이다. 그러니 고층건물에 엘리베이터가 으레 가장 눈에 띄는 곳에 있는 것도 당연한 일이다. 엘리베이터는 늘 밝고 번쩍이는 로비에서 사람들이 엘리베이터를 타도록 유혹한다. 반면, 계단은 좁고 어둡고 칙칙하며, 육중한 방화문 뒤에 숨어 있다.

건물뿐 아니라 동네도 몸을 움직일 필요를 없애는 방향으로 계획하는 것이 주된 흐름이었다. 20세기의 상당 기간에 건축가와 도시계획가 들은 자동차를 최우선 고려사항으로 놓고 도시를 디자인했다. 자동차가 조립 라인에서 대량생산되어 구매 가능한 가격대로 시장에 풀려 나오면서 중산층 가정도

자동차 소유가 가능해졌고 도심의 좁은 길은 운전자가 목적지에 빠르게 갈 수 있도록 고속화 도로로 바뀌었다. 고속화 도로는 도심의 동네 공간을 잠식했고 교외의 성장을 촉진했다. 미국인들은 도심에서 멀어지기 시작했고 도시들은 수평으로 퍼져나가기 시작했다.

넓게 퍼진 동네는 조밀한 동네에 비해 인구 밀도가 낮고 집이 상점가에서 멀리 떨어져 있다. 또 촘촘하고 서로 연결된 격자형 도로보다 기다란 순환형 도로와 막다른 골목이 많으며 각 블록의 거리가 길고 교차로가 적다. 이러한 도시 구조는 걷기를 촉진하지 않고 자동차 의존도를 높인다. 시장, 약국, 커피숍 등 짧은 거리를 이동할 때도 자동차를 타게 된다.

보행자 친화적이지 않은 동네는 건강에 악영향을 미칠 수 있다. 미국 448개 카운티에 사는 성인 20만 명을 대상으로 조사한 결과, 넓게 퍼진 주거지에 사는 사람이 조밀한 지역에 사는 사람보다 덜 걷고, 체중이 더 나가고, 고혈압일 가능성이 더 높은 것으로 나타났다.[20] 이 상관관계는 다른 연구에서도 반복적으로 발견되었다. 인구 밀도가 높고, 도보 가능한 거리 안에 다양한 용도의 건물이 섞여 있고, 거리들이 서로 연결되어 있는 곳에 사는 사람이 더 많이 걷는다. (혹은 자전거를 더 많이 탄다.)[21] 그리고 '도보 가능한' 동네에 사는 사람이 혈압이 더 낮고 혈당도 더 잘 조절된다.[22]

이 상관관계는 도시에서 강하게 나타난다. 뉴욕 거주자 중 가장 보행자 친화적인 동네에 사는 사람들은 다른 사람들에 비해 여타 사회경제적 요인들을 통제한 뒤에도 평균 체질량지수(BMI)가 더 낮다.[23] 또한 저소득층 동네는 높은 신체 활동 지표와 상관관계를 보이는 시설들, 이를테면 걸어서 가기 좋은 공원, 자전거 도로, 놀이 시설, 공공시설 등이 더 적다.[24]

하지만 지난 20년간 몇몇 과학자, 건축가, 도시계획가들이 도시 공간을 사람들이 더 건강하게 먹고 더 많이 움직이도록 유도하는 방식으로 디자인함으로써 판도를 바꾸기 위해 노력해왔다. 일상 생활에서 신체 활동을 약간만 늘려도 큰 이득을 얻을 수 있다. 한 대규모 장기 추적 연구 결과, 하루에 열 블록만 걸어도 여성들의 심혈관계 질환 발병 가능성이 낮아지는 것으로 나타났고, 1주일에 계단을 20층 오르면, 즉 하루에 3층이 채 못 되게 올라도, 남성들의 조기 사망 가능성이 줄어드는 것으로 나타났다.[25]

뉴욕시 당국은 사람들을 약간 더 움직이게 만드는 환경을 구성한다면 헬스클럽 회원증을 끊게 하지 않아도 공중보건을 향상시킬 수 있다는 것을 깨달았다. 버니는 이렇게 설명했다. "우리가 사람들을 날마다 헬스장에 가게 만들 수는 없습니다. 그렇다면, 사람들이 자기도 모르는 사이에 일상에서 너무 앉아서만 지내는 생활을 조금 줄이게 만드는 방법은 무엇일까요?"

2006년 뉴욕의 '보건 및 정신 위생국'은 '미국 건축가 협회' 뉴욕 지부와 함께 제1회 피트시티(FitCity) 컨퍼런스를 열었고[26] 이것은 곧 연례 행사가 되었다. 또한 활동 친화적 디자인 디렉터를 임명했고 몇 년에 걸쳐 근거 기반의 활동 친화적 디자인 가이드라인을 개발했다.

2010년에 출간된 이 가이드라인은 보행자 도로를 넓히고, 안전한 자전거 도로를 마련하고, 공원과 놀이터 등 공공 레크리에이션 장소를 짓고, 모든 동네에 양질의 슈퍼마켓을 두고, 신체 움직임을 촉진하는 방향으로 건물을 디자인하도록 권고하고 있다.[27] 여기에서 목적은 사람들더러 이렇게 저렇게 살라고 잔소리하는 것이 아니라 출퇴근을 자전거로 하고 점심 먹으러 갈 때 걸어가고 오후 간식으로는 사과를 먹는 것 같이 건강에 좋은 행동이 쉽고 매력적으로 보이게 만드는 것이다. "디자인은 사람들을 유혹하는 데 사용될 수 있습니다." 2010년에 마이클 블룸버그 시장의 시 정부에 합류해 '활동 친화적 디자인 디렉터'가 된 조에나 프랭크가 말했다. 경치 좋은 도로가 운전자를 유혹하듯이 아름다운 보행 도로는 사람들을 걷도록 유혹한다. "가로수가 무성하고 널찍하고 시각적으로 흥미로운 것들이 있는 길이 존재하면 사람들은 그 길을 더 많이 걷게 됩니다."

또한 이 가이드라인은 계단의 힘을 활용하도록 촉구하면

서, 계단이 잘 보이고 편리하고 넓고 아름답고 건축적으로 분명히 구분되어 있으면 사람들이 엘리베이터를 덜 탄다는 것을 보여주는 연구 결과들을 강조해서 소개했다.[28] 계단 사용을 독려하는 표지판을 두고 계단 근처에 미술품을 놓거나 음악이 나오게 해도 계단 사용 빈도를 높일 수 있다.[29] 2007년 스위스의 제네바 대학 병원은 세 달간 계단 이용하기 캠페인을 벌였다.[30] 병원의 열두 개 층 모두에 계단 사용을 독려하는 포스터를 걸고 스티커를 붙였다. 캠페인 시작 전에 이 병원 직원들은 하루 평균 다섯 층 이하를 계단으로 이동했는데 캠페인 기간 중에는 하루에 거의 스물 한 개 층으로 계단 이용이 늘었다. 12주가 지나자 직원들은 체중과 체지방, 허리둘레가 줄었고 혈압과 콜레스테롤이 낮아졌으며 심혈관계 건강도 향상되었다. "이것은 로켓 과학이 아닙니다. 바로 그 점이 정말 고무적인 부분입니다. 달성 가능성이 굉장히 높다는 의미니까요."＊

프랭크와 동료들은 한 세기 전에 뉴욕이 위생 개혁과 주

＊　건축가들은 활동 친화적 디자인 원칙이 장애인의 접근 가능성을 훼손하지 않도록 주의를 기울여야 한다고 말한다. 접근 가능성 관점에서 보면 벽에 계단 표시를 달거나 계단 앞에서 음악을 연주하는 것이 엘리베이터에 물리적으로 접근하기 어렵게 만들거나 엘리베이터 입구를 멀리 옮기는 것보다 좋은 전략이다. 또한 활동 친화적 디자인을 진정으로 모든 이에게 득이 되게 사용하고자 한다면 대중교통과 공공 레크리에이션 시설(공원, 산책로, 놀이터, 스포츠 시설 등)을 장애 유무와 상관없이 접근 가능하게 만들 방법을 강구해야 한다.

거 개혁으로 감염병을 물리친 역사에서 힘을 얻었다. 프랭크는 이렇게 설명했다. "이것이 실현 가능한 접근법이라고 확신할 수 있었던 한 이유는 역사에 선례가 있다는 점이었습니다." 이전의 개혁이 그랬듯이 활동 친화적 디자인도 질병의 원인 중 보편적이고 구조적인 측면을 건드리는 종합적인 접근이고, 따라서 해법으로서 전망이 있다. "이것은 특정한 개인의 성향에, 그 개인이 무엇을 먹고 얼마나 운동을 하는지에 대한 문제가 아닙니다. 건강을 잘 지탱해주는 환경을 제공하는 것에 대한 문제입니다."

2013년 마이클 블룸버그는 뉴욕시의 행정 기관이 신규 건물을 짓거나 옛 건물을 개축할 때 활동 친화적 디자인 원칙을 도입하도록 규정한 행정 조례를 발동하고[31] 비영리 기구 '활동 친화적 디자인 센터'를 설립했다. 현재 프랭크가 이끌고 있는 이 센터는 피트시티 컨퍼런스를 주관하고, 연례 디자인 공모전을 열고, 디자인 체크리스트와 그 밖의 유용한 정보를 제공하고, 사용자의 건강에 초점을 맞춘 건물 등급 부여 및 인증 프로그램 '피트웰'을 운영한다.*

이 센터는 구매 가능한 가격대의 주택을 지으려고 노력하는 개발자들과 종종 협업해서 활동 친화적 디자인을 저소득층 지역에 적용하는 데 많은 성과를 내왔다. 맨해튼의 복닥대는 유니온 스퀘어에 위치한 센터 사무실에서 프랭크는 이렇게 말했다. "우리는 이것이 평등과 형평성에 대한 문제이기도 하다고 봅니다. 우리는 모든 사람이 건강을 증진시켜주는 환경에 접할 권리를 가진다고 생각합니다."

이 센터에서 지하철로 열 정거장 떨어진 브롱크스의 한 가난한 지역에서 무엇이 가능한지를 보여주는 사례 하나를 찾을 수 있다. 주민의 40퍼센트 가까이가 연방 빈곤선 이하의 소득으로 살아가는 이 지역에 '블루시 개발 회사'가 구매 가능한 가격대의 124세대 규모, 8층짜리 아파트 '아버 하우스'를 지었다.[32] 2013년에 완공된 이 아파트에는 아이들이 기어오르며 놀 수 있는 벽을 갖춘 실내 체육관, 나무가 무성한 옥외 운동 공간, 약 930제곱미터 면적의 옥상 텃밭 등이 있다. 계단은 눈에 잘 띄고 넓고 환하며 근처에 그림이 걸려 있고 음악도 나온다. 엘리베이터 대신 계단을 이용하도록 동기부여하는 표지판이 붙어 있고, 엘리베이터는 일부러 속도를 느리게 했다.✶✶

✶　피트웰(Fitwel)은 질병통제예방센터와 연방 조달청이 만든 시스템으로, 활동 친화적 디자인 요소를 도입한 건물에 점수를 부여한다. 여기에는 매력적이고 접근 가능한 계단, 서서 일할 수 있는 책상이나 러닝머신 책상, 운동실, 자전거 주차장, 쉽게 마실 수 있는 깨끗한 물, 옥외 산책로, 대중교통 수단까지 갈 수 있는 보행로 등이 포함된다. 점수가 일정 수준 이상이면 피트웰 인증을 받을 수 있다.

✶✶　엘리베이터의 속도를 늦추면 더 적게 사용하도록 유도할 수 있겠지만, 불편함을 유발하는 이 전략은 휠체어 사용자 등 거동이 자유롭지 않은 사람들에게 삶의 질을 떨어뜨릴 수 있다. 일부 층에만 서는 '스킵 스톱' 엘리베이터도 마찬가지다.

주민들도 변화를 체감한다. 마운트 시나이의 아이컨 의대 연구자들이 진행한 포커스 그룹 인터뷰에서 주민들은 계단을 자주 이용하게 되었다고 말했다.[33] 한 여성은 아이들이 계단으로 다니라고 엄마를 독려한다며, 아이들이 계단 근처에서 나오는 음악을 좋아한다고 했다. 또 다른 사람은 전에 살던 건물의 계단은 어둡고 주변에 어슬렁거리는 사람들이 있어서 무섭고 불안해 잘 이용하지 않았는데, 아버 하우스는 계단이 개방되어 있고 환하며 유리문을 통해 복도가 잘 보여서 엘리베이터 대신 이용할 만큼 안전하게 느껴진다고 했다.

마운트 시나이 연구팀은 아버 하우스로 이사 온 19명을 첫 1년 동안 관찰했다.[34] 임대 계약서를 쓴 시점에는 79퍼센트가 직전 1주일 동안 한 층도 계단으로 다니지 않았다고 말했는데 1년 뒤에는 이 숫자가 26퍼센트로 줄었다. 그리고 질병통제예방센터가 성인에게 권고하는 수준인 1주일에 적어도 150분 이상의 가벼운 운동을 하는 여성도 약간 늘었다. 이 연구를 이끈 의사이자 공중보긴 연구자 엘리자베스 갈런드는 이것이 "매우 큰 변화"라며 "사람들이 계단을 실제로 이용했고 이 건물이 '그들을 더 건강하게 만들어주기 위해 노력하고 있다'고 생각한다"고 말했다.*

활동 친화적 디자인은 더 이상 틈새 유행이 아니다. '활동 친화적 디자인 센터'는 수천 명의 디자이너, 개발자, 도시계획가를 교육했고[37], 이 분야의 선구적인 단체이자 공중보건 분야에서 비중 있는 자금 지원 단체인 '로버트 우드 존슨 재단'은 내슈빌, 올랜도, 클리블랜드, 오마하, 시애틀, 호놀룰루 등 미국의 수십 개 도시에 '디자인을 통한 활동적인 생활' 지원금을 수여했다.[35] 또한 보고타부터 브리스톨, 또 바르셀로나까지 전 세계의 많은 도시에서 자동차가 거리를 덜 장악하도록 하고, 자전거 도로를 마련하고, 공원, 산책로, 보행자 광장 등을 짓고 있다. 정부뿐 아니라 민간 영역도 이러한 개념을 받아들여서 구글부터 블루크로스블루실드까지 여러 기업이 본사 건물에 활동 친화적 디자인 전략을 도입하고 있다.[36]

하지만 우리가 정말로 건강에 좋은 습관을 갖고자 한다면 어린 시절에 시작하는 것이 가장 좋을 것이다. 실제로, 몇몇 혁신적인 활동 친화적 디자인 프로젝트가 우리 사회의 가장 어린 시민들에게 초점을 맞추고 있다. 아이들은 깨어 있는 시간 중 많게는 절반을 학교에서 보내고[37] 그 시간의 대부분을 앉아서 보낸다. 학교 디자인의 아주 작은 변화로도 한꺼번에 수백 명의 아이들을 잠재적으로 더 건강하게 만들 수 있다. 테리 황은 2005년부터 이 가능성을 탐구하고 있다. 그해에 그

★　이러한 디자인 전략 중 일부는 정신건강에도 도움이 된다. 산책로, 공원, 스포츠 시설, 널찍하고 개방된 중앙 계단 등은 사람들이 상호작용을 하면서 친교를 맺고 공동체 의식을 키울 수 있는 공간이다.

는 '국립 아동보건 및 인간발달 연구소'에서 아동 비만을 연구하는 5년짜리 프로젝트를 시작했다. 활동 친화적 디자인 분야가 성장하는 것을 보면서 그는 이 개념을 학교에 적용할 방법을 생각하기 시작했고 2007년 한 논문에서 그 아이디어를 개진했다.[38] 그는 매력적인 계단, 서서 사용하는 책상, 텃밭과 주스 바, 교육용 주방과 식품 전시 공간, 그리고 프리스비[던지고 받고 하며 노는 원반] 운동장이나 댄스 스튜디오처럼 아이들이 신체를 움직일 수 있는 공간 등을 갖춘 학교를 상상했다. 현재 뉴욕 시립대학 교수인 황은 "당시에는 상상 속의 아이디어였다"고 회상했다. 그러던 어느 날, 그는 버지니아주의 한 농촌 지역에서 계획 중인 두 학교에 대해 알게 되었다.

2009년 무렵 버지니아주 버킹엄 카운티에 있는 딜윈 저학년 초등학교(유치원부터 3학년까지의 학생들이 다녔다)는 건물이 터져나갈 지경이었다.[39] 50년도 더 된 이 학교의 단층 건물은 학생 300명 중 절반 정도만 수용할 수 있었다. 나머지 아이들은 학교 뒤쪽에 있는 낡아빠진 트레일러에서 수업을 들었다. 당시 교장이었던 페니 앨런은 "트레일러에는 아주 작은 창문과 곰팡이 핀 카펫이 있었고 물이 새고 난간은 썩어 있었다"고 회상했다.

　본 건물은 그보다 좀 나았지만 체육실이 없어서 비가 오면 체육 교사는 구내식당의 한쪽 구석을 임시 볼링장으로 사용해야 했다. 에어컨도 없어서 더운 날이면 앨런은 교실마다 돌아다니며 휴대용 온도계로 온도를 확인했고 기온이 너무 높이 올라가면 수업을 멈추고 아이들을 돌려보냈다. "스물다섯 명의 아이들이 있는 교실에 들어갔는데 온도가 섭씨 33도이면, 학습은 거의 기대할 수 없죠."

딜윈 초등학교만 새 시설이 필요한 것이 아니었다. 나날이 증가하는 버킹엄의 인구(3분의 2가 백인이고 주로 저소득층이었다)를 작고 오래된 학교들이 따라가지 못하고 있었다. 버킹엄은 버지니아주의 한가운데, 약 1500제곱킬로미터의 완만한 구릉 지대에 걸쳐 있는 도시다. 소나무숲과 오크숲이 무성하고 광물 매장량도 풍부하다. 19세기에는 금광도 있었다.[40] 광산업은 여전히 중요한 산업이고 딜윈 초등학교는 점판암 채석장과 카이아나이트 광산 사이에 위치해 있다. 버킹엄은 반짝이는 푸른 회색 점판암으로 매우 유명하다.

앨런은 버킹엄 출신이고 이곳 아이들이 직면한 어려움을 누구보다 잘 알고 있었다. 버킹엄 아이들의 20퍼센트 이상이 빈곤선 이하 가정 아이들이고[41] 초등학교 학생의 70퍼센트가 무료 급식 혹은 급식비 보조 수급자에 속한다.[42] 또 이곳 아이들은 주 차원에서 실시하는 표준 학력 시험에서 어려움을 겪는다.[43] 하지만 밝고 느릿느릿한 남부 말투에 손주가 여섯이고 타고난 양육자인 앨런은 버킹엄에서 일하는 것을 좋아했고 학생들을 굉장히 아꼈다. "버킹엄 농촌 아이들이 다른 어느 곳 아이 못지않은 기회를 갖게 해주고 싶었어요. 늘 그런 열정이 있었죠."

하지만 아이들에 대해 걱정도 많았다. 앨런은 교사 교육을 받기 전에 간호학을 공부했고 아버지가 젊은 나이에 심장병으로 사망했다. 버킹엄 카운티는 초록이 무성한 곳이지만 아이들은 운동을 별로 하지 못했다.[44] 아이들 대부분이 학교에서 너무 멀리 살아서 걷거나 자전거로 등하교할 수 없었고, 공공 레크리에이션 시설도 거의 없었다. 청소년 스포츠 리그가 있긴 하지만 많은 집이 안정적인 교통수단이 없거나 자동차 기름값을 감당하기 어려워서 아이들을 훈련이나 시합에 데리고 가지 못했다.

앨런은 딜원 초등학교에서 자신이 할 수 있는 것들을 시도해보았다. 몇몇 연방 지원금을 따내서 줌바 강사를 불러오고, 스포츠 위주의 방과 후 프로그램을 마련하고, 아이들 간식으로 과일과 야채를 구매했다. 하지만 의욕적인 교장 선생님 혼자 할 수 있는 일에는 한계가 있었다.

그러던 중 앨런은 버킹엄 카운티 당국이 초등학교 두 곳을 새로 지을 계획이라는 이야기를 듣게 되었다. 유치원부터 2학년까지 다니는 프라이머리 학교와 3학년에서 5학년까지

다니는 엘리멘터리 학교였다. 카운티 당국은 앨런에게 계획 단계에 참여할 학교 측 책임자를 맡아달라고 했고 설계 회사로는 버지니아주 샬러츠빌의 회사 VMDO를 선정했다.

최신의 친환경적 학교 설계로 명성을 쌓아온 VMDO는 버킹엄 카운티의 학교 프로젝트에서도 그 부분에 초점을 맞췄다. 그리고 몇몇 팀원이 버지니아주의 한 디자인 센터에서 열린 점심시간 강좌를 들으러 갔다. 강사는 버지니아 대학의 소아과 의사이자 공중보건 연구자 매슈 트로브리지였다. 트로브리지는 최근에 테리 황과 막 협업을 시작한 상태였다. 그날 강연에서 트로브리지는 건축과 도시 디자인이 어떻게 공중보건을 증진할 수 있는지를 개략적으로 설명했다.

강연에서 깊은 인상을 받은 VMDO 건축가들은 트로브리지에게 다시 연락을 취했다. 버킹엄 프로젝트 디자인 팀을 이끌던 VMDO 건축가 중 한 명인 다이나 소렌슨은 "우리는 매우 고무되고 열정에 불타서 그가 수행한 연구에 대해 알고 싶었고 가능하다면 그와 협업을 하고 싶었다"고 회상했다. 그리고 트로브리지는 VMDO 건축가들에게 황의 논문을 읽으라고 권했다.

소렌슨에게 그 논문은 계시와도 같았다. "누군가가 내게 황금이 든 항아리를 툭 건네준 것 같았습니다. 그 논문을 읽기 전의 나와 읽은 후의 나는 다른 사람입니다." 소렌슨은 건축이, 특히 학교 건축이 인간의 잠재력을 일깨우고 배움과 호기심과 창조력을 촉진할 수 있다는 생각에 늘 관심이 있었는데, 활동 친화적 디자인에 대한 논문을 읽으면서 눈앞에 완전히 새로운 가능성이 열리는 것 같았다. 학교가 아이들의 정신뿐 아니라 신체에도 좋은 공간이 될 수 있는 기회를 본 것이다. "정말이지 홀딱 반했습니다."

트로브리지는 소렌슨과 동료들에게 황을 소개했고, 아이들을 잘 양육할 수 있는 역동적인 학교를 상상하면서 모두 함께 버킹엄에 들어설 두 학교에 대해 브레인스토밍을 시작했다. 통합학제적으로 구성된 이 디자인 팀은 학교 공간의 모든 구석구석과 학교 생활의 모든 면면을 새롭게 상상해서, 평생의 건강으로 이끌어줄 습관을 일구고자 했다. 이러한 취지에 앨런은 귀가 번쩍 뜨였다. "이것은 시험 성적에 대한 것만이 아니라 전인간적인 측면과 건강, 그리고 후생에 대한 것이었어요."

버킹엄 카운티 당국도 이 비전을 적극 승인했고 디자인 팀은 설계에 착수했다. 디자인 팀은 학교를 아예 새로 짓기보다 약 16만 제곱미터 부지에 나란히 들어서 있는 기존 학교 건물 두 개(하나는 사용되지 않고 방치되어 있었다)를 완전히 개축하기로 했다.[45] 두 건물을 각각 저학년용(버킹엄 프라이머리 학교), 고학년용(버킹엄 엘리멘터리 학교) 초등학교로 만들고 유리다리로 이어지게 할 예정이었다. 두 학교는 각각 교장 선생님이 임명되어 별도로 운영될 것이지만 구내식당, 도서관 등 공용 공간은 공유하기로 했다. 완공되면 유치원부터 5학년까지 약 1000명의 버킹엄 카운티 아이들 모두가 이곳에 다니게 될 것이었다.

　세부사항이 정해지자 디자인 팀은 학계에서 나온 실증근거들을 현실의 디자인 요소로 전환하는 일에 착수했다. 디자인 팀은 달리고 뛰고 오르고 탐험하고 싶어 하는 아이들의 자연스러운 욕망에 호소하는 요소들을 만들고 이것을 '운동 자극제'라고 불렀다. 프라이머리 학교 로비에는 인상적인 계단을 설치했다. 계단 주위에는 커다란 창문을 두어서 햇빛이 풍성하게 들어오게 했다. 그리고 건물의 모든 계단에 네온 조명 난간을 마련했고 계단 근처에는 신나는 글귀가 적힌 프롬프트를 설치했다. (그중 하나에는 밝은 빨간 글씨로 이렇게 쓰여 있다. "뛰어올라! 의자에서 나와서 위로 점프! 아래로 점프! 계단에서 뛰어올라!")

　길고 밋밋하던 복도는 책 읽는 아늑한 공간과 소규모 팀 활동을 위한 공간을 마련하고 화려한 색상의 푹신한 가구들을 배치해 '배움의 길'로 변신시켰다. 또 걷는 즐거움을 고양하기 위해 건물의 시멘트 바닥에 동물 발자국처럼 보이는 흔적을 숨겨놓았다. "등산할 때 주위를 둘러보다가 발자국을 발견하는 것처럼요. 그러면 걷는 것을 생각할 때 즐거운 경험을 기대하게 되죠." 소렌슨이 설명했다. "이는 걷기란 좋은 것이고 몸을 움직이면 이득이 된다는 개념을 구현한 공간에 앞으로도 오래도록 애착을 갖게 만들어줍니다."

엘리멘터리 학교에는 어두침침한 복도 두 개가 교차하던 곳에 커다란 개방형 로비를 마련하고 '우드랜드 허브'라고 이름 붙였다. 중앙에는 도톰하게 올라온 나무 플랫폼에 놀이터를 만들고 '나무 차양'이라고 불렀다. 긴 나무판을 배열해 숲 속의 나무들을 추상적으로 형상화한 것이었다. 각 나무판에는 구멍이 뚫려 있어서 아이들이 '숲' 속으로 기어 들어가거나 통과해 나오거나 주변을 돌아다니며 놀 수 있었다.

운동이 재미있는 것일 수 있다는 생각을 한층 더 강화하기 위해 디자인 팀은 두 학교 모두 체육관 벽을 유리로 만들어서 아이들이 복도를 지나가다가 친구들이 운동하는 모습을 볼 수 있게 했다. 또 모든 아이들이 농구 꿈나무이지는 않을 터이므로, 엘리멘터리 학교 체육관만 조직화된 스포츠 수업 용도로 정해두고 프라이머리 힉교 체육관은 아이들이 자유롭게 놀 수 있도록 부드러운 바닥의 다용도 공간으로 만들었다.

이것은 실로 세심한 배려가 담긴 디자인이다. 내가 어렸을 때 이런 학교에 다녔다면 너무 좋았을 것이다. (나는 팀 스포츠를 싫어하고 팀 스포츠에 재능도 별로 없는 아이였지만, 옆구르기나 포스퀘어 놀이를 할 수 있는 공간이 있었으면 정말 좋아했을 것이다.) 조직화된 스포츠 위주가 아닌 체육관을 둔 것은, 건강한 신체를 갖는 데는 여러 가지 방법이 있으며 아이들 각자의 다양한 욕구와 눈높이에 부응해야 한다는 개념을 받아들인 것이다. 쉽지 않았지만 디자인 팀은 이 개념을 또 다른 방식으로도 디자인에 통합했다. 엘리멘터리 학교 복도 중 하나에서 금속제 사물함을 없애고 앉을 수 있는 벤치가 되도록 복도를 따라 물결 모양의 목재 띠를 설치한 것이다. "아이들을 움직이게 할 방법을 생각할 때는 욕구의 다양성을 함께 생각해야 합니다."[46] 소렌슨은 한 강의에서 버킹엄 사례를 발표하면서 이렇게 말했다. "어른도 마찬가지지만 어떤 아이는 그곳에 가면 멈춰서 쉴 공간이 있다는 것을 알기 때문에 걷고 싶은 마음이 생기기도 합니다."

그래도 디자인 팀은 교실에서 아이들이 너무 많이 앉아 있지 않기를 바랐다. 앉으면 우리 몸은 순식간에 생리학적 변화를 와르르 겪는다. 근육이 느슨해지고, 지방이 덜 분해되고, 혈액 순환이 느려지고, 혈당이 오르고, 인슐린이 폭증한다. 너무 많은 시간을 앉아서 보내면 장기적으로 심혈관계 질환, 2종 당뇨, 암 등의 발병 확률이 높아진다.[47]

1953년에 나온 고전적인 연구에서 영국 역학자 제리 모리스는 런던의 전차, 트램, 이층버스 등에서 운전사나 검표원으로 일하는 남성 수만 명의 의료기록을 조사했다.[48] 운전사는 내내 앉아서 일을 하는 반면 검표원은 서 있거나 복도를 돌아다니거나 이층버스의 계단을 오르내린다. 연구 결과, 움직이면서 일하는 검표원들보다 주로 앉아서 일하는 운전사들 중에 관상동맥 심장병이 더 많았고 더 심각했으며 발병 시기도 일렀다. 이후 여러 연구에서, 한번 앉으면 중간에 일어서지 않고 줄곧 앉아 있어야 할 경우 위험이 특히 높아진다는 사실이 드러났다. 중간에 일어서지 않고 죽 앉아 있는 사람이, 하루 중 앉아 있는 총 시간은 길더라도 중간중간 일어나서 짧게 휴식을 취한 사람보다 조기 사망 위험이 높았다.[49]

이러한 우려에서, 사용자가 중간중간 일어서게끔 고안된 가구들이 나왔다. 점점 널리 쓰이고 있는 '서서 일하는 책상'이 그런 사례다. 이 책상이 건강에 실제로 득이 되는가에 대해서는 논란이 있다. 어떤 연구에서는 서서 일하는 책상이 사무직 노동자가 앉아서 보내는 시간을 줄여주고 학교에서 아이들이 더 많은 칼로리를 소모하게 해준다는 결과가 나왔지만 이것이 유의미한 건강 향상으로 이어졌는지, 특히 장기적으로 건강이 향상되었는지는 그리 분명하지 않다.[50] 그래도 이런 가구는 여전히 인기가 있고, 버킹엄의 디자인 팀도 아이들이 문자 그대로 더 꼼지락댈 수 있는 교실을 만들어서 몸을 움직일 기회를 최대한 높이고자 했다. 이를 위해 높낮이 조절이 가능한 책상을 구매했고 바닥이 둥글어서 앉으면 몸도 함께 앞뒤 옆으로 움직이게 되는 의자 같은 '다이내믹 가구'들도 구매했다. 황은 이렇게 설명했다. "어쨌거나 아이들은 한시도 가만히 앉아 있지 못하고 꼼지락댑니다. 하지만 전통적인 교실 환경에서는 그것이 제약되었지요."

디자인 팀이 가장 야심차게 도전한 공간을 꼽으라면 구내식당일 것이다. 전통적으로는 학교 디자인에서 그리 주되게 고려되지 않는 공간이었지만, (소렌슨이 2015년 피트시티 컨퍼런스에서 버킹엄 프로젝트에 대해 발표하며 설명했듯이) 이들은 "식당을 학교에서 가장 중요한 교실로 만들자는 급진적인 아이디어"를 가지고 있었다."[51] 그들은 식당이 단지 아이들을 감자튀김 나눠주고서 방치하는 공간이 되지 않도록, 급식 노동자가 교육자 역할을 할 수 있게 만들고자 했다. 디자인 팀은 학교의 가장 중심부, 공기가 잘 통하는 개방된 곳에 두 학교의 공동 식당을 두기로 했다. 또 조리 공간과 식당 공간 사이를 막은 벽을 없애서 조리 과정을 볼 수 있게 했다. 공립학교 중에서는 드물게 이곳 식당은 빵을 전부 직접 구웠는데, 디자인 팀은 학생들이 식당에 들어올 때 빵 굽는 공간을 볼 수 있도록 창문을 만들었다.

상업적 규모의 주방에서는 체험을 통한 요리 교육과 식품 교육을 할 수 없을 것이므로 디자인 팀은 소규모 교육용 주방과 아이들 체구에 맞는 조리 실험실을 만들었다. 이 공간은 학생들이 신선한 채소를 씻고 다듬고 요리하는 법을 배우거나 지역 농민들이 방문했을 때 음식을 대접하는 공간으로 쓰일 것이었다. 조리 실험실에는 책장을 마련해 음식, 농업, 영양에 대한 책을 둘 수 있게 했다. 소렌슨은 이렇게 설명했다. "당신이 그 식당에 와서 점심을 먹는 아이라면 '있잖아, 당근에 대해 아이디어가 떠올랐어'라고 말하면서 그곳의 작은 도서관으로 가서 책을 집어들 수 있겠죠. 그것이 우리의 비전이었습니다." 식당 바로 바깥쪽 땅에는 텃밭을 마련했다. 이곳은 학습장으로도, 급식에 사용할 채소를 생산하는 밭으로도 쓰이게 될 터였다. 트로브리지는 "이를 통해 식품이란 어딘가로부터 오는 것이라는 개념을 배울 수 있게 된다"고 설명했다. (조리 수업과 교내 텃밭은 아이들이 식품에 대해 더 잘 알게 하고, 채소를 먹어보게 하고, 채소 먹는 것을 좋아하게 하는 데 효과적일 수 있다.[52])

그래도 어떤 아이들은 채소를 입에 넣으려면 추가적인 독려가 필요하다. 이를 염두에 두고 소렌슨의 팀은 행동경제학에서 몇 가지 아이디어를 빌려왔다. 행동경제학 연구들은 선택지가 제시되는 방식을 미세하게 조정함으로써 특정한 선택 쪽으로 사람들을 유도할 수 있음을 보여주었다. 책상에 과자나 사탕을 늘 놓아두는 사람이라면 잘 알겠지만, 음식이 손 닿는 곳에 있으면 더 많이 먹게 된다. 따라서 건강에 좋은 음식을 더 잘 보이고 더 접근하기 쉽고 더 먹기 편리하게 두면 (혹은 역으로 정크푸드를 더 구하기 어렵게 만들면) 건강한 식습관 쪽으로 쿡 찔러주는 '넛지'(nudge) 효과를 낼 수 있다.*

2013년에 한 연구팀은 캘리포니아의 초등학교 식당에서 우유의 배치를 바꿔보는 실험을 했다.[53] 원래는 흰 우유와 초콜릿 우유 둘 다 음식을 받아 가는 카운터의 바로 손 닿는 곳에 나란히 놓여 있었다. 그런데 1주일 동안 초콜릿 우유를 카운터 뒤쪽에 숨겨두고 학생들에게 초콜릿 우유가 먹고 싶으면 달라고 말하라고 했더니 흰 우유를 선택하는 비중이 30퍼센트에서 48퍼센트로 뛰었다. 또 다른 연구에서는 과일을 장식 이쑤시개와 함께 수박에 꽂아놓는 식으로 재미있고 매력적으로 보이게 배치하면 아이들이 과일을 더 많이 먹는 것으로 나타났다.[54] 대학생을 대상으로 한 실험에서도 사과와 당근이 식탁 가까이에 있으면 2미터 떨어져 있을 때보다 많이 먹는 것으로 나타났다. 분위기도 중요하다. 우리는 불쾌하고 스트레스 받는 환경에서 시간을 보내고 싶어 하지 않는다. 번쩍대는 조

★　시카고에 있는 러시 대학 병원의 보건심리학자 브래들리 애플한스는 자판기를 이용한 실험을 고안해 우리가 즉각적인 만족에 얼마나 높은 가치를 부여하는지 알아보았다. 그는 소비자가 정크푸드를 고르면 25초가 지나서 나오고 건강에 좋은 간식을 고르면 곧바로 나오는 자판기를 만들어서 2015년과 2016년에 캠퍼스 여기저기에 설치했다. 그랬더니 건강한 간식을 구매하는 비중이 다소 올라갔다.[55]

명이 있거나 시끄러운 식당은 손님들이 너무 급히 욱여넣듯 먹고 빨리 나가게 만들거나 과식하게 만든다.[56]

버킹엄의 디자인 팀은 이러한 정보를 당국자들과 나누면서, 이를테면 과일 바구니를 계산대 바로 옆에 두는 식으로 건강에 좋은 음식을 잘 보이고 집기 쉬운 곳에 두어야 한다고 제안했다. 또 아이들이 설탕 듬뿍, 칼로리 듬뿍인 음료보다 물을 더 많이 마시게 하기 위해 우유와 주스 카트 옆에 생수 코너를 두고(복도 곳곳에 아이들 키높이에 맞는 식수대를 설치했고 각 교실에도 식수대를 두었다), 물 마시기의 장점과 건강한 끼니의 구성 요소를 색색가지로 설명한 패널을 학교 여기저기에 잘 보이게 걸어 놓았다.

마지막으로, 안보다는 밖에 있을 때 더 활동적이 되기 마련이므로 소렌슨의 팀은 개울과 천연 습지가 있는 널찍한 학교 부지를 최대한 활용할 방도를 찾았다.[57] 그들은 구불구불한 산책로를 만들고 산책로가 지나가는 길에 놀이터, 운동장, 소풍용 언덕, 개구리 습지, 새로 심은 과실 나무, '마음껏 따 갈 수 있는' 베리류 텃밭 등을 마련했다. 또 잘 갖추어진 옥외 교실이 있었고, 미술실과 음악실에는 각각 옥외 테라스가 있었으며, 유치원의 각 교실에는 작은 옥외 놀이터로 이어지는 문이 있었다. 디자인 팀은 이 야심 찬 조경 계획으로 학교가 마을 사람들도 사용하는 동네 공원 역할까지 하기를 바랐다. 학교 운동장으로만 그치는 것이 아니라 버킹엄 전역에서 어른과 아이 모두가 찾아오는 공간이 되도록 말이다. 소렌슨은 "학교와 학교 인근 지역을 공동체의 자산으로 본다면, 이것은 가장 저사용되고 있는 공공 토지인 셈"이라고 말했다.

이 학교는 납세자의 돈으로 이뤄진 주요 투자 프로젝트였고 디자인 팀은 공동체가 그 투자에서 최대의 수익을 뽑아낼 수 있기를 원했다. 그래서 프라이머리 학교 로비에 계단식 스탠드가 있는 반원형의 커다란 지역 공동체 공간을 마련했다. 또한 포커스 그룹 인터뷰를 하고, NAACP[전미유색인종지위향상협회]와 4-H[지성, 덕성, 노동, 건강의 이념을 가진 청소년 단체] 지부를 만나 의견을 듣고, 공동체 정원 워크숍을 여는 등 카운티 주민들이 학교 설계 과정에 참여하도록 했다. 트로브리지는 이렇게 말했다. "이것은 매우 큰 투자였기 때문에 지역 공동체가 정말로 많은 관심을 가지고 있었습니다. 구체적으로 계단 모양이 어때야 하는가 같은 것부터 학생들의 건강, 그리고 학교 재건축이 학생들의 건강 증진에 미칠 영향에 대해 주민들과 풍성하고 밀도 높은 대화를 나눌 수 있었습니다. 나는 이것이 정말로 근사한 공중보건상의 기회라고 생각합니다."

2012년 가을에 두 학교가 문을 열자 학생들은 첫날부터 사랑에 빠졌다. "아이들이 눈이 휘둥그레져서는 '여기 너무 좋아요'

라거나 '밤에도 여기 있어도 돼요?'라고 말했어요." 패니 앨런이 회상했다. 앨런은 저학년 아이들이 다니는 프라이머리 학교의 교장이 되었다. 아이들은 체육 시설과 아늑하게 마련된 책 읽는 공간을 좋아했고 딱 맞는 크기의 재미있게 생긴 가구와 밝고 커다란 식당도 좋아했다.[58]

교장으로서 앨런은 정확히 디자인 팀이 바랐던 역할을 해주었다. 새로 지은 건물을 건강을 증진하는 문화적 변화의 기회로 삼은 것이다. 앨런은 영양위원회를 꾸리고 영양사를 지역 공동체 공간에 초대해 강연을 부탁했다. 또한 기금 모금 때 정크푸드를 판매하는 대신 단거리 마라톤을 열었다. 우등생에게 컵케이크를 주던 전통도 없애고 가을 운동회를 열었다. 운동회에서 학생들은 이어달리기를 하고 허수아비를 만들었다. 앨런은 '뇌를 쉬게 하는 시간'이라는 제도도 만들었는데, 그 시간이 되면 학생들은 2분 동안 공부를 멈추고 일어서서 돌아다니거나 스트레칭을 하거나 잠시 동안이라도 활동적인 게임을 해야 한다. 또한 매일 오전에 나가는 학교 방송에서 앨런은 그날 점심 메뉴를 가장 영양가 있게 먹는 방법을 알려주며 이렇게 말했다. "오늘도 여러분이 건강한 선택을 하기 바랍니다." 학생들은 여기에 반응을 보였다. 가령, 복도에서 앨런을 만나면 자신이 어떤 것들을 먹었는지 자랑스럽게 이야기하곤 했다. 소렌슨은 "앨런 선생님은 정말 끝내주셨어요"라고 말했다.

"새로운 문화를 작은 방식으로 지어나가는 법을 아는 분이세요. 무엇이 아이들에게 동기를 부여하는지도 정말 잘 파악하고 계시고요."

학교가 문을 열고 1년 뒤에 황의 연구팀은 어떻게 돌아가고 있는지 보기 위해 학교를 찾아와 교직원들을 만났다. 황은 "많은 영감과 희망을 볼 수 있었다"며 "교사와 당국자 들이 새로운 가능성을 보았고, 그렇기 때문에 스스로 새로운 활동과 프로그램을 도입했다"고 말했다. 몇몇 교사는 텃밭을 수업에 활용하기 시작했다. 학생들은 묘목을 기르고 직접 수확한 야채로 작은 피자를 만든다. 방과 후 프로그램에서는 교육용 주방을 이용해 살사 소스와 스무디 만들기 수업을 연다.

열정적인 몇몇 교사들은 교직원의 건강을 증진시키기 위한 프로그램까지 시작했다. 이를테면, '영양 리더'를 정해 교직원 회의 때 건강에 좋은 간식을 준비하고 교직원들끼리 참여하는 체중 조절 대회도 열었다. 이러한 노력은 효과가 있었다. 황에 따르면, 교직원 중 고지방 식사를 하는 사람의 비중이 74퍼센트에서 57퍼센트로 줄었다.[59]

하지만 동참을 이끌어내기 어려운 교직원들도 있었다.[60] 조리와 급식 담당 직원들은 조리실이 너무 넓어서 동선이 길어졌고 냉동고 공간이 충분치 않다고 불만을 제기했다. (앨런은 냉동식품과 가공식품을 덜 먹는 것이야말로 그렇게 디자인한 목적임을 설명했다.) 또 디자인 팀은 조리 노동자가 교육자 역할도 하게 만들고 싶었지만 그들 중 영양 교육을 받은 사람이 거의 없었다. 황은 "조리 노동자 프로그램이 별도로 마련되지 않으면 그들이 새로운 주방을 최적으로 사용하기 어려울 것으로 보인다"고 설명했다. "이 공간이 새로운 활동을 가능케 하는 역할을 해야 하는데, 사람들이 늘 알아서 새로운 공간의 장점을 자연스럽고 조화롭게 활용하는 것은 아닙니다."

한편 어떤 교사는 걷는 것을 싫어해서 교실과 공용 공간 사이가 너무 멀다고 불평했다. 소렌슨은 이렇게 설명했다. "걷기를 촉진하는 학교 환경을 만들자는 것은 당연한 말 같지만 사실 교사들로부터 많은 저항이 있습니다. 이동할 때마다 아이들 교육에 써야 할 시간을 잡아먹고 있다고 생각하게 되기 때문입니다." 어떤 교사는 '다이내믹 가구'를 성가셔했다. 앨런은 앞뒤 옆으로 움직이는 의자가 벽장에 들어가 있는 경우를 계속 목격했다.

디자인 팀은 그들이 지은 건물이 만병통치약이 되리라고는 생각하지 않았다. 그보다는 건물을 하드웨어라고 생각했다. 빵 바자회를 중지하고 방과 후 요리 교실을 여는 것 같은 학교의 정책과 프로그램이 소프트웨어다. 소프트웨어와 하드웨어가 서로를 강화하면 가장 이상적일 것이다. 소렌슨은 "소프트웨어와 하드웨어가 섬세한 방식으로 함께 잘 굴러가면 행동의 변화가 더 많이 일어날 것"이라고 말했다. 하지만 버킹엄 학교가 문을 열고 몇 년 뒤의 상황을 보니 소프트웨어에 약간의 버그가 난 것이 분명해 보였다.

그래서 소렌슨과 동료인 켈리 캘러핸은 나와 함께 차로 버킹엄에 가는 동안 학교에서 무엇을 보게 될지 약간 걱정하고 있었다. 학교가 문을 연 지 5년이 되었고, 페니 앨런이 이전 학년도 말에 은퇴하고 나서는 처음 가보는 것이었다. 소렌슨과 캘러핸은 가장 적극적인 지지자이자 활동가가 없이도 학교가 잘 유지될 수 있을지 궁금했다.

그날은 그림처럼 아름다운 봄날이었다. 하늘은 맑고 푸르렀고, 나무에는 분홍과 흰색의 꽃이 만개해 있었으며, 노란 나비가 덤불 주위를 날고 있었다. 우리는 거리가 좀 되는 길을 걸어서 본 건물 로비에 들어섰다. 식당으로 가는 동안 체육관에서 농구공 튕기는 소리와 체육관 바닥에 운동화가 밀려 끽끽거리는 소리가 복도에 울렸다.

내가 다녔던 학교의 식당과는 딴판이었다. 그때는 폐소공포증이라도 일으킬 것 같은 창문 없는 공간에 소풍용 식탁들이 벽에 빽빽하게 접혀 세워져 있었다. 그런데 이곳 식당에는 작은 흰색 식탁들이 각각 나무 의자 여덟 개와 함께 오밀조밀 배열되어 있었다. 조명은 부드럽고 따뜻했으며 전면 창으로 햇빛이 풍성하게 들어왔다. 창밖으로는 넓은 운동장이 보였고 과실 나무에 꽃이 활짝 피어 있었다. 멀리 놀이터에서는 한 무리의 아이들이 날쌔게 뛰어다니며 놀고 있었다.

소렌슨은 여전히 학교가 잘 굴러가는 것처럼 보여서, 그리고 빵 굽는 곳 앞에 커다란 밀가루 포대가 놓인 것을 보고서 기뻐했다. 지금도 직접 빵을 굽는다는 뜻이었기 때문이다. 하지만 곧 배식 라인에 'PET 데어리'(PET Dairy) 상표가 붙어 있고 아이스크림이 가득 든 냉동고가 있는 것을 보았다. "페니 선생님 계실 때는 여기에 아이스크림이 있는 일은 절대로 없었어요." 음료수용 냉장고를 열어본 소렌슨은 흰 우유가 아래쪽에, 초콜릿 우유가 훨씬 잘 보이는 위쪽에 있는 것에도 실망했다. 소렌슨은 "여기 분들이 할 수 있는 간단한 일들을 포기한 것 같다"고 말하면서 냉장고 안의 우유를 다시 배치했다.

배식 구역으로 가는 길에는 야채, 통곡식, 단백질 음식, 과일 등이 색색가지로 그려진, 균형 잡힌 식사의 요소를 알기 쉽게 설명해놓은 그림판이 걸려 있었다. 하지만 바로 위에 걸린 '오늘의 메뉴'에는 핫도그, 감자튀김, 콩 통조림, 얼린 주스, 쿠키가 적혀 있었다. 아무리 따라 해보고 싶더라도 학생들이 그림판에 있는 정보를 어떻게 실제로 접시에 담을 수 있을지 의아할 수밖에 없었다. "핫도그라니…" 소렌슨이 한숨을 쉬었다. (점심 메뉴 결정 권한은 각 학구가 가지고 있지만 대부분의 공립학교는 연방 보조금과 보조 식품에 의지하며 예산이 굉장히 빠듯하다. 아무도 아이들에게 핫도그를 주라고 강요하지는 않지만, 유기농 슈퍼마켓에 가서 비싼 식재료를 사 올 수도 없는 게 엄연한 현실이다.) 식당 밖으로 나오면서 보니 조리 실험실에는 팝콘 기계가 있었고 작은 도서관이 될 것으로 기대했던 책장은 거의 비어 있었다.

위층에도 실망스러운 점이 있었다. 버킹엄으로 차를 타고 오면서 소렌슨은 이 학교에서 그가 가장 좋아하는 곳은 프라이머리 학교 2층에 있는, 외팔보로 고정해 밖으로 튀어나오게 만든 코너 룸이라고 말했다. 튀어나온 구조와 유리벽 덕분에 마치 뱃머리에 있는 것처럼 학교 마당 전체를 내려다볼 수 있었다. 하지만 그곳에 가보니 창문에는 커튼이 내려져 있었고 푹신한 가구들을 두어 소규모 팀 활동 공간으로 꾸몄던 라운지는 책걸상이 빽빽하게 놓인 일반 교실로 바뀌어 있었다. 학생 수가 늘어나서 교실 공간이 추가로 필요했던 것 같았다.

소렌슨은 초연한 태도를 보였다. 학생 수가 늘어나는 것에 대해서는 그가 할 수 있는 일이 없고 교직원들이 학생들의 문해력과 학업 성취도를 높여야 한다는 압박을 많이 받는다는 것도 잘 알고 있었다. "나는 길게 보려고 합니다. 건강한 식사 캠페인이나 음식 도서관 등은, 아니 다른 어느 것이라도, 아이들에게 영향을 미치는 또 다른 중요한 일에 관심을 집중하는 동안 한 1년 정도 제쳐놓을 수도 있다고 생각해요. 그렇게 공간을 다른 용도로 써보는 것은 괜찮은 것 같아요. 1년간 어떤 식으로 활용해보고, 충분히 잘 써본 다음에 또 다른 용도로 활용해보고 하는 식으로 말이에요."

이 학교가 아이들에게 미친 영향에 대한 실증 결과는 그리 뚜렷하지 않다. 황의 연구팀은 4학년 때 이 학교를 다니기 시작한 아이들이 1년 뒤에 식품 영양에 대한 지식에서 크지는 않지만 측정 가능한 수준의 향상을 보였다고 밝혔다.[61] 실제로 어떤 학생은 학교 여기저기에 붙어 있는 교육용 표지판에서 새로운 사실을 많이 배웠다고 말하기도 했다. 하지만 5학년 때 이 학교에 다니기 시작한 아이들은 1년이 지난 뒤에도 식품 영양 지식에 대한 점수가 오르지 않았다.

또한 황의 연구팀은 가속계를 사용해 일상적인 학교 생활에서 학생들이 얼마나 움직이는지 측정해보았는데, 새 학교가 학생들이 (다른 학교에 다녔더라면 앉아서 보냈을 시간에 비해) 덜 앉아 있게 하는 데는 성공한 것으로 나타났다.[62] 전반적으로 학생들의 저강도 신체 활동이 하루에 1시간 이상 늘었다. 황은 이렇게 설명했다. "학교 건물에 물리적 변화가 없었던 학교 학생들과 비교해보니 이곳 아이들이 앉아서만 지내는 생활을 훨씬 덜 하는 것으로 나타났습니다. 나는 이것이 학교 디자인이 건강과 후생에 가져다줄 수 있는 잠재적 이득에 대해 기초적인 실증근거를 제공했다고 생각합니다."

좋은 소식만 있지는 않았다. 중강도와 고강도 신체 활동은 하루에 10분 정도 줄어들었다. 황은 걷는 거리를 늘리도록 디자인한 것, 특히 교실과 옥외 공간 사이를 구불구불한 길을 통해 다니게 만든 것이 쉬는 시간을 잡아먹어서 몸을 더 많이 쓰는 활동이나 놀이를 할 시간이 줄어든 것이 아닐까 생각하고 있다. 저강도 활동 증가 폭이 고강도 활동 감소 폭보다 크기는 했지만, 어쨌든 이 결과는 건조환경이란(그리고 인간 행동도) 매우 복잡하며 세심하게 고안된 설계도 예상 못한 결과를 낳을 수 있다는 것을 말해준다.

버킹엄처럼 대담한 재건축을 시도한 곳은 거의 없지만, 급식 배열을 바꾸고, 곳곳에 계단 표지판을 두고, 옥상 텃밭을 만들고, 로비 바닥을 체육관처럼 탄력 있는 재질로 깔고, 잘 사용되지 않던 공간을 학생, 교사, 학부모가 쓸 수 있는 헬스 시설로 만드는 등 세계 각지에서 많은 학교가 활동 친화적 디자인을 적용하고 있다.[63] 이러한 활동도 열정도 다 좋지만, 황은 프로젝트의 효과를 체계적으로 평가하고 추적하려는 노력이 더 많지 않은 것을 아쉬워한다. "이 부분이 제가 계속 좌절하는 지점입니다. 논의도 많고 관심도 많지만 실증근거의 토대를 정말로 쌓아가려면 어떻게 해야 할까요?"

활동 친화적 디자인이 행동의 변화를 가져올 수 있음을

시사하는 연구는 많다. 가령, 활동 친화적 디자인을 도입하면 계단을 사용하고 자전거를 타는 횟수가 증가한다. 그런데 이것이 장기적이고 실질적인 건강 이득과 어떻게 연결되는지는 입증하기가 훨씬 어렵다. 학생들이 과일을 더 많이 집게끔 음식 배열을 바꾸는 것은 좋지만, 매일 과일 한두 조각을 더 먹는 것이 실제로 학생들을 건강하게 만드는지는 어떻게 검증하는가?

디자인은 공중보건을 증진하려는 노력에서 매우 강력한 부분이 될 수 있지만 만성질환을 실질적으로 줄이려면 다방면의 접근이 필요하다. 식품 업체의 마케팅을 제한하고, 급식 가이드라인을 개선하고, 의료시스템을 개혁하고, 설탕과 지방은 너무 싸고 과일과 야채는 너무 비싸게 만드는 농업 정책을 바꾸는 것 등이 모두 포함되어야 한다.

활동 친화적 디자인이 확산되는 동안 우리는 버킹엄의 교훈에 귀를 기울여야 한다. 건물이 변화의 촉매가 될 수는 있지만 변화의 과정이 빠르거나 쉽지는 않으리라는 점을 명심해야 하는 것이다. 돌아오는 차에서 소렌슨은 이렇게 말했다. "여기에는 아주 많은 노력이 듭니다. 오늘 보니 5년 전에 보았던 것과 다르긴 하지만, 나는 버킹엄이 이룬 성취가 굉장한 것이라고 생각합니다. 그들에게는 그것을 시도해본 것이 근본적으로 영향을 미쳤습니다."

소렌슨이 이야기를 나눈 교사와 당국자들은 문화적 변화가 이루어지고 있으며 새로운 공동체 의식도 서서히 발달하고 있다고 말했다.[*] 버킹엄 학교에는 실망스러운 점도 있었지만 희망을 가져도 좋을 이유 또한 발견할 수 있었다. 나는 유치원 아이들이 빗물 정원 근처를 첨벙거리며 걸어다니는 모습을 보았고, 선생님들이 아이들을 아기오리처럼 인솔하며 활엽수에 대해 가르치는 것도 보았다. 학생들이 계단을 뛰어 올라가면서 벽에 그려진 슈퍼히어로(배트맨, 스파이더맨, 캡틴 아메리카 등)와 인사하는 것도 보았고, '나무 차양'(아이들의 운동 장애를 치료하는 용도로 쓰이기도 한다)이 잘 관리되고 있고 아이들에게 인기 만점인 것도 보았다.

문화적 변화는 장기간의 실천을 필요로 하고, 버킹엄의 디자인 팀은 그들의 일이 변화를 촉발하는 것만이 아니라 변화에 대한 기대를 만들어내는 것이기도 하다고 생각한다. 소렌슨은 이렇게 말했다. "이 건물은 그들이 성장하게 했을 뿐 아니라 계속 발전해갈 수 있다는 자신감을 갖게 했어요. 건물 디자인이나 건조환경 때문에 퇴보하는 게 아니고 말이에요." 소프트웨어에 버그가 있더라도 어쨌거나 하드웨어는 여전히

---

[*] 2017년 가을 소렌슨은 워싱턴DC의 설계 회사인 DLR그룹으로 옮겼지만 이 학교가 어떻게 돌아가고 있는지를 계속 살피고 있었고 이 학교에 대해 강연도 하고 있었다.

존재한다. 언제라도 혁신적인 교사가 학생들의 식품 영양 지식을 높이고 싶다면, 책들이 꽂히기를 기다리고 있는 조리 실험실의 작은 도서관이 바로 그곳에 있다.

다행히 버킹엄이 앞으로의 길을 찾아나가는 과정에서 아이들의 신체에 좋은 것과 두뇌에 좋은 것 사이에서 선택할 필요는 없다. 과일과 야채를 많이 먹고 신체 활동을 활발하게 하는 건강한 습관을 가진 아이들이 학업 성적도 더 좋다는 연구 결과가 아주 많다.[64] 하지만 이것은 공간 환경을 우리의 두뇌 역량 증진에 사용할 수 있는 수많은 전략 중 하나일 뿐이다. 전 세계의 수많은 연구자들이 학교부터 사무실까지 다양한 실내 공간을 사람들이 더 높은 인지 역량을 발휘할 수 있도록 디자인하기 위해 여러 방법을 탐구하고 있다.

4 사무실 증후군 치료제

2016년 봄 미네소타주 로체스터에 있는 병원 메이오 클리닉의 의료기록부 직원 여덟 명이 컴퓨터를 끄고 짐을 챙겨서 오래도록 일해온 시내 중심가의 사무실을 나와 몇 분 떨어진 새 공간으로 이사했다. 그들은 디즈니 월드 달력을 걸고 강아지 사진 액자를 책상에 올려놓는 등 새 공간을 친숙하게 꾸미고 사무실 생활의 일상적인 리듬으로 돌아왔다.

그러자 과학자들이 그들을 못살게 굴기 시작했다. 과학자들은 사무실 온도를 높여도 보고 낮춰도 보고, 창문과 조명 색을 요리조리 바꿔보고, 천장에 달린 스피커로 전화벨 소리, 자판 두드리는 소리, "의료기록이요!"라고 말하는 남성의 목소리 같은 사무실 소음을 내보내기도 했다.

따뜻하던 6월의 어느 날 오전에 그 사무실에 가보았더니 같은 배경 소음이 계속 반복되고 있었다. "내가 시간을 재보았거든요? 55초예요." 이곳으로 옮겨와 실험에 참여하고 있는 직원 중 한 명인 랜디 마우츠카가 구시렁대며 말했다. 공기는 무겁고 탁했다. 그래도 창문으로 햇빛이 들어오긴 했다. 직원들은 지난 주 내내 블라인드가 내려져 있었던 것에 비하면 굉장히 나아진 것이라고 했다.

복도 아래쪽, 컴퓨터가 빼곡하게 들어찬 유리벽 통제실에서는 과학자들이 직원 여덟 명을 면밀히 관찰하고 있었다. 어떤 모니터에는 실시간으로 동영상이 들어왔고 다른 모니터에는 실험용 사무실 곳곳에 배치된 약 100개의 센서에서 조명, 온도, 습도, 기압 등의 데이터가 실시간으로 들어오고 있었다. 여덟 명의 신체도 통제실에 연결되어 있었다. 커다란 모니터 하나에는 직원들이 손목에 찬 바이털 측정계가 보내오는 심박변이도와 피부의 전기전도도 데이터가 표시됐다. 이 두 가지는 스트레스 수준을 가늠하는 데 쓰이는 지표다. 연구진은 실험용 사무실의 환경이 바뀔 때마다 이러한 신체 반응들을 모두 확인했다.

이들은 빅 브라더와 빅 데이터가 만난 거대한 연구시설 '웰 리빙 연구소'의 첫 번째 기니피그들이었다.[1] 메이요 클리닉과 뉴욕의 부동산 회사 델로스가 함께 세운 이 연구 시설은 실내 환경이 인간의 건강과 후생에 미치는 영향을 알아보는 통합학제적 연구를 하기 위해 지어졌다. 연구자들은 이곳에서 현대의 사무실이 어떻게 우리의 삶을 궁핍하게 만드는지 알아내려 한다.

물론 지난 수십 년간 많은 과학자가 공장 작업장부터 고위 임원실까지 다양한 일터 공간을 연구했고 노동 공간의 물리적 환경이 노동자가 느끼는 편안함, 스트레스, 그리고 노동자의 업무 성과에 영향을 미친다는 점을 매우 명백하게 밝혀냈다. 배경 소음은 기억력을 저하시키고 의욕을 꺾고 피로를 유발한다.[2] 조명이 충분치 않으면 업무에서 실수를 유발할 수 있다.[3] 너무 춥거나 너무 더우면 불쾌할 뿐 아니라 업무가 더 어렵게 느껴진다.[4] 사무실 공기가 사람들이 내쉬는 이산화탄소나 가구에서 나오는 휘발성 유기화합물로 오염되어 있으면 노동자의 인지 능력이 낮아진다.[5] (몇몇 연구 결과가 시사하는 바에 따르면, 우리가 호흡할 때 내뿜는 이산화탄소 때문에 회의실, 강의실, 교실 등의 이산화탄소 농도가 생각이 멍해지고 잠이 쏟아질 정도로 높아지곤 한다.[6])

그런데 웰 리빙 연구소의 접근 방법은 이제까지와 다르다. 연구자들이 다양한 환경 변수를 매우 정확하고 미세하게 조절할 수 있게 해주며, 실험 참가자는 개방형 구조의 실험용 사무실에서 그들이 하던 원래의 직장 업무를 그대로 수행한다. 이곳은 세계 각지에서 생겨나고 있는 '리빙 랩'[실험 대상자들이 현실 생활을 그대로 수행하도록 하는 실험실] 중 하나이며, 새로이 부흥기를 맞은 사무실 공간에 대한 연구의 일부이기도 하다. 이제 연구자들은 바이털 센서와 모바일 앱 같은 테크놀로지로 무장하고서 사무실 디자인이 인간의 인지 역량, 업무 성과, 행동 등에 어떻게 영향을 미치는지, 노동자들이 더 행복하고 편안하고 생산적이 되게 하려면 무엇이 필요할지를 기존보다 훨씬 더 정교하고 세밀하게 파악하려 한다.

델로스는 골드만삭스 파트너였던 폴 시알라가 2009년에 '후생을 위한 부동산'을 만드는 데 헌신하는 회사를 차리기로 마음먹고 설립했다. 이곳은 노동자들의 건강을 고려하는 경영 시스템을 개발하고 컨설팅을 제공한다. 델로스는 2014년 '웰 빌딩 기준'를 내놓으면서 첫 번째 커다란 파장을 일으켰다.[7] '웰 빌딩 기준'은 건물을 그 안에서 일하는 사람들의 건강에 더 좋게 짓기 위한, 실증근거 기반의 가이드라인이다. 유독할 수 있는 화합물을 최소한만 방출하는 페인트를 사용할 것, 구내식당에 과일과 야채가 잘 보이도록 진열할 것 등의 지침이 포함되어 있다. 이 기준을 충족하는 건물은 '웰(WELL) 인증'을 받을 수 있다. 지속가능하고 친환경적인 건물이 국제 인증인 '에너지 환경 디자인 인증'(LEED)을 받을 수 있는 것과 비슷하다.

그런데 종합적인 기준을 만드는 과정에서 델로스는 기존의 연구만으로는 한계가 있다는 것을 발견했다.[8] 가령, 온도 쾌적도에 대한 일반적인 연구는 실험 참가자가 3시간 동안 작고 창문 없는 '인공 기후실'에서 수학 문제를 풀게 하고 각기 다른 실내 온도에서 그 결과가 어떻게 달라지는지 살펴본다.[9] 그리고 더울 때 실험 참가자가 수학 문제를 더 많이 틀렸다면 온도가 높을 때 인지 역량이 감소한다는 결론을 내린다.

하지만 두어 시간 동안 온도가 통제된 상자형 공간에서 고등학교 때 배운 수학 문제를 푸는 것과 찜통 같은 사무실에서 실제 업무를 수행하는 것은 다른 이야기다. 그래서 델로스는 메이요 클리닉과 팀을 이뤄 과학 실험에 최적인 균형을 달성한 환경을 만들어보기로 했다. 대개의 실험실보다는 훨씬 더 현실의 실제 상황에 가깝되 대개의 현장 연구에서보다는 훨씬 더 통제가 가능한 실험 환경을 만들기로 한 것이다.

그들은 500만 달러를 들여서 약 700제곱미터 규모의 꿈의 실험실을 만들었다. 이 실험실은 무한히 다양하게 조정이 가능하다. 블라인드가 시간에 따라 내려가고 올라가게 설정할 수 있고, 창문 색조와 조명의 색상 및 강도를 원격으로 조정할 수 있다. 천장에 설치된 스피커는 백색 소음과 웅얼대는 대화 소리 등 온갖 소리를 다양한 볼륨으로 내보낼 수 있다. 이 실험실의 의료 디렉터인 브렌트 바우어는 "벽도 움직일 수 있고 배관과 환풍구도 조정할 수 있다"고 말했다. 또 실험실 공간을 개방형 사무실이나 주거용 아파트, 호텔 등으로 다양하게 바꿀 수 있으며 이곳에서 실험 대상자들은 수주일 혹은 수개월을 실제처럼 일하고 생활할 수 있다.

내가 로체스터에 도착했을 때 연구자들은 이 시설의 기술적 요소와 접근 방법의 타당성을 확인하기 위한 파일럿 연구 하나를 막 시작한 참이었다. "솔직히 말해서 매우 초보적인 실험입니다." 바우어가 미리 주의를 주었다. 18주에 걸친 실험에서 바우어와 동료들은 노동자가 느끼는 편안함과 스트레스에 영향을 줄 것으로 여겨지는 여러 환경을 만들어보고 있었다.[10] 조용하고 적당한 온도의 환경에서 1주일, 따뜻하고 시끄러운 환경에서 1주일, 춥고 어두운 환경에서 1주일과 같은 식으로 실험 참가자들이 여러 환경에서 실제 자신의 업무를 하면서 지내보게 하고 그들의 반응을 설문 조사, 면접 조사, 바이오메트릭 측정을 통해 알아보는 것이었다. 내가 데이터들이 쏟아져 들어오는 통제실 모니터들을 바리보자 이곳의 기술 디렉터는 비교적 간단한 실험인데도 어마어마한 양의 데이터가 들어온다고 말했다.[11]

몇 달 뒤, 실험이 끝나자 연구자들은 방대한 데이터에서 유의미한 관찰 결과를 추리기 시작했다. 모든 변수를 통틀어 참가자들이 가장 민감하게 변화를 감지한 것은 온도였다. 일하는 공간이 너무 추우면 노동자들이 불편하고 불쾌함을 느끼는 것으로 나타났다. 바우어는 "참가자들이 몸을 데우기 위해 계단을 오르내리고 장갑을 끼고 담요를 가지고 왔다"고 말했다. 특히 온도가 낮은 공간에서 외부의 빛을 완전히 가리는 블라인드까지 내려진 채로 생활한 1주일 동안 참가자들이 가장 불행해했다. 참가자들은 어둡고 추운 사무실은 겨울같이 느껴진다고 했고, 이러한 불쾌함이 업무에 지장을 주었으며 환경을 바꿀 방법이 없어서 무기력하게 느껴졌다고 했다.

대단히 놀라운 결과는 아니다. 누가 하루에 8시간을 춥고 어두운 사무실에서 보내고 싶겠는가? 하지만 이 실험은 복수의 변수들이 미치는 영향을 통합적으로 파악하는 것의 중요성을 보여주었다. 또 다른 발견도 마찬가지였다. 한 측면에서 겪는 고충은 다른 측면에 대한 '인식'에 영향을 줄 수 있었다. 예를 들어 사무실이 어둡거나 시끄럽거나 추우면 노동자들은 공기 질에 대해서도 불만을 표했다. 연구진이 공기는 조정하지 않았는데도 말이다. "환경에 대한 사람들의 인식은 그리 정교하지 못합니다." 이 연구소의 인지과학자인 안자 잠로지크는 이렇게 설명했다. "사람들은 불만족을 느끼면 무언가가 잘못되었다고 생각해서 그게 무엇인지 알아내려고 주변을 둘러보지요. 그리고 눈에는 보이지 않지만 모든 곳에 존재하는 공기를 자신이 겪는 문제의 원인으로 쉽게 지목합니다."

작은 연구에서 나온 간단한 통찰이지만 시사하는 바는 매우 클 수 있다. 건물 관리자는 공기 질에 대한 불평을 자주 듣지만 공기 질은 향상시키기가 쉽지 않다. 그런데 이 연구 결과는 공기 질이 문제가 아니고 정작 필요한 것은 온도나 소음이나 조명을 조절하는 것일 수도 있음을 시사한다. 다른 연구자들도 환경 변수들이 복잡한 방식으로 상호작용한다는 것을 보여주는 결과들을 발견했다. 네브래스카 대학에서 실시한 실험에서는 실험용 방의 배경 소음을 높였더니 기온에 대한 참가자들의 만족도도 함께 낮아지는 것으로 나타났다.[12]

잠로지크는 인지심리학자로서의 전문성을 십분 발휘해 웰 리빙 연구소 팀이 사무직 노동자들의 마음 깊숙이 들어갈 수 있도록 돕고 있다. 잠로지크와 동료들은 실행기능을 측정할 수 있는 '싱크 잇 아웃'(Think It Out) 앱을 개발했다.[13] 실행기능이란 계획 수립, 문제 해결, 의사결정, 자기 행동 통제 등을 할 수 있는 고도의 인지 역량을 일컫는다. 이 앱은 작업기억, 한 업무에서 다른 업무로 빠르게 전환하는 능력, 자신의 습관적인 생각, 행동, 충동을 억누르는 억제조절 능력, 이렇게 세 가지 실행기능을 과학적으로 입증된 방법을 사용해 측정한다.

웰 리빙 연구소 팀은 이 앱을 사무실 조명 연구에 사용해보았는데, 환경이 인지에 미치는 영향이 굉장히 복잡하다는 사실을 드러내주는 결과가 나왔다. 채광과 창밖의 경관은 노동자의 작업기억과 억제조절 능력을 높여주었지만 업무전환 능력에는 영향이 없었다.[14] 또한 빛의 스펙트럼에서 파란색 쪽 파장인 조명(우리 신체가 아침이 왔다고 느끼게 만드는 빛)을 비추자, 업무전환 능력은 높아졌지만 다른 실행기능에는 영향이 없었다.

이러한 미묘한 차이는 한 회사나 산업에 적합한 일터가 다른 회사나 산업에는 완전히 부적합할 수도 있음을 시사한다. 응급실처럼 업무가 자주 교란되고 여러가지 일을 동시다발로 해야 하는 일터라면 파란색 스펙트럼 쪽의 조명이 효과적일 수 있지만 창조력이 핵심인 일터라면 다른 조명이 더 적합할 수 있다. 실제로 독일에서 진행된 한 연구에서 연구자들은 파란빛이 집중을 크게 요하는 작업에 더 적합하고 따뜻한 색의 빛은 창조력을 고양하는 데 더 도움이 된다는 것을 발견했다.[15] 잠로지크는 "모든 일에 좋은 환경이란 존재하지 않는다"고 말했다.

모든 사람에게 좋은 환경도 마찬가지다. 산업계의 몇몇 거물은 노동자를 교체 가능한 부품으로 여기지만, 우리는 각자 상이한 욕망과 감각과 필요를 가지고 있다. 내가 쾌적하다고 느끼는 온도를 사무실 옆자리 동료는 남극처럼 춥다고 느낄 수 있다. 일반적으로 여성이 남성보다 기온 변화에 민감하고 더 따뜻한 공간을 선호한다. 남성이 선호하는 온도에 맞춰

진 사무실은 여성 노동자가 능력을 최대치로 발휘하기 어렵게 만들지 모른다.[16] 2019년의 한 연구에 따르면 여성들은 따뜻한 기온에서 인지 점수가 높았고 남성들은 시원한 기온에서 인지 점수가 높았다.[17]★

마찬가지로, 자연스러운 상호작용과 자판기 옆에서의 대화 같은 비공식적 대화를 촉진하게끔 고안된 사무실도 외향적인 사람에게야 좋겠지만 내성적인 사람에게는 끔찍할 수 있다. 과학자들에 따르면, 내성적인 사람은 외향적인 사람보다 소음이나 주의 집중을 분산시키는 요인에 더 민감하다.[18] 또한 이들은 오늘날 너무나 일반적인 개방형 사무실에서 업무에 어려움을 겪을 수 있다. 쉽게 조정 가능하고 비용이 덜 드는 등 고용주가 개방형 사무실을 좋아할 이유는 많지만, 사무직 노동자들은 거의 예외 없이 개방형 사무실을 싫어한다. 프라이버시가 보장되지 않고, 집중을 방해하는 요소가 많으며, 특히 소음이 심하다. 자판 두드리는 소리, 웅웅거리는 대화 소리가 끊이지 않고 들리는 환경에서는 복잡하고 고도의 인지

★ 2018년 여름 뉴욕주 주지사 선거에 나선 배우 신시아 닉슨이 당시 뉴욕주 주지사 앤드루 쿠오모와 민주당 당내 경선 토론을 준비하고 있을 때, 닉슨 측은 토론장 온도를 약 24도로 맞춰 달라고 요청했다. 『뉴욕타임스』보도에 따르면 토론 주관 담당자에게 보낸 이메일에서 닉슨의 보좌관은 "기온에 대해 말하자면 [일터 환경은] 악명 높게 성차별적"이라고 언급했다.[19]

역량을 필요로 하는 업무를 집중해서 완수하기가 어렵다. (설상가상으로 개방형 구조는 기침이나 재채기를 할 때 미생물을 퍼트려서 그 공간의 노동자 모두에게 병을 옮길 수도 있다. 2011년 덴마크의 한 연구에서는 개방형 사무실에서 일하는 노동자가 개인별로 구획된 사무실에서 일하는 노동자보다 병가를 62퍼센트 더 많이 낸 것으로 나타났다.[20] 병원에서 공용 병실보다 개인 병실이 환자를 감염병에서 더 잘 보호하는 것과 비슷하다.)

특정한 유형의 사람들에게는 개방형 사무실이 유독 더 고통스러운 환경일 수 있다. 내성적인 사람도 그렇지만, 주의력 결핍 과다행동 장애(ADHD)나 자폐가 있는 노동자도 그럴 것이다. 이들이 높은 업무 성과를 내게 만들고 싶다면 고용주는 닦달만 하기보다 기본적인 방음 장치를 설치하고 소음과 여러 방해 요인에 시달린 노동자가 잠시 쉬면서 재충전할 수 있는 조용한 장소를 적어도 한두 군데라도 마련해주는 편이 나을 것이다.** 몇몇 회사는 '업무 활동 기반 사무 공간' 시스템을 도입하고 있다. 직원들이 하루 중 수행하는 업무가 달라짐

** 사무용 가구 회사 스틸케이스는 베스트셀러 『콰이어트』의 저자 수전 케인과 함께 "내성적인 사람들을 위한" 사무 공간을 만들었다. 이들이 만든 조립식 개인 작업실은 시각적인 프라이버시를 보호하고, 소음을 차단하고, 조명을 각자가 조절할 수 있도록 되어 있다.

에 따라 그에 맞게 여러 작업 공간을 이동하도록 한 것이다. 이메일을 처리할 때는 서서 일하는 책상에서 업무를 보고, 그룹 브레인스토밍 시간에는 편안하고 안락한 라운지를 이용하다가, 집중해야 할 리서치나 문서 작성 작업을 할 때는 1인 작업실을 이용하는 식으로 말이다. 여러 설문 조사에 따르면, 직원들은 일반적으로 업무 종류에 따라 공간을 사용하는 방식과 그것이 주는 자율성을 좋아한다.[21] 이러한 사무 공간이 생산성과 업무 성과를 높이는지는 아직 분명하지 않지만, 웰 리빙 연구소의 연구들이 진행되면 공간 디자인이 일터에서의 업무 활동을 어떻게 돕거나 방해하는지 더 잘 알 수 있게 될 것이다.

야심 찬 웰 리빙 연구소 사람들에게 '상관없는 대화 주제'란 있을 수 없다. 내가 연구소를 방문한 이틀 내내 그들은 끊임없이 새로운 아이디어를 쏟아냈다. 실험용 사무 공간을 교실로 바꿔보면 어떨까? 교대 근무가 건강에 미치는 영향을 연구해보면 어떨까? 뇌에 외상을 입은 후 업무에 복귀한 사람이 수월하게 일할 수 있도록 도와주는 사무실 환경은 어떤 것일지 알아보면 어떨까? 사무실의 미생물, 오염물질, 실내 화분 등이 건강에 미치는 영향을 연구해보면 어떨까? 바우어는 "우리가 주제에 접근하는 방식은 사탕 가게에 있는 어린아이와 비슷하다"고 말했다.

1년 뒤에 연락해보니 바우어와 동료들은 사무실 노동자

들이 건강에 실질적으로 도움이 될 만큼 자연을 접하게 할 방법이 무엇일지 연구하고 있었다. 앞에서 보았듯이, 자연은 환자의 통증을 줄이고 학생들이 신체 활동을 늘리도록 독려하는 데 강력한 효과를 낼 수 있다. 실내에 놓아둔 화분도 집중력, 기억력, 학습 능력, 생산성 등 지적 활동 역량을 높일 수 있다.[22] 연구에 따르면, 학교 주변이 초록으로 무성하거나 교실에서 자연 경관이 보이거나 나무가 그려진 '초록의 벽'이 있을 경우, 학생들의 학업 성취 점수가 높다.[23] (사무실은 학교와 매우 비슷하다. 사무직 노동자에게 좋은 것, 이를테면 편안한 온도, 최소화된 배경 소음, 원활한 환기, 풍부한 자연 채광, 자연 경관을 볼 수 있는 전망 등은 학생에게도 좋을 것이다.)

미시간 대학의 심리학자 스티븐 캐플런과 레이철 캐플런에 따르면, 이제까지 여러 연구로 확인된 자연이 인지 역량에 미치는 효과는 '주의 회복 이론'으로 설명할 수 있다.[24] 이 이론에 따르면 자연환경은 서류를 작성하는 것부터 식단을 짜는 것까지 우리의 일상을 채우고 있는 높은 수준의 인지 업무로 탈진한 뇌가 휴식을 취하게 해준다. 자연은 우리의 관심을 끌긴 하지만, 정신이 휴식을 취할 수 있도록 노력을 들이지 않아도 되는 흥미, 다른 말로 '가벼운 매혹'이라고 불리는 것을 불러일으킨다.

그런데 자연 풍광을 담은 커다란 그림을 벽에 걸고 로비에 화분을 한두 개 두는 것으로 충분할까? 아니면 창밖으로 굉장히 무성한 자연 경관이 보여야 하고 실내에 화분을 아주 많이 갖다 놓아야 할까? 자연의 소리를 배경 음악으로 깔면 큰 효과가 있을까? 웰 리빙 연구소는 이러한 질문에 답을 알아내고자 한다.

웰 리빙 연구소는 시간대에 따라 달라지는 생체리듬 조명이 사무직 노동자에게 이득이 되는지, 서로 다른 배경 소음들의 효과는 어떠한지도 알아볼 예정이다. 또한 주변 환경을 더 많이 통제할 수 있다고 느끼는 사무직 노동자들이 직업 만족도가 더 높다는 연구 결과들에 착안해,[25] 온도, 조명, 습도, 환기, 배경 소음 등을 직접 조절하게 했을 때 실험 참가자들이 어떻게 느끼는지도 알아보려 한다.

웰 리빙 연구소 자체도 계속해서 진화할 것이다. 경영진은 안면 인식, 감정 인식 소프트웨어와 압력을 인지하는 바닥 매트 등 새로운 기술을 이 시설에 추가로 도입하려 하고 있다. 또 중국 베이징에 두 번째 웰 리빙 연구소를 열 계획이다. 미네소타의 연구소보다 세 배 넘게 큰 약 2300제곱미터 규모로 들어설 이 시설은 시간대가 달라져도 햇빛이 계속 들어오도록 건물이 물리적으로 방향을 바꿀 수 있게 지어질 예정이다.[26]

또한 실험 참가자들의 실제 사무실에 측정 장비들을 놓는 방식도 사용할 예정이다. 가령, 비용이나 전력이 많이 들지 않는 작은 센서를 사무실에 부착해 대기 질, 조명, 소음 등을 측정하는 것이다. 또 참가자들은 시계나 팔찌 형태의 바이오 메트릭 측정 장비를 착용하고 스마트폰을 통해 하루 중 어느 때라도 짧은 설문에 응할 수 있을 것이다. 이 모든 데이터가 클라우드에 자동으로 업로드되어 웰 리빙 연구소로 보내질 것이다. 바우어는 "고도로 통제된 환경인 이곳의 실험실에서 최대한 많은 것을 알아낸 뒤, 그것을 **실제의** 현실 세계로 전환한다면 정말로 도움이 될 것"이라고 말했다.[27]

전통적으로 '거주 후 평가' 연구는 엄밀성을 일정 수준 이상으로 높이는 것이 어려웠고 그 때문에 사무실에서 실제로 어떤 일이 일어나는지, 사무실이 어떻게 노동자에게 영향을 미치는지를 정확히 파악하기도 어려웠다. 보스턴의 일터 분석 기업 휴머나이즈의 CEO이자 공동 창업자 벤 웨이버는 "세계 어디에 있는 회사이든 아무 데나 들어가서 사람들에게 그 안에서 어떤 일이 일어나고 있는지에 대해 아주 기초적인 질문을 해보면 아무도 대답하지 못할 것"이라고 말했다. "경영진이 엔지니어 팀과 얼마나 자주 이야기를 나누나요? 사람들이 실제로 얼마나 많이 일을 하나요? 이런 질문에 답을 아는 사람이 없어요. 어이없는 일이죠."

하지만 테크놀로지가 이러한 상황을 바꾸고 있다. 휴머나이즈는 노동자들의 디지털 및 대면 상호작용을 추적하고 분석할 수 있는 소프트웨어와 하드웨어를 개발한다. 이를테면, 이곳 제품 중 하나인 '사회상호작용 측정 배지'는 어떤 두 사람이 대면으로 대화하는 것을 포착할 수 있다.[28] 신분증 끈의 목 주위에 부착할 수 있는 이 배지 안에는 마이크, 가속계, 블루투스, 그리고 배지를 착용한 사람의 위치와 그가 바라보는 방향을 알아낼 수 있는 적외선 센서가 들어 있다. 배지를 착용한 두 사람이 가까이에서 서로를 마주 본 채 시차를 두고 번갈아 말을 하고 있다면 아마 그 두 사람은 대화를 나누는 중일 것이다. (휴머나이즈는 이 배지가 대화 내용은 기록하지 않으며 소프트웨어가 각 당사자의 개인 정보를 즉시 익명화하기 때문에 회사는 총계 데이터만 수집하게 된다고 밝혔다.)

전 세계의 기업이 휴머나이즈의 제품을 사용하고 있으며, MIT 대학원생 시절에 이 배지 개발에 참여한 웨이버는 사회상호작용 측정 배지를 사용해 어떤 종류의 의사소통 패턴이 더 성공적인 업무 수행으로 이어지는지 연구해왔다. 정보 기술 업계 직장인을 대상으로 수행한 연구에서 웨이버와 동료들은 '슬랙' 같은 문자 메시지 서비스가 빠르게 확산되고는 있지만 여전히 대면 소통이 더 중요하다는 사실을 발견했다.[29] 실제 얼굴을 보고 이뤄지는 소통이 더 높은 생산성 및 성과와 상관관계가 있었고 특히 업무의 속성이 복잡한 경우에 더욱 그랬다. 대면으로 대화를 나눌 때 팀의 결속도 높아지는 것으로 나타났다. 또한 연구팀은 상호작용을 촉진하는 가장 좋은 방법은 '가까이 있는 것'이라는 사실도 발견했다. 웨이버는 "대면이든 디지털이든 당신이 누군가와 소통할 가능성은 책상이 서로 얼마나 가까이 있느냐에 비례한다"며 "이러한 결과를 많은 기업에서 반복적으로 볼 수 있었다"고 말했다. 이 또한 인간이 본질적으로 귀찮은 것을 싫어하고 편리함을 추구하는 종임을 말해주는 사례다. 바로 손 닿는 데 있는 음식을 더 많이 먹듯이 바로 가까이에 있는 사람에게 말을 거는 것이다.

유럽의 한 은행에서 진행된 연구가 이를 잘 보여준다.[30] 이 은행은 지점마다 성과가 차이 나는 이유를 알고자 했다. 휴머나이즈의 배지를 사용해 조사한 결과, 성과가 좋은 지점에서 직원 사이의 대면 대화가 더 많다는 것을 발견했다. 또한 실적이 안 좋은 몇몇 지점은 직원들의 소통 패턴이 명백히 구분되는 두 개의 집단으로 나뉘어 있었고 각 집단 구성원은 다른 집단 구성원과 거의 소통이 없었다.

웨이버는 "오래 걸리지 않아 그 이유를 알아냈다"고 말했다. 그 지점들은 직원들이 두 개의 층으로 나뉘어서 근무하고 있었다. 1층에서 일하는 사람들은 거의 2층에 올라가지 않았고 2층 사람들도 1층으로 거의 내려오지 않았다. "계단으로 올라가는 데 10초도 안 걸리지만 사람들은 올라가지 않았습니다. 물리적 구조가 사회관계의 양상에 미치는 영향은 믿을 수 없을 정도로 강력합니다." 이 은행은 직원들이 일정하게 두 층 사이를 순환하도록 근무 배치 방식을 바꾸었다. 이는 효과가 있어서 다음 해에 이 지점들의 매출이 평균 11퍼센트나 증가했다.[31]

온라인 여행사에서 진행한 또 다른 연구에서 휴머나이즈는 업무 성과가 매우 좋은 소프트웨어 엔지니어들은 점심을 여럿이 모여 함께 먹는 경향이 있는 반면 성과가 낮은 엔지니어들은 한두 명의 동료하고만 식사하는 경향이 있음을 발견했다. 회사가 작은 식탁을 큰 것으로 교체하자 생산성이 10퍼센트나 올랐다.[32]

물론 소통을 촉진하는 것은 복잡한 일이며 단지 노동자들을 서로 가까이 앉힌다고 해서 꼭 그들이 유의미한 대화를 나누리라는 보장은 없다. 하버드 경영대학원의 리더십과 조직 행위 분야 교수인 이든 번스타인은 개방형 사무실의 이점이라고 알려진 것들을 둘러싼 끝없는 논쟁에 종지부를 찍고자 휴머나이즈의 배지를 사용해보기로 했는데, 그 결과는 이러한 복잡성을 한층 더 드러냈다. 잘 알려져 있는 개방형 구조의 여러 단점에도 불구하고 경영자들은 사무실 내의 물리적 장벽을 없애면 은유적 장벽[소통의 장벽]을 극복하는 데 도움이 된다고 믿는다. 커다란 개방형 사무실에서 사람들이 한데 모여 일하면 팀워크와 의사소통이 향상되리라고 생각하는 것이다.

이 주제와 관련해 이제까지의 연구는 노동자들에게 사무실 내에서의 상호작용에 대한 주관적인 느낌을 묻는 조사 방식을 주로 사용했는데, 이러한 연구 결과들이 가리키는 결론은 일관되지 않고 상충하는 것이 많다.[33] 번스타인은 기존 연구와 달리 휴머나이즈의 배지를 이용해 노동자들 사이의 소통을 직접 측정할 수 있었다. "개방형 사무실이 상호작용을 증가시킨다고 주장하려면, 사람들이 '인식'하는 상호작용이 아니라 실제 상호작용을 측정해야 합니다. 이제 우리는 그것이 가능한 세계에 살고 있으니까요."

번스타인은 휴머나이즈의 배지를 사용해서 포춘 500대 기업 중 직원 간 대면 상호작용을 촉진하기 위해 큐비클[cubicle. 칸막이나 파티션 등으로 구획된 작은 공간을 말한다]을 없애고 개방형 구조로 바꾼 곳 하나를 대상으로 직원들의 상호작용을 추적했다.[34] 이 회사의 직원 52명을 모집해 사무실 구조가 바뀌기 전과 후에 사회상호작용 측정 배지를 착용하도록 했다. 데이터를 분석해보니, 회사의 의도와 달리 개방형 사무실에서 대면 상호작용이 크게 줄어든 것으로 나타났다. 구조가 바뀐 뒤에 직원들이 대면으로 대화하는 양이 72퍼센트나 줄었다. 하지만 이메일과 메신저를 통한 디지털 소통은 크게 증가했다. 회사는 대면 만남을 촉진하고자 했지만 디지털 상호작용이 대면 만남을 대체한 것으로 보인다. (이 회사가 자체 진행한 연구에서도 구조가 바뀐 후에 직원들의 생산성이 떨어진 것으로 나타났다.)

우리가 일터에서 어느 정도의 프라이버시를 원한다는 것을 보여주는 실증근거는 아주 많다. 프라이버시가 없는 환경에서 노동자는 사회적으로 움츠러든다. 다른 사람들에게 들릴지 모른다는 점이 신경 쓰여서 대면 대화를 꺼릴 수도 있다. 번스타인은 이렇게 설명했다. "그래서 사람들은 상호작용의 표준이라는 것은 존재하지 않는다는 결론에 매우 빠르게 도달하게 됩니다. 그렇다면 어떤 새로운 표준이 기존의 대면 상호작용을 대체할까요? 헤드폰을 끼고 모니터를 뚫어져라 들여다보면서 일에만 관심을 두는 것입니다." 그리고 동료에게 묻고 싶은 것이 있으면 온라인으로 메시지를 보낸다. 그는 "이러한 환경에서 사람들이 대면 상호작용을 줄이고 위험 부담이 적은 디지털 상호작용을 택하는 것을 솔직히 나는 비난하지 않는다"고 말했다.

번스타인의 연구는 개방형 사무실에 대한 이제까지의 연구를 흥미로운 방향으로, 그리고 한층 더 복잡하게 진전시켰다. 사회상호작용 측정 배지라는 테크놀로지가 이를 가능케 했다. "나는 관찰 연구도, 인류학적 연구도, 질적 연구도 다 좋아합니다. 모두 좋은 연구들이에요. 하지만 이 중 어느 것도 연구하고자 하는 그 변수 자체를 정확히 추적하고 측정하는 것을 대체하지는 못합니다. 우리가 사용하는 테크놀로지에는 물론 장단점이 있습니다. 하지만 잘만 사용한다면 이 테크놀로지는 방대한 기회를 향해 문을 열어줄 것입니다."

이러한 기회를 가장 적극적으로 활용한 기업을 꼽으라면 위워크를 들 수 있을 것이다. 2010년에 설립된 사무실 공유 업체로, 큰 사무 공간들을 임차해서 그것을 개조하고 재구성해 책상 단위나 작은 작업 공간 단위로 프리랜서나 소규모 스타트업 기업에 다시 임대한다. 마이크로소프트나 페이스북 같은 거대 기업이 사용하기도 한다. 일반적으로 위워크 사무 공간에는 개인 전화 부스, 편안한 의자가 있는 라운지형 회의실, 컨퍼런스용 탁자와 화이트보드가 있는 큰 회의실 등 다양한 공간이 있다. 지역마다 특색이 있긴 하지만 모두 미드 센추리 모던 스타일 가구, 부드러운 조명, 화분, 그림, 유쾌한 문양의 벽지 등으로 신중하게 디자인되어 있다. 반려견을 데리고 올 수 있는 곳도 있고, 명상실, 체육실, 옥외 테라스, 탁구대 등이 마련된 곳도 있다.

위워크는 짧은 기간에 급성장해서 2019년 초에는 세계 400곳에 40만 회원을 두고 있었고 기업 가치가 수백억 달러에

달했다.[35] 벤처 캐피탈 업계의 사랑을 듬뿍 받는 업체가 되었지만 많은 비판과 논란도 일었다. 구설에 오른 창업자, 대학의 남성 동아리 같은 문화, 그리고 특히 사업 모델의 재정적인 지속 가능성 등을 두고 끊임없이 논란이 일었다.[36] 위워크 사업 모델은 부동산을 장기로 빌린 뒤 단기로 빌려주는 모델이고 사용자가 대체로 아직 불안정한 스타트업이기 때문에 불황이 닥칠 경우 사업이 매우 취약해질 수 있다는 지적이 제기되었다. 2019년 가을에는 위워크 창립자가 비윤리적인 기업 활동과 부적절한 개인 행동으로 구설에 올랐다. 그는 CEO 자리에서 물러났고 투자자들 사이에 위워크의 투자 가치에 대해 심각한 의구심이 일면서 위워크는 계획했던 주식 시장 상장을 포기했다.[37]

위워크의 미래는 여전히 불투명하지만, 초창기에 맹렬한 성장으로 운영 건물의 포트폴리오와 사용자가 빠르게 확대된 덕분에, 우리는 사람들이 사무실에서 어떻게 일하는지, 사람들이 어떤 종류의 사무 공간을 원하고 필요로 하는지 등을 파악하는 기회를 갖게 되었다. 나는 이와 관련해 위워크가 무엇을 알아냈는지 물어보려고 맨해튼에 있는 위워크 본사에 찾아갔다. 리셉션 공간은 다소 칙칙했다. 소파들은 통일성 없이 놓여 있었고 나무 바닥에는 커다란 러그가 여기저기 깔려 있었다. 수요일 오전 11시, 팝 음악이 들리는 가운데 수십 명의 힙한 젊은 전문가들이 왔다 갔다 했다. 사무 공간이라기보다는 커피

하우스 같았고 실제로 바리스타가 있는 커피 바가 있어서 더욱 그렇게 느껴졌다. (과일향이 나는 물도 있고 생맥주도 공짜다.)

　　내가 흙빛 소파 하나에 앉아볼 새도 없이, 날렵하고 맵시 있는 위워크 연구 디렉터 대니얼 데이비스가 나타났다. 함께 빠르게 건물을 둘러보고 나서 그는 조용히 대화를 나눌 수 있는 작은 회의실로 나를 안내했다. 우리는 작은 테이블에 자리를 잡았고, 데이비스는 위워크가 사무실 공유 업체에서 사실상 연구 조사 업체가 되어간 과정을 이야기해주었다.

　　현대적인 기업답게 위워크는 공간 관리와 회원 관리를 소프트웨어로 한다. 위워크 사무실을 사용하는 모든 사람은 일하는 과정에서 사무실 노동자들의 행동 패턴에 대한 실마리를 담고 있는 흔적인 '디지털 배기 정보'(digital exhaust)를 생성한다. 컴퓨테이셔널 디자인 박사인 데이비스가 뉴질랜드 억양으로 말했다. "건축가들은 그들이 짓는 건물 자체가 데이터를 생성하거나 정보를 담고 있는 존재라고는 생각하지 않지요. 그들은 건물을 공간이고 경험이라고 생각합니다. 하지만 건물 자체가 정보를 생성하기도 합니다. 그 정보를 통해 우리는 패턴을 이해하고 예측할 수 있는 역량을 갖게 됩니다."

　　일례로 위워크 사용자는 회의실을 앱으로 예약한다. 그리고 2018년 10월 현재 위워크의 중앙 데이터베이스는 680만 건의 회의실 예약 정보를 담고 있다.[38] 데이비스는 이 정보를 분석하면 "공간이 어떻게 사용되고 있는지에 대해 정보 조각들을 맞춰 그림을 만들어볼 수 있다"고 말했다.

위워크는 이러한 분석으로 알게 된 내용을 바탕으로 공간 디자인을, 나아가 그들이 공간을 인식하는 방식까지 바꿀 수 있었다. "전에는 회의실을 컨퍼런스룸이라고 불렀습니다. 내 생각에는, 이러한 명명 자체가 디자이너들이 그 공간을 열 명 정도가 모여 파워포인트 발표를 들을 수 있게 모니터와 프로젝트 등이 놓인 공식적인 형태로 디자인해야 할 것 같다고 생각하게 하는 것 같습니다." 하지만 실제 데이터를 분석해보니 회의실이 가장 많이 사용되는 방식은 그와 달랐다. 회의 참석자는 평균 2~3명 정도였고, 12명이 들어갈 수 있는 공간에서도 회의의 61퍼센트는 참가자가 4명 이하였다. 또 대부분의 회의에서 프로젝터나 화이트보드는 필요하지 않았다.[39]

이 결과는 스스럼없이 이야기 나눌 수 있는 소규모 그룹 회의 공간을 더 많이 제공해야 한다는 것을 의미했다. "물론 우리는 큰 규모로 모여 공식적인 프레젠테이션을 하는 회의실도 여전히 디자인합니다. 하지만 대화의 촉진을 염두에 둔 다른 공간도 마련하기 시작했습니다. 친밀한 느낌이 나도록 조명은 은은하게 하고요. 의자도 덜 딱딱해 보이는 소파나 안락의자 등을 놓고 음향도 다르게 합니다. 모니터나 화이트보드는 없습니다. 그러니까, 데이터 분석을 통해 실증적으로 도출한 결과가 회의 공간을 디자인하는 방식을 바꾸었다고 말할 수 있습니다."

회의 하나가 끝나면 위워크 앱은 사용자들이 그 회의실에 대해 피드백을 보내도록 요청하는 메시지를 보낸다. "어떤 사용자는 의자에 대해 불평하고 어떤 사용자는 벽 색상에 대해 불평하고 어떤 사용자는 화이트보드 마커가 충분하지 않다고 불평하겠지요." 마커가 충분히 비치되지 않은 것처럼 쉽게 해결할 수 있는 문제는 위워크의 커뮤니티 매니저가 즉시 해결한다.

때로는 사용자 후기가 이보다 더 근본적인 공간 디자인상의 이슈를 제기한다. 워싱턴DC에 있는 위워크 건물에서 디자이너들은 회의실 하나에 "펑키하고 밝은 노란색 벽지"를 사용해보았다. 그런데 "벽지에 대한 피드백을 살펴보았더니 믿을 수 없게도 모두가 부정적"이었다. "다들 그 벽지가 너무 압도적이고 정신 산만해진다고 평가했어요." 이 피드백을 토대로 위워크는 벽지를 교체하거나 페인트를 덧칠하고 해당 벽지는 사용하지 말도록 공지할 수 있다. (위워크는 시도해보고 제대로 작동하지 않은 디자인 요소들에 대한 '금지 목록'을 운영한다. 가령 어떤 금속제 의자가 보기에는 굉장히 세련되어 보였지만 사용해보니 너무 불편했을 경우 금지 목록에 오른다.[40])

데이비스와 동료들은 왜 어떤 공간은 수요가 많고 어떤

공간은 임대할 사람을 찾기가 어려운지 알아내고자 위워크가 운영하는 140개 건물에서 3000개 사무실의 임대 기록을 분석했다.[41] 몇몇 결과들은 놀랍지 않다. 가령 사람들은 창문이 있는 곳을 선호했다. 하지만 직관적으로는 의외인 것들도 있었다. 예를 들어, 사람들은 긴 직사각형 사무실보다 정사각형 사무실을 선호했다. 데이비스는 "정사각형이 배열을 바꾸기가 더 쉬워서 그런 것 같다"고 말했다.

위워크가 전 세계에서 운영되고 있는만큼, 디자이너와 연구자들은 사무실에서 하는 행위들의 문화적 차이에 대해서도 연구하기 시작했다.[42] 그들은 회의 문화가 나라마다 매우 다르다는 것을 알게 되었다. 중국은 브라질보다 회의 규모가 더 크고 공식적인 경향이 있다. 점심시간 문화도 나라마다 달랐다. 미국의 일중독자는 종종 점심을 자기 책상에서 혼자 먹지만 네덜란드 직장인들은 대체로 모두가 함께 앉아서 점심을 먹는다. 위워크는 이 관찰을 토대로 네덜란드 위워크 건물에는 라운지와 식당에 큰 테이블을 넣었다. (휴머나이즈도 찬성했을 것이다.)

이러한 분석 결과들을 토대로 위워크는 사무실 디자인 자동화 소프트웨어를 만들었다.[43] 새 위워크 건물에 각 유형의 공간을 정확히 필요한 개수와 조합으로 구성할 수 있도록 각각의 공간이 얼마나 자주 사용되는지 예측하는 알고리즘을 개발했다. 또 여러 명이 함께 쓰는 사무 공간의 책상을 배열해 주는 소프트웨어도 개발했다. 이 소프트웨어는 각자가 충분한 공간을 갖게 하면서도 최대한 많은 책상을 배열하게끔 프로그램되어 있는데, 책상 20개를 배열하는 데 1초도 걸리지 않는다. 두 자동화 시스템 모두 인간 디자이너보다 일을 잘한다. "미래에는 사무실 구조, 즉 어떤 공간의 내부가 어떻게 되어야 하는지에 대해, 알고리즘이 더 세밀하고 실증근거에 기반을 둔 제안들을 내놓게 될지도 모릅니다."

위워크의 미래가 어떻게 될 것인가와는 별개로, 나는 일터 디자인에서 데이터 기반의 접근이 더 일반화될 것이라고 생각한다. 데이비스도 이렇게 말했다. "10년이나 20년 뒤면 우리의 건조환경에 대해 많은 데이터가 생성되어 있을 것입니다. 건조환경을 구성하는 모든 요소에 훨씬 더 많은 센서와 테크놀로지가 결합하는 추세는 불가피합니다."[*]

하지만 이 테크놀로지의 가능성과 힘을 알게 될수록 이것이 진정 누구를 위한 것인지 궁금해지기 시작했다. 건축가와 고용주가 사무 공간에 대해 더 많은 정보를 갖게 된다고 해서 그들이 그것을 꼭 노동자의 이득에 부합하게 사용하는 것

---

[*] 　실제로 위워크의 접근 방식은 이미 확산되고 있다. 2019년에 위워크를 퇴사한 데이비스는 호주의 큰 건설 회사에서 그가 위워크에서 했던 것과 비슷한 일을 하는 새 연구팀을 신설해 이끌고 있다.

은 아니다. (생산적인 노동자가 꼭 행복한 노동자인 것은 아니다.) 회사가 창문 있는 자리에서 일하는 직원 수를 늘리고자 이 알고리즘을 쓴다면 좋겠지만, 한정된 공간에 더 많은 사람을 빽빽하게 몰아넣기 위해 쓸 가능성이 더 크지 않을까?

그뿐 아니라 '연구'와 '감시' 사이의 구분은 매우 모호하다.[44] 많은 기업이 직원의 키보드 사용을 모니터링하고, 도착 시간을 확인하고, 실시간으로 위치를 확인하는 소프트웨어를 이미 사용하고 있으며, 행동을 감지하고 추적하는 새로운 기술들이 감시의 새로운 가능성 또한 보여주고 있다. 아마존은 물류 창고 노동자들의 손 동작을 추적할 수 있는 팔찌를 특허냈다.[45] 콜센터들은 고객과 직원의 목소리에서 감정 상태를 확인할 수 있는 소프트웨어를 실험하고 있다.[46]

기업이 직원의 행복과 성공에 필요한 것이 무엇인지 알기 위해 이러한 테크놀로지를 사용할 수도 있겠지만, 직원들을 통제하고 강제하고 마지막 한 방울까지 생산성을 짜내기 위해 사용할 수도 있다. 물류센터나 콜센터 노동자들, 또 그 밖에도 과로에 시달리고 적은 보수를 받는 직종의 사람들이 이런 유의 테크놀로지를 통한 미세 관리의 대상이 될 위험이 가장 클 것이다. 이러한 감시 기술은 프라이버시만 침해하는 게 아니라 노동자의 건강과 안전도 위험에 빠뜨릴 수 있다. 기업이 부과하는 메트릭스에 맞추기 위해 자신을 점점 더 심하게 몰아붙여야 할 것이기 때문이다. 또는 노동자들이 테크놀로지를 속일 수 있는 창조적인 꼼수를 알아내거나(그러면 테크놀로지는 무용지물이 된다) 너무 스트레스를 받아서 생산성이 떨어지는 역효과가 생길 수도 있다.

나는 휴머나이즈의 벤 웨이버에게 이러한 우려들에 대해 물어보았다. 뜻밖에도 그는 추적 기술이 일터에서 사용될 때 심각한 위험을 수반하리라는 데 바로 동의했다. "언젠가는 누군가가 이러한 종류의 데이터로 매우 나쁜 짓을 할 것입니다. 우리 업계에 구체적인 규제가 꼭 필요합니다." 웨이버는 유럽연합의 개인정보보호규정(GDPR) 같은 디지털 프라이버시 법이 좋은 출발이 될 수 있다고 말했다.

하지만 이런 법이 감시와 모니터링에 '동의'하지 않을 수 없도록 막대한 압력을 받는 노동자의 권리를 보호하지는 않는다. 웨이버는 이렇게 설명했다. "예를 들어 나는 페이스북을 사용하지 않을 수 있습니다. 조금 불편하겠지만요. 페이스북은 내 삶을 통제하지 않고 나에게 큰 권력을 행사하지 않아요. 하지만 당신의 고용주는 당신에게 막대한 권력을 행사합니다."*

★　2015년 캘리포니아의 한 회사에서 영업 담당 임원으로 일하던 여성이 근무 중이 아닐 때까지도 회사에서 언제나 위치를 추적할 수 있는 앱을 휴대전화에서 지웠다가 해고되었다고 주장했다. 이 여성은 회사를 상대로 소송을 제기했고 사건은 양자의 합의로 종결되었다.[47]

웨이버는 기업이 노동자들로부터 수집할 수 있는 데이터의 종류를 법으로 명확하게 정하고 행동 추적 기술을 시험할 때는 동의한 참가자만을 대상으로 하도록 법적으로 강제하는 방안이 이상적이지 않을까 생각한다. "이 기술은 큰 이득을 가져다 줄 수 있습니다. 하지만 노동자를 미세 관리하기 위해 사용된다면 그것이 바로 빅 브라더이지요. 그 경우에 당신은 기술의 이득을 누리지 못할 것입니다."

일터에서 생성되는 데이터가 노동자를 위해 쓰이게 만드는 또 다른 방법이 있다. 데이터를 그들의 손에 쥐어 주는 것이다. 마크 시프는 몇 년 전 건설 회사 NBBJ에서 디자인 컴퓨테이션 부서를 이끌면서 이 가능성을 탐험하기 시작했다. (현재는 다른 회사로 옮겼다.) 시프는 같은 건물이라도 장소에 따라 내부 환경이 매우 차이를 보인다는 것을 알고 있었다. 탕비실 옆의 라운지는 따뜻하고 밝고 시끄러울 것이다. 회의실 뒤의 빈 공간은 시원하고 어둡고 조용할 것이다. 하지만 노동자들은 필요할 때 이런 정보를 확인할 수 있는 방법이 별로 없다. 바깥 날씨는 휴대전화를 몇 번만 누르면 바로 정보를 얻을 수 있지만 실내 기후를 알고 싶을 때는 방법이 없는 것이다. "건물은 정보화 시대의 마지막 블랙박스입니다. 건물에 들어가는 순간 물 항아리에 스마트폰을 떨어뜨려도 아무 상관없을 거예요."

시프는 실시간으로 사무실 내부 환경을 모니터링할 수 있는 앱을 만들어서 이 문제를 해결하는 일에 착수했다. [곰 세 마리 동화 「골디락」에 나오는 것처럼] 딱 맞는 환경을 찾는다는 의미에서 앱의 이름을 골디락이라고 붙였다.[48] 시프는 이렇게 설명했다. "당신이 사무실에 있는데 옆의 누군가가 전화 통화를 하고 창문에서는 빛이 너무 강하게 들어오고 있다고 합시다. 그러면 당신은 '어쩌면 저쪽에 더 일하기 좋은 곳이 있을 거야'라고 생각하겠죠. 그때 골디락을 켜고 말하는 거예요. '더 시원하고 조용한 곳이 필요해'라고요." 그러면 사무실 곳곳에 있는 환경 센서들에 연결된 골디락 앱이 그 순간에 그 조건을 충족하는 곳이 어디인지, 그리고 동작 감지 센서를 통해 그곳을 누군가가 이미 사용하고 있는지 아닌지 알려준다.

노동자가 사무실 기후를 직접 통제하게 해주는 제품도 있다. 캘리포니아에 본사를 둔 회사 컴피는 노동자가 작업 공간의 온도를 직접 조절할 수 있도록 공조시스템과 연결된 앱을 만든다.[49] 누군가가 '내 자리를 시원하게' 버튼을 클릭하면 그 자리로 시원한 바람이 나오고 '내 자리를 따뜻하게' 버튼을 클릭하면 따뜻한 바람이 나온다. 또 이 시스템을 통해 점차 노동자들의 패턴을 파악할 수 있다. 큰 창문 옆의 개방된 자리에서 일하는 직원들이 매일 근무 시작 전에 따뜻한 공기를 요구했다면 컴피는 자동으로 아침에 그 공간이 따뜻해지게 만들 수 있다. (이 시스템은 에너지도 절약해준다. 사무실 온도를 하나로 설정하는 것은 노동자들에게 불편을 주는 데서만 그치는 것이 아니라 비효율적이기도 하다.)*

MIT '센서블 시티 랩'의 카를로 래티는 개인별 맞춤 실내 기온이라는 개념을 한층 더 밀고 나갔다. 그가 디자인한, 천장에 설치하는 냉난방 기계는 건물 안에서 개개인을 계속 따라다니는 맞춤형 '온도 버블'을 생성한다.[50]

이러한 테크놀로지들이 일터를 '고치지'는 못할 것이다. 과로, 임금 정체, 불안정한 프리랜서 고용, 독립 계약 형태의 고용 관계 등 중요한 구조적인 문제들을 해결하지는 못할 것이다. 세상의 수많은 노동자들이 쌀쌀한 사무실 기온이나 딱딱한 회의실 분위기보다 훨씬 큰 문제를 겪고 있으며, 완벽하게 설정된 온도 버블보다는 유급 휴가 정책을 바랄 것이다.

위워크가 개인별 맞춤 일터라는 개념을 적극적으로 시도한 대표적 기업이긴 하지만(위워크 본사를 방문했을 때 나는 사용자가 선호하는 높이에 따라 자동으로 높낮이가 조절되는

★ 개인별 맞춤 온도에 관한 또 다른 기술도 있다. 버클리 대학 캘리포니아 캠퍼스 건조환경 센터 과학자들은 책상 아래 두는 전기 발난로, 노동자가 춥거나 덥다고 느낄 때 온도를 조정해주는 저전력 사무실 의자 등을 통해 '개인화된 안락한 환경 시스템'을 실험하고 있다. 또 메릴랜드 대학 연구자들은 사람을 따라다니면서 차가운 바람을 불어주는 이동식 에어컨 로봇 '로코'를 만들었다.

스마트 책상의 견본 모델도 보았다), 그곳에서 일한 데이비스도 첨단 기술의 적용은 판도를 바꿀 무언가라기보다는 신기한 장치 정도에 그칠 것이라고 내다본다. "이러한 것들의 가치라고 이야기되는 것 중 일부에 대해서는 의문이 듭니다. 지금 당신과 만나 대화를 나누는 경험이 온도가 5도쯤 차이 나거나 창문 블라인드가 빛을 완벽하게 조정한다고 해서 크게 달라질 것이라고는 생각하지 않습니다."

하지만 개인화에 대한 열망과 그것을 가능케 하려는 끝없는 혁신은 현재의 사무실이 이상적인 환경과는 거리가 멀다는 것을 명확히 드러낸다. 우리의 건물에 테크놀로지가 더 조밀하게 통합되면 적어도 일부 노동자는 자신의 환경을 통제할 수 있을 것이고 구체적으로 자신이 필요로 하는 바를 더 잘 충족시키는 공간을 만들 수 있을 것이다.

물론 일터에서 사무실 노동자들의 다양한 요구에 부합하는 공간을 디자인하는 것과 인간 역량 전반에서 스펙트럼의 어디에 있든 모든 사람이 자신의 구체적인 필요에 부합하는 공간을 가질 수 있게 하는 것은 전혀 다른 문제다.

5 풀 스펙트럼

2014년 5월 22일 애리조나주 템피의 실내 경기장 '웰스 파고 아레나'에서 린지 이튼이 단상에 올라갔다. 작은 체구에 금발 머리를 한 고등학생 린지는 글쓰기와 연설하기를 좋아했고 오래전부터 졸업식 때 연설을 할 수 있기를 꿈꿔왔다. 그리고 마침내 그 순간이 왔다. 린지는 마이크 앞에 서서 몇 개월이나 공들여 연습한 연설을 시작했다. "저는 자폐가 있습니다. 이는 굉장하고 경이로운 면을 지녔다는 진단을 받았다는 뜻입니다." 박수갈채가 쏟아졌다. "저에게서 장애가 아니라 가능성을 봐주신 모든 선생님과 친구들에게 감사를 전하고 싶습니다."[1]

눈부신 순간이었지만 빛은 빠르게 사그라들었다. 졸업식이 끝나고 집에 오는 길에 이튼은 눈물을 터뜨렸다. 다른 졸업생은 모두 뒤풀이를 하러 갔고 몇 달 후에는 다들 대학에

갈 것이었지만 이튼은 부모와 함께 바로 집에 돌아와야 했고 미래에 대한 계획은 하나도 없었다. 온갖 걱정이 밀려왔다. 일자리를 어떻게 찾지? 살 집은? 내가 혼자서 살아갈 수 있긴 할까?[2]

이후 몇 달, 몇 년 동안 이튼은 고통스러운 시간을 보냈다. 고등학교 동창들과 여동생 두 명은 독립적인 성인으로서의 삶을 시작하는데 자신은 여전히 부모 집에 얹혀서 인생에서 가장 좋은 날이 이미 다 지나갔으면 어쩌나 걱정하고 있어야 했던 것이다. 이것은 이튼이 꿈꾼 삶이 아니었다. "나는 큰 꿈, 큰 희망, 큰 기대가 있었습니다." 2018년 봄에 만났을 때 이튼은 내게 이렇게 말했다.

좋아할 수 있는 일자리를 찾고 싶었고(그때 이튼은 어린이집 교사가 되고 싶었다) 스스로 삶을 꾸려가고 싶었지만 대체 어떻게 해야 그것을 실현할 수 있을지 알 수 없었다. 이튼은 스스로 집세를 낼 수 없었고 누군가와 집을 함께 쓰는 것은 생각만 해도 견디기 어려웠다. 무엇보다 이튼이 필요로 하는 바에 부합하는 장소 자체가 없었다. 이튼은 운전을 못하기 때문에 대중교통이 가까이 있는 곳에 살아야 했지만 소음을 견디기 힘들어 하기에 번화한 시내 역시 마땅한 곳이 아니었다. 또 청소를 하거나 질서 있게 주변을 관리하는 것 등 일상에서 필요한 몇 가지 기술은 여전히 배워나가는 중이었기 때문에 탄탄한 지원 체계가 있는 곳이어야 했고 그렇지 못하면 적어도 집주인이 이해심이 많은 사람이어야 했다.

이튼의 부모는 이튼을 계속 자신들의 집에서 돌보기로 타협했다. "린지에 대해, 린지의 삶에 대해 우리가 그려볼 수 있었던 미래는 우리 집 뒤쪽의 손님용 방에서 살게 하는 것이었어요. 그것이 우리가 생각해낼 수 있는 최대한이었습니다." 린지의 아버지 더그 이튼이 말했다.

이는 특이한 이야기가 아니다. 자폐는 복잡하고 다양하다. 자폐 스펙트럼에 있는 사람들은 재능, 기술, 민감도, 강점이 각기 매우 다르다. 그래서 이런 말이 있다. "당신이 자폐증을 가진 사람 한 명을 만난 적이 있다면 당신은 자폐증을 가진 사람 한 명을 만난 적이 있는 것이다."* 자폐가 있는 젊은 성인 중에서도 어떤 사람은 24시간 돌봄을 필요로 하는 반면 어떤 사람은 '신경전형적'(neurotypical)인 사람[이후로 이 책에서는 '비자폐인'이라고 옮겼다]과 함께 대학 생활도 하고 스스로 셋

★　자폐인을 일컫는 명칭은 계속 달라져왔다. 꽤 오랫동안 자폐가 있다는 점이 그 사람을 규정하지 않도록 '사람'을 강조하는 '자폐증을 가진 사람'(person with autism)이 더 나은 표현이라고 여겨졌다. 린지 이튼도 포함해 자폐가 있는 사람 중 꽤 상당수가 여전히 이 표현을 선호한다. 하지만 자폐 증상이 그들의 정체성에서 실제로 중요한 부분이라고 보는 사람들은 그 정체성을 앞세우는 표현인 '자폐인'(autistic person)이라는 말을 쓴다. 나는 각자의 선호를 모두 존중하며, 이 책에서는 두 표현을 동일한 의미로 사용했다.

집도 계약할 수 있다.[3] 그리고 많은 사람이 자신이 그 사이의 어딘가에 있다고, 즉 독립을 원하지만 그것이 너무 어려워서 고전 중이라고 생각한다.

자폐가 있는 성인은 독립적인 생활을 할 가능성이 현저하게 낮고, 다른 종류의 장애에 비해 공동체에서 단절되는 경향이 더 크다. 그런데 느리게나마 변화가 생기고 있다. 고등학교를 졸업하고 4년 뒤, 나와 대화를 나눈 지 몇 달이 지난 2018년 여름에 린지 이튼은 마침내 독립해 살 집을 얻어 이사했다.

미국에서 장애인 권리 운동이 활발하게 일어난 20세기 중반에 자폐증은 아직 사람들에게 잘 알려져 있지 않았다. 미국의 장애인 권리 운동은 1960년대에 흑인, 여성 등 주변화된 집단들의 권리를 확대하려는 더 광범위한 사회적 투쟁의 일부였다. 초창기의 '접근성' 논의는 주로 신체 장애가 있는 사람들에게 초점을 맞추었다. 1961년에 미국 표준협회는 "건물과 시설을 신체 장애가 있는 사람들도 쉽게 접근하고 사용할 수 있도록" 하기 위한 가이드라인을 만들었다.[4] 여기에는 휠체어용 경사로, 넓은 문, 화장실의 봉 손잡이 등이 포함되어 있었고 이 중 많은 요소가 이후 1990년 미국 장애인법이 제정되고 그와 함께 장애인을 위한 디자인 기준이 마련되면서 공식화되었다.[5] 장애인법 제정은 민권법의 역사에서 기념비적인 순간이었다.

이 법은 장애에 기반을 둔 차별을 없애고 건물이 장애인 접근성을 보장해야 한다고 규정하고 있다. (장애인법에 따르면 기존 건물에서 "건축적 장벽들을 제거하지 않는 것"도 차별의 한 형태다.) 이로써 접근성이 크게 향상되었고 특히 휠체어를 이용하는 사람들에게 접근성이 크게 높아졌다.[6] 이제는 경사턱, 경사로, 자동문, 접근성을 높인 화장실 등이 전보다 훨씬 일반화되었다.

하지만 아직 장벽이 남아 있다. 현실에서 장애인법의 강제력은 들쭉날쭉하고 법 자체에 구멍도 많다. 그래서 여전히 많은 건물과 공공 공간이 장애인이 자유롭게 다니기 어렵게 되어 있다. (대중교통만 하더라도 접근성이 낮기로 악명 높다.) 게다가 이제까지 건축 디자이너, 개발자, 부동산 소유자 등은 겉으로는 잘 드러나지 않는 차이를 가진 사람들, 특히 뇌 기능과 관련된 차이를 가진 사람들보다는 휠체어 사용자에게 주로 초점을 맞추는 경향이 있었다.[7] 실내 환경의 많은 요소가 인지 장애, 정신질환, 특정한 신경 증상 등을 가진 사람에게 막대한 어려움을 야기할 수 있다. 예를 들어, 외상 후 스트레스 장애가 있는 사람은 좁은 길이나 사각지대에서 크게 불안을 느낄 수 있고[8] 자폐, 뇌전증, 편두통, 뇌의 외상 등을 겪는 사람은 빛이나 소리 등 특정한 감각 자극에 극도로 예민해지곤 한다. (이 말은 고용주들이 무척 좋아하는 개방형 사무실이 이들에게는 악몽일 수 있다는 의미다. 못 견디게 시끄러워지고 있는 오늘날의 식당도 마찬가지다.)

공공 장소의 물리적 구조만 우호적이지 않은 게 아니라, 특정한 인지 장애와 발달 장애를 가진 사람들은 자신에게 맞는 집을 찾기도 쉽지 않다. 린지 이튼처럼 말이다. '자폐인 자조 네트워크' 소장 샘 크레인은 "그래서 결국 자신에게 잘 맞지 않는 집에 살게 된다"고 말했다. 깜박거리는 전등, 주변 사람들의 말소리, 가정용품의 소음, 이웃집의 음식 냄새 등이 자폐인에게는 고통스러운 자극이 될 수 있다. 방음이 잘 안 되어 있거나 근처 다른 집과 공조시스템이 연결되어 있어서 그 집의 냄새가 흘러들어오는 구조의 아파트에서 이들은 매우 큰 곤란을 겪게 된다.

또한 어떤 성인 자폐인은 스스로를 진정시키기 위해 반복적으로 해야 하는 특정한 행동에 적합한 공간이 필요할 수도 있다. 크레인은 한 친구 이야기를 내게 해주었다. "많은 자폐인이 그렇듯이 그 친구는 위아래로 펄쩍펄쩍 뛰어야 합니다. 그래서 아래층에 누가 살면 안 되죠." 그 친구는 조건에 맞는 집을 찾긴 했는데, 집주인이 집을 깔끔하게 사용하지 않는다고 타박하는 바람에 결국 그곳에서 나왔고 지금은 크레인의 집 지하에 살고 있다. "건물 관리와 관련된 요인들은 자폐인이 그 아파트에 살 수 있는지를 매우 크게 좌우할 수 있습니다."

비용도 주된 장벽이다. 성인 발달 장애인 상당수가 일자리가 없거나 매우 적은 소득으로 살아가기 때문이다.

어떤 면에서 성인 자폐인에게 적합한 주택이 부족하다는 문제는 닭이냐 달걀이냐의 문제다. 적합한 주거 공간이나 지원이 없어서 성인 자폐인 중에는 독립적으로 살아가는 사람이 많지 않다. 그런데 독립적으로 살아가는 성인 자폐인이 충분히 많지 않기 때문에 건물 디자인을 하는 사람들은 성인 자폐인이 필요로 하는 바를 우선순위에 놓지 않는다. 크레인은 "상대적으로 신체 장애인은 비장애인들과 지역 공동체에서 함께 생활하면서 사회적 압력을 행사해 주거의 물리적 접근성을 높일 수 있었던 반면 지적 장애인과 발달 장애인의 경우에는 그러한 일이 매우 느리게 진행되었다"고 설명했다.

하지만 몇 가지 추세가 결합해서 '접근성'의 개념이 달라지고 있다. 지난 몇십 년 사이에 많은 국가가 정신 장애나 발달 장애가 있는 사람을 대형 병원이나 시설에 수용하던 과거의 접근 방식에서 벗어나 '탈시설화' 과정을 시작했다. 1999년 미국 대법원은 장애가 있는 사람을 대규모 시설에 격리하는 것이 차별의 한 형태이며 "가능한 한 가장 통합적인 환경"에서 정부 서비스가 제공되어야 한다고 판시했다.[9] 그 결과, 전에 비해서 훨씬 많은 성인 장애인이 자신의 집, 이웃, 동네에서 살아갈 수 있도록 지원을 받았다. 많은 장애인이 비장애인과 함께 살고 일하고 학교에 다닐 권리를 스스로 싸워 쟁취했다. 또 성인 장애인이 적어도 반(半)독립적인 환경에서 생활할 때 더 크고 다양한 사회적 네트워크를 가질 수 있고 지역 공동체에 더 많이 관여하게 되며 삶의 만족도도 높아진다는 연구 결과도 많이 나왔다.[10]

이에 더해 장애인 권리 활동가들은 '신경다양성'(neuro-diversity) 패러다임을 발전시키고 있다. 신경 장애, 즉 자폐, 독서 장애, 투렛 증후군, ADHD 등이 결함이나 역기능이 아니라 세상을 경험하는 또 다른 방식일 뿐이며 나름의 강점을 갖는 자연스러운 인지적 차이들 중 하나라고 보는 것이다. 이는 장애를 보는 우리의 관점과 관련해 (불완전하게나마) 벌어지고 있는 더 폭넓은 문화적 전환의 일부다. 전통적으로 장애에 대한 의료적 관점은 신체적, 인지적 손상에 초점을 맞추면서 그것을 '고칠 수 있는' 결함으로 간주했다. 하지만 이제는 장애에 대한 '사회적 관점'이 확산되고 있는데, 이에 따르면 휠체어를 사용하거나 자폐를 가졌다는 점 자체가 그들의 역량을 훼손하는 게 아니라 그러한 종류의 차이에 제대로 부응하지 못하는 환경과 사회에 살아가야 한다는 사실이 그들의 역량을 훼손하고 있는 것이다.

'접근 가능한 디자인' 개념도 '보편 디자인' 개념으로 바뀌고 있다. 보편 디자인의 목적은 공간, 제품, 경험 등이 모든 연령대의 사람들에게, 또 역량의 면에서도 최대한 폭넓은 사람들에게 가능해지게 만드는 것이다. 이 목표는 단순히 '접근성'을 제공하는 것을 넘어서서, 누구나 사회의 모든 측면에 온전하게 참여할 수 있도록 역량을 강화하는 것을 목표로 한다.

카이로에 있는 아메리칸 대학의 교수이자 건축가이며 자폐인을 위한 디자인 전문가인 마그다 모스타파는 "모든 사람은 좋은 디자인을 가질 기본권을 갖는다"고 말했다. "현재의 디자인 표준은, 말하자면 시각과 청각이 양호하고 통계적으로 전형적인 감각 지각 능력을 가지고 있는 키 180센티미터의 온전한 남성에게 맞춰져 있는데, 그것은 너무나 제약적입니다. 우리는 너무 많은 사람을 배제하고 있습니다."

의학의 발달과 수명의 증가는 전보다 훨씬 많은 사람이 장애를 가지고 살게 되었다는 것을 의미하기도 한다.[11] 미국 성인 열 명 중 한 명이 이런저런 종류의 인지 장애를 가지고 있고[12] 지난 몇십 년 사이 인지 및 발달 관련 장애, 특히 자폐와 ADHD 진단을 받은 사람이 급증했다.[13] 또한 장애란 고정된 것이 아니다. 인생을 살아가면서 우리 모두 신체적, 정신적 역량의 부침을 겪는다.

이러한 인지적, 감각적 차이를 설계에 반영하려는 움직임이 점점 늘고 있다. 예를 들어, 건축 회사 '퍼킨스+윌'은 최근 신시내티 대학 가드너 신경과학연구소의 신축 건물을 설계했는데, 이곳은 다양한 신경 장애를 가진 사람들을 치료하는 곳이다.[14] 설계팀은 환자 당사자들로 구성된 자문 그룹을 꾸려서 어떻게 하면 건물이 그들에게 더 우호적인 공간이 될 수 있을지 연구했다. 돌아다닐 때 방향 감각이나 거리 감각과 관련해 어려움을 겪는 사람들을 위해 모든 복도에서 밖이 보이게 했고(그러면 방향 감각을 유지하는 데 도움이 된다) 지나치게 눈이 부시는 것을 막기 위해 건물 전체에 흰 망사를 둘러 건물 안으로 들어오는 빛이 완화되고 분산되도록 했다.

청각 장애가 있는 학생들이 주로 다니는 갤러뎃 대학에서는 건축가와 연구자들이 데프스페이스(DeafSpace)라고 불리는 접근법을 개척하고 있다.[15] 데프스페이스의 설계 원칙은 시각적인 소통을 더 원활하게 해주는 요소들을 담고 있다. 가령, 투명한 벽이나 부분적으로만 막힌 벽, 둥근 배열로 배치한 가구, 사람의 몸동작이 잘 보이도록 피부색과 대조되는 푸른색이나 녹색으로 벽을 칠한 강의실 등이 그런 사례다. 또 복도 폭을 넓히고 계단 대신 경사로를 두고 자동문을 설치해서, 청각 장애인이 걸으면서도 도중에 방해받지 않고 수어를 할 수 있게 했다. 또한 방음 시설을 설치해 청각 보조 장치나 인공 와우 수술을 한 사람들에게 더 적합한 공간이 되도록 했다.

자폐 학생에게 초점을 맞춘 학교, 다양한 신경 증상을 가진 노동자들의 필요에 부응하는 사무실 등 자폐 친화적인 공간을 만드는 데도 전 세계적으로 관심이 높아지고 있다. 몇몇 동물원, 수족관, 스포츠 경기장, 놀이공원, 영화관, 슈퍼마켓, 공항 등은 조용하고 자극이 낮은 공간이나 자극적인 요소를 줄인 쇼핑 시간, 상영 시간 등을 따로 두고 있으며 '컬처시티' 같은 앱은 그러한 시설과 공간을 쉽게 찾을 수 있게 돕는다. (컬처시티 앱 개발자 중 한 명은 『패스트 컴퍼니』와의 인터뷰에서 컬처시티가 "감각 포용성(sensory inclusion) 버전의 옐프[Yelp. 상점, 레스토랑 등에 대한 소비자 리뷰 사이트]인 셈"이라고 말했다.[16])

건축 디자이너와 부동산 개발자 들은 주거용 건물에 대해서도 새로운 아이디어를 탐색하고 있다. 플로리다 대학 '심버그 주거 연구 센터'의 셰리 아렌첸은 "자폐 스펙트럼상에 있는 성인들이 사회에서 더 자립적으로 살아갈 수 있게 할 방안이 무엇일지에 관심이 높아지고 있다"고 말했다. 아렌첸은 10여 년 전에 성인 자폐인을 위한 주거용 건물 프로젝트를 하고자 하는 한 비영리조직과 함께 직접 이 주제를 탐색하기 시작했다. 린지 이튼으로서는 매우 운이 좋게도, 애리조나주 피닉스에 위치한 이 단체는 이튼이 사는 곳에서 몇 킬로미터밖에 떨어져 있지 않았다.

커뮤니케이션 회사를 운영하는 몹시 유쾌한 여성 CEO 더니

즈 레스닉은 1991년에 둘째 아이를 낳았다. 아들이었고 이름은 매트라고 지었다. 영아 시절에는 별다른 특이사항이 없었다. 하지만 첫돌이 지나고 몇 달 뒤에 그때까지 아이가 익혔던 몇몇 기능이 퇴보하기 시작했다. 언어가 퇴행했고 부모와 눈을 맞추지 못했다. 두 돌이 되었을 때 매트는 자폐 진단을 받았다. 레스닉은 이렇게 회상했다. "의사는 우리에게 아이를 사랑해주고 받아들여주고 시설에 보낼 준비를 하라고 말했어요."[17]

　애리조나 피닉스 토박이로, 커뮤니케이션 회사를 창업한 레스닉은 누군가가 자신에게 이래라저래라 말하는 것을 별로 좋아하지 않는다. 그래서 1997년에 '사우스웨스트 자폐 연구 및 자원 센터'(SARRC)를 공동 설립했다.[18] 이후 몇 년 동안 SARRC는 직원 190명을 둔 1500만 달러 규모의 조직으로 성장했다. 이곳은 진단 검사, 조기 개입 프로그램, 교육 워크숍, 지원 그룹, 동료 멘토 프로그램, 영어와 스페인어로 제공되는 '찾아가는 서비스', 구직 지원, 포용성을 구현한 어린이집, 연구 센터 등 자폐인과 가족에게 생각할 수 있는 거의 모든 서비스를 제공한다.

　SARRC가 성장해가는 동안 레스닉은 자폐인의 주거 문제가 머리에서 계속 떠나지 않았다. 자폐인의 주거 문제는 매우 긴요한 사안이 되어가고 있었다. 미국에서 매년 약 5만 명의 자폐 아동이 성년에 도달하며[19] 이들 모두 살 곳이 필요하다. 또 레스닉 개인적으로도 매우 절박한 문제였다. 매트가 커가면서 자신과 남편이 아이 옆에 영원히 있을 수는 없다는 사실에 직면할 수밖에 없었던 것이다. 매트는 노래 부르기는 좋아했지만 대화를 하는 데는 어려움을 겪었고 자주 발작을 일으켰다. (자폐인에게 이는 그리 드문 일이 아니다.) 그래서 레스닉은 매트가 완전히 독립해 살아가기는 어려울 것이라고 생각했다. 그렇다고 매트가 시설이나 그룹홈[장애인 공동 생활 가정]에서 잘 지낼 수 있을 것 같지도 않았다. 레스닉은 "그런 곳의 건조환경이 어떤지 보러 몇 군데 가보았는데 가자마자 서둘러 나왔다"고 말했다.

레스닉은 아들에게, 그리고 SARRC에서 일하면서 알게 된 아이, 청소년, 성인 모두에게 무언가 다른 선택지를 갖게 해주고 싶었다. 구체적으로는 성인 자폐인을 위한 주거 공간을 만들고 싶었다. 그래서 2007년에 당시 애리조나 주립대학에 있던 아렌첸, 그리고 그의 동료 킴 스틸과 함께 학계의 연구 결과를 일별하고 성인 장애인을 위한 기존의 주거 공간들을 연구해 무엇이 효과가 있었고 무엇이 제대로 작동하지 않았는지 알아나가면서, 가능할 법한 것들의 개요를 잡아나가기 시작했다. 이를 바탕으로 아렌첸과 스틸은 성인 자폐인을 위한 집을 설계할 때 염두에 두어야 할 목표와 가이드라인을 개발했다. (그들은 이 작업을 2009년에 「풀 스펙트럼 주거 공간의 발달

을 위하여: 자폐 스펙트럼 장애를 가진 성인을 위한 디자인」이라는 보고서로 펴냈다.[20]*

이 가이드라인은 엄격한 규칙은 아니다. 자폐인을 위한 디자인에서 하나의 규칙으로 모든 곳에 적용할 수 있는 식의 해법이란 존재하지 않는다. (비자폐인에 대해서도 마찬가지다.) 많은 자폐인이 작은 감각 자극에도 쉽게 압도되지만 감각 자극을 매우 좋아하는 자폐인도 있다. 스틸은 자폐아인 딸을 보고 이 사실을 알게 되었다. "그 아이는 시끄러운 음악과 자신의 몸을 아주 많이 움직이는 것을 정말 좋아합니다. 반면 어떤 사람은 소음 제거용 귀마개를 늘 끼고 있어야 하고 줄곧 걷거나 서성여야 할 필요를 느끼지 않습니다."

단독주택의 경우에는 건축가들이 이와 같은 개인적 선호에 맞게 주거 여건을 쉽게 조정할 수 있다. 공동주택의 경우는 더 까다롭지만 아렌첸과 스틸에 따르면 일단 조용한 환경을 기본으로 놓고 시작해야 한다. 부드럽고 톤을 낮춘 색상을 사용하고, 두드러진 패턴을 피하고 가정용품과 공조시스템은 소음이 적은 것으로 설치해 감각 자극의 부담을 최소화할 수 있다.** 형광등은 깜박거리고 소음도 있어서 피하는 것이 좋다.

★   도시토지연구소와 함께 SARRC는 후속 보고서인 「문을 열다: 자폐 및 관련 장애를 가지고 살아가는 성인을 위한 주거 옵션에 관하여」도 펴냈다.

자극에 압도되었다고 느껴질 때 잠시 피해서 쉴 수 있도록 자극이 적은 '쉼터 공간'을 마련해두는 것도 방법이다. 한편, 자극을 원하는 사람을 위해 화려한 색상의 불빛이나 촉각 장난감 등으로 '감각실'을 만들거나, 자신의 공간을 자신에게 필요한 자극이 있는 곳으로 꾸미게 할 수도 있을 것이다.

또한 아렌첸과 스틸의 가이드라인은 건축가들이 거주자의 사회적 삶도 신중하게 고려해야 한다고 촉구한다. 자폐인에게는 사회적 상호작용이 굉장히 어려운 일일 수 있지만, 그렇다고 우리가 그들이 다른 이들과 친밀한 관계를 형성하는 것에 관심이 없으리라는 흔한 가정을 한다면 이는 잘못이기 때문이다. 아렌첸과 스틸은 자폐인을 위한 집에는 부부를 위한 공간을 설계할 필요가 없다고 생각하는 건축 디자이너와 개발자 들을 보았다고 했다. 하지만 그렇지 않다. 아렌첸은 "자폐 스펙트럼에 있는 사람도 그렇지 않은 사람들과 같은 삶을 경험하며, 그러한 삶을 경험하고 싶어 한다"고 말했다.

이를 위해 아렌첸과 스틸의 가이드라인은 공동주택을 설계할 때 뜰, 공동 주방, 정원, 우편함 공간과 같은 공용 공간을

✱✱ 스틸은 조용한 환경이라고 해서 꼭 칙칙하거나 삭막해야 하는 것은 아니라고 말했다. 그는 "정말로 밋밋한 공간을 만드는 실수를 종종 목격하곤 한다"며 "이러한 고정관념, 즉 자폐인이 어떤 사람일 것이라는 고정관념이 있으면 흰 상자 같은 집을 짓게 되는데, 이는 매우 도움이 되지 않는다"고 말했다.

만들어서 주민들이 서로 만날 수 있게 하라고 제안한다. 동시에, 각자가 어떤 종류의 상호작용을 할 것이고 얼마나 많이 할 것인지에 대한 통제력을 갖게 할 방법도 강구해야 한다. 가령, 귀퉁이 공간, 벽 안으로 움푹 들어간 벽감, 창문 쪽에 마련된 좌석 등을 공용 공간에 둘 수 있을 것이다. 그러면 다른 이들과 시간을 보낼 때 사람들의 한가운데에 앉지 않아도 된다. 높이가 절반 정도인 벽, 뚫린 벽, 내부 창문 등을 활용해 안으로 들어가기 전에 공용 공간을 미리 살펴보게 하는 것도 도움이 될 것이다.

또한 자신의 공간이라는 느낌을 주는 사적인 공간을 확보하면 더 쉽게 사회적 위험을 감수할 용기를 내게 할 수 있다. 또 그들의 존엄도 존중할 수 있다. 그러한 존엄은 장애인 시설이나 그룹홈에서는 꼭 있으리라고 기대하기 어렵다. "우리는 환자들이 자는 방에 문을 달지 않은 시설이나 그룹홈을 보았어요. 자폐인들이 자해를 할지 모르므로 늘 지켜보고 있어야 한다고 생각하기 때문이지요."

이에 더해, 아렌첸과 스틸의 가이드라인은 성인 자폐인을 위한 주택이 내구성 있고 친숙하며 집처럼 꾸며져 있고 돌아다니기 쉬운 구조일 것, 각 공간의 용도가 명확히 규정되어 있을 것을 권고한다. 또 거주자의 독립성을 촉진해야 하고, 어떤 자폐인은 균형 감각에 문제가 있을 수 있고 어떤 자폐인은 시각 기능에 이상이 있을 수 있고 어떤 자폐인은 돌아다니는 버릇이 있을 수 있다는 점 등을 설계에 고려해 거주자가 늘 건강하고 안전하게 지내도록 주의해야 한다. 그리고 구매 가능한 가격대여야 하고 더 넓은 사회 공동체에 통합되어 있어야 한다.

가이드라인 제작은 레스닉에게 출발점일 뿐이었다. 이후 몇 년 동안 레스닉과 SARRC 동료들은 성인 자폐인 본인, 가족, 자폐인 대상 서비스 제공자, 지역 개발자, 주거 당국자 등과 포커스 그룹 인터뷰를 진행해 정보를 더 수집했다.[21] 2012년에는 SARRC의 자매 단체인 비영리기구 '퍼스트 플레이스'를 열었고 2년 뒤에는 피닉스 도심 지역에 5700제곱미터 면적의 부지를 확보해 성인 자폐인을 위한 아파트 '퍼스트 플레이스-피닉스' 설계에 착수했다. 설계는 RSP아키텍츠라는 회사가 맡았다. 이들은 아렌첸과 스틸의 보고서 및 SARRC가 공동체 모임과 포커스 그룹 인터뷰를 통해 얻은 정보를 바탕으로 설계를 진행했고 설계안에 대한 피드백을 듣기 위해 성인 자폐인 당사자들이 참여하는 전국적인 디자인 샤레트[design charrette. 디자인 집중 토론 모임]도 두 차례 열었다.

이 과정에서 레스닉은 자폐가 있는 젊은 성인이 스스로 성공적인 삶을 꾸려가는 데 필요한 기술을 익히도록 도와야겠다고 생각했다. 그래서 '퍼스트 플레이스 트랜지션 아카데미'를 열었다. 성인 자폐인이 자립적으로 살아가도록 돕는 2년 짜리 교육 과정을 제공하는 곳으로, 이곳 학생들은 퍼스트 플레이스 피닉스에서 함께 생활하며 근처의 커뮤니티 칼리지에서 생활·사회적·직업적 기술을 키울 수 있는 수업을 듣는다.

린지 이튼은 이곳이 문을 열고 얼마 뒤인 2016년에 이런 곳이 있다는 이야기를 들었다. 입학 허가를 받고서 린지는 떨 듯이 기뻤다. 그리고 그해 가을, 난생처음으로 부모님 집에서 나와 이사를 했다. (퍼스트 플레이스 아파트는 아직 준비가 되지 않아서 린지와 급우들은 근처의 다른 주택 단지로 들어갔다. 그들은 그 건물을 노인 거주자 10여 명과 함께 사용했다.) 삶을 새로이 조정하는 일은 힘겨웠다. 린지는 새 스케줄에 적응하느라 고전했고 처음에는 심한 걱정과 불안을 겪었다. 다른 학생들과 교직원들이 자신을 오해하는 것 같았고 혼자라고 느껴졌다. 하지만 시간이 가면서 자신감이 붙었다. 린지는 친구를 사귀었고, 빨래하고 장을 보고 돈 관리하는 법을 배웠으며, 음식 만들기와 전철 타기 등 정복해야 할 새로운 도전 과제를 스스로 정하기 시작했다. 또 의견을 명확히 밝히는 법과 필요한 것을 선생님에게 말하고 도움을 구하는 법도 터득했다.

이튼이 자립 생활 인증을 받고 트랜지션 아카데미를 졸업한 다음 날, 나는 이튼을 만났다. 이튼은 오래 꿈꿔온 미래가 드디어 오는 모양이라고 말했다. 만족스럽게 일할 수 있을 것 같은 일자리도 구했다. 애리조나 교육청의 사무직 일자리였다. 축구와 크리스천 록에 대한 열정을 공유하는 남자친구도 생겼다. 그리고 몇 달 뒤, 이튼은 퍼스트 플레이스 피닉스의 초창기 주민 중 한 명이 되었다.

레스닉이 퍼스트 플레이스를 짓는 동안, 연구자들은 건물 환경이 정확히 어떻게 자폐인에게 영향을 미치는지를 연구했고, 덕분에 많은 실증 데이터가 축적될 수 있었다. 인디애나주 먼시에 있는 볼 주립대학의 인테리어 디자인 교수 시린 카나크리도 그러한 연구자 중 한 명이다. 대학원생이던 2012년에 카나크리는 자폐 아동을 위한 학교 두 곳에서 2, 3학년 아이들을 관찰했는데, 교실이 시끄러워질수록 학생들이 스트레스 징후를 더 자주 보였다. 그럴 때면 아이들은 구르고 빙빙 돌고 손뼉을 치고 말을 계속 반복하고 자신을 때리거나 다른 아이들을 때리고 귀를 막았다.[22]

　　볼 주립대학의 교수가 되고 나서 카나크리는 자폐 아동이 감각 자극에 어떻게 반응하는지를 더 통제된 조건에서 알아보기 위해 연구소를 열었다. 연구소를 세우기까지 무려 3년의 기간과 20만 달러의 비용이 들었지만, 2017년 가을에 마침내 첫 연구를 시작할 수 있었다.[23] 11월의 비 내리는 어느 날,

나는 그의 연구를 살펴보고자 인디애나주로 날아갔다.

카나크리의 연구소는 볼 주립대학의 응용기술대학 건물 2층에 있었다. 똑 소아과 대기실처럼 생겼고 소아과가 흔히 그렇듯이 어른용 가구와 아이용 가구가 섞여 있었다. 실내 장식은 대체로 낮은 톤이었다. 벽은 회갈색이었고 자연을 소재로 한 그림들이 있었으며 가구는 흙색이었다. 밝고 재미있어 보이는 요소도 있었다. 플라스틱 통에는 장난감이 가득했고 나무 걸개에는 그림책이 가득 꽂혀 있었다. 오렌지색의 커다란 농구공 모양 베개와 사방치기를 할 수 있는 러그도 있었다.

연구실 뒤쪽에 방음 시설이 된 작은 테스트실이 있었다. "이곳은 통제된 환경이어서, 원하는 변수를 다양하게 적용해볼 수 있습니다." 빨강, 노랑, 초록, 파랑 커튼을 내려서 공간의 색조를 조정할 수 있었고, 천장에는 형광등과 LED 전등이 둘 다 있었다. 한편에는 여러 대의 스피커, 카메라, 데시벨 측정기, 밝기 측정기가 있었다. 카나크리와 동료들은 테스트실 안에서 일어나는 모든 일을 한쪽에서만 보이는 유리벽을 통해 테스트실 밖에서 관찰할 수 있었다.

첫 연구를 위해 카나크리는 서로 다른 색, 밝기, 소음이 자폐 아동과 비자폐 아동에게 미치는 영향에 대한 데이터를 수집하고 있었다. 각 세션에는 3시간 정도가 걸리는데, 내가 방문한 날에는 두 명의 아이가 테스트에 참여할 예정이었다.

그날 오전에 카나크리는 통제 집단 데이터 수집을 위해 비자폐 남아를 관찰했다. 방 내부의 조건들을 변경해가며 아이의 반응을 살펴보았더니, 소음에는 신경 쓰지 않는 것 같았고 조명을 LED 전등에서 형광등으로 바꾸었을 때는 약간의 스트레스 징후를 보였다.

간단히 점심을 먹은 뒤 카나크리는 오후 세션을 위해 실험실을 조정했다. 세션이 시작되기 몇 분 전에 파란 재킷을 입은 10세 정도의 자폐 남아가 실험실로 뛰어 들어왔고 부모가 몇 발짝 뒤에서 따라 들어왔다. 아이는 장난감 바구니로 직행해 바구니를 뒤적거리다가 연구실을 서성거리기 시작했고 잘 알아듣기 어려운 혼잣말을 반복했다. (많은 자폐 아동이 이러한 종류의 반복적인 발화를 하는데, 이것을 반향어[echolalia]라고 부른다.) 아이의 이름은 헨리였다. 헨리는 하이파이브, 퍼즐, 맥도널드 치킨 너겟, 유튜브를 좋아한다.[*]

아이에게 전자 장비를 채우는 일에서 연구팀은 첫 번째 난관에 봉착했다. 심장박동을 모니터링하려면 아이가 가슴에 전선을 달고 맨 피부 세 군데에 전자극 장치를 붙여야 했다. 환경 변수가 바뀔 때 아이의 심장박동, 호흡, 혈압 등이 어떻게 달

---

[*]   아동의 이름을 포함해 신원이 특정될 수 있는 상세사항은 가명이나 가상의
       정보로 바꾸었다.

라지는지를 측정하는 장치들이었다. 자극 장치를 부착할 때 아프지는 않지만, 헨리는 비자폐 아이들도 포함해 많은 아이들이 그렇듯이 그것을 몸에 붙이고 싶어 하지 않았다. 카나크리는 "이것이 가장 힘든 일"이라고 말했다. 헨리는 방 안을 돌아다니고 재킷 지퍼로 장난을 치고 혼잣말을 중얼거렸다.

하지만 헨리의 엄마는 프로였다. 화이트보드가 세워진 받침대를 하나 가져오더니 마커 뚜껑을 열고 '할 일 목록'을 적었다. 먼저 "스티커"라고 적고는 전자극 하나를 자신의 가슴에 붙이고서 헨리에게 이제 네 차례라고 말했다. 헨리는 머뭇거리면서 전자극 장치 하나를 집어들고 엄마가 한 것처럼 쇄골 바로 아래에 붙였다. 이어서 나머지 두 개도 몸에 붙였다. 엄마가 "잘했어!"라고 말하자 아이도 "잘했어!"라고 따라 했다.

헨리의 엄마는 다시 화이트보드로 가서 "벨트"라고 적고 "이제 벨트를 하자"고 말했다. 그리고 심장박동 모니터링 기계를 자신의 몸에 붙이고서 "자, 이제 헨리 차례!"라고 말했다. 아이는 불평 없이 벨트를 찼다. 엄마가 "하이파이브!"라고 말하자 아이는 엄마와 하이파이브를 했다.

헨리와 엄마는 테스트실로 들어갔고 헨리는 퍼즐을 맞추기 시작했다. 카나크리는 문을 닫고 연구실의 다른 불을 모두 껐다. 우리는 일방향 유리를 통해 불이 환히 밝혀진 테스트실 안을 관찰했다. 데스크톱 모니터는 테스트실 안을 실시간으로 보여주었고 그 옆의 노트북으로는 소음과 빛의 강도, 헨리의 생리학적 반응에 대한 데이터가 들어왔다.

첫째, 소음을 높인다. 카나크리는 대체로 새소리로 구성된 숲속 소리를 테스트실 안으로 들여보냈다. 헨리는 퍼즐을 하면서 자장가의 한 소절을 반복해서 불렀다. 하지만 평온해 보였고 집중력도 유지하는 듯했다. 심장박동은 낮고 안정적이었다. "이 소리는 괜찮네요." 카나크리가 말했다. "아이가 기분이 좋은 것 같아요."

타이머가 꺼지자 새소리가 멎었다. 5분간 쉬었다가 이번에는 복닥대는 식당의 낮은 소음을 틀었다. 헨리는 크게 스트레스를 받는 것 같아 보이지 않았지만 순간적으로 심장박동이 눈에 띄게 올라갔다. 반복적인 자기 발화도 점점 더 크고 분명해졌다. 카나크리는 눈에 띌 만큼 상태가 악화되는 것에 놀랐다. "이 소리가 그렇게 시끄럽지는 않거든요."

마지막 소리는 고속도로 소음이었는데 이번에는 헨리의 반응이 더 안 좋았다. 심장박동이 높이 올라갔고 헨리는 블록이 든 바구니를 집어 들고 실험실에서 나가려고 했다. 헨리의 엄마가 새 퍼즐로 아이의 관심을 끌자 아이는 안정을 되찾기 시작했다. "잘했어?" 아이가 두 개의 블록을 맞두들기며 물었다. "잘했어." 엄마가 잘했다고 아이를 안심시켜주었다.

이후 2시간 동안 연구자들은 파란 커튼과 LED 전등 조합, 붉은 커튼과 형광등 조합, 그 반대 조합 등 다양한 조건을 실험했다. 카나크리는 이 연구가 다 끝난 뒤에 데이터에서 어떤 패턴이 나올지 아직 알지 못한다. 굉장히 복잡한 결과가 나올 가능성에 대해서도 마음의 준비를 하고 있다. 많은 아이들이 소음과 형광등에 민감하다는 것은 놀랄 일이 아니지만, 모든 자폐 아동에게 좋은 벽지 색이나 모든 비자폐 아동에게 좋은 벽지 색 등을 알게 될 가능성은 거의 없을 것이다.

그래도 사람들은 카나크리의 연구에서 나오는 어떤 종류의 시사점이라도 절실히 바라고 있다. 굉장히 많은 부모가 아이를 카나크리의 연구에 참여시키고 싶어 해서 연구 규모가 70명에서 400명으로 확대되었다. 카나크리는 몇몇 자폐 아동 센터에서 현재까지의 실험 결과를 토대로 설계 자문을 해달라고 요청받기도 했고[24] 어떤 부모는 테스트실에서 아이가 커튼 색에 보인 반응을 보고 벌써 아이 방 인테리어를 바꾸기도 했다. "부모들은 아이의 삶이 조금이라도 더 수월해질 수 있다면 무엇이든 하려 합니다." 카나크리가 말했다.

디자인이 특정한 인지적 증상이나 장애가 있는 사람에게 유용한 차이를 가져올 수 있다는 개념은 새로운 것이 아니다. 세심하게 고안된 건물이 치매 환자들의 생활을 향상시키는 데 도움이 된다는 실증근거도 많다. 예를 들어, 알츠하이머의 특징 중 하나는 방향과 경로를 잡는 능력의 상실이다. 성인 치매 환자를 위한 주거지를 운영하고 있는 '허스톤 알츠하이머 케어' 회장이자 공동 설립자 존 지젤은 "환경이 헷갈리게 되어 있어서 길을 찾을 수 없을 때 사람들은 불안해하고 화가 나고 공격적이 된다"며 "이것은 질병의 증상이 아니라 잘못된 환경에 있다는 증상"이라고 말했다.

노인 요양 시설을 디자인할 때 개인 생활 공간은 비교적 작은 규모로 만들고 부엌, 식당, 활동실 등 공용 공간을 눈에 잘 띄게 만들면 거주자들이 방향 감각을 잃지 않는 데 도움을 줄 수 있다.[25] 복도에 교차로와 출입구를 줄이고, 방향 전환이 되도록 많지 않게 하며, 똑같이 생긴 문이 죽 늘어서 있는 긴 복도를 피하는 식으로 단조롭고 반복적인 요소를 줄이는 것도 쉽게 길을 찾게 하는 데 도움이 된다.

노인 시설에 대한 또 다른 연구들에 따르면, 디자인을 신중하게 하는 것만으로도, 그리고 풍부한 채광, 방음, 편안한 인테리어, 적절한 프라이버시 보장 등 노인뿐 아니라 우리 모두를 건강하고 행복하게 해주는 디자인 요소를 도입하는 것만으로도, 노인 거주자들의 사회적 상호작용과 관여도를 높일 수 있으며 우울, 흥분, 불안, 공격성, 심인성 증상을 줄일 수 있고 치매로 인한 인지 기능 퇴화도 늦출 수 있는 것으로 보인다.[26] 지젤은 "알츠하이머 증상이라고 알려진 많은 것이 사실은 사람들의 필요에 맞지 않는 환경 요인에서 유발된 것"이라고 말했다.

2018년 4월 말, 퍼스트 플레이스 피닉스의 완공을 앞두고 나는 애리조나로 가서 '안전모 투어'를 했다. 레스닉은 소매 없는 파란 드레스를 입고 현장에 도착해서 발등 없는 구두를 벗고 검정 운동화로 갈아 신었다. 악수를 하려고 손을 내밀자 레스닉은 나를 끌어당겨서 포옹했다. 투어를 하러 온 사람 십여 명은 레스닉의 안내를 따라 노란색 야광 조끼와 안전모를 착용하고 로비로 이동했다. 아직 공사 중이어서 페인트와 석고 냄새가 났고 천장에서 전선이 내려와 있었다. "우리는 꿈 안에서 있는 것입니다." 레스닉이 말했다.

그 꿈은 약 7500제곱미터 면적에 들어선 55세대 규모의 4층짜리 아파트였다.[27] 1층에는 사무실과 퍼스트 플레이스 트랜지션 아카데미 학생들을 위한 방 네 개짜리 세대들이 있다. 위층은 방이 하나나 두 개인 세대이고 1년 단위로 세를 놓는다. 집세는 약 70제곱미터의 방 하나짜리 집이 월 3800달러에서 시작한다. 레스닉은 집세가 싸지 않다는 점을 인정했다. 하지만 모든 유틸리티 요금과 다양한 지원 서비스 비용도 포함되어 있다. 퍼스트 플레이스의 전문가들이 24시간 상주하면서 약은 어떻게 먹어야 하는지부터 생활이나 직업에 대한 조언까지 거주자가 필요로 하는 바가 생기면 바로 대응한다. (작업치료, 식사 배달, 교통수단 제공, 목욕이나 옷차림을 도와주는 가정 방문 도우미 등 정부 자금이 지원되는 서비스를 추가로 이용할 수 있는 사람들도 있다.)

우리는 1층을 빠르게 돌아보았다. 어떤 아파트 주민이라도 누리고 싶어 할 시설들이 가득했다. "이 건물에 장애인 시설 같은 느낌을 주는 것은 없을 겁니다." 레스닉이 말했다. "어느 주거 건물과 똑같이 숨 쉬고 생활해갈 거예요." 수영장이 있는 야외 마당, 바비큐를 할 수 있는 공간, 공동체 텃밭, 정기적으로 요리 수업을 열 수 있는 커다란 교육용 주방도 있었다. 로비 바로 위에는 다목적 공동체실이 있어서 파티나 이벤트를 열 수 있었다. 그곳에서 열리는 행사는 '주민 자문 위원회'가 직접 주관할 것이었다. "밤과 주말에 이 공간에서 주민 자문 위원회가 가라오케의 밤이나 장기자랑, 빙고 게임 대회나 댄스 타임을 여는 것을 상상해보세요."

우리는 몇몇 세대 안을 구경하기 위해 위층으로 이동했다. 아직 미완성인 계단을 올라가는데 레스닉이 창밖을 보라고 했다. 도시의 경관이 보였다. "밖을 보세요. 그리고 어디를 걸어가고 계시는지도 함께 보세요. 퍼스트 플레이스에 사는 사람들이 이 공동체에 속해 있음을 느끼실 수 있을 거예요." 레스닉은 "이곳은 지역 공동체 안에 매우 유기적으로 통합되어 있다"고 말했다. 건물은 전철과 버스 정거장 바로 옆에 있었고 식품점, 약국, 박물관, 극장, 도서관, YMCA, 볼링장이 모두 가까이에 있었다. 레스닉이 이 장소를 특히 마음에 들어 한 이유였다. 레스닉은 주민들이 일하고, 자원 활동을 하고, 친교를 다질 수 있는 장소들이 집 가까이에 있기를, 그리고 주민 모두가 일상을 건물 밖의 지역 공동체 안에서 보낼 수 있기를 바랐다. 레스닉은 몇 달 뒤에 퍼스트 플레이스 피닉스 오픈 하우스를 열고 지역 주민을 초대해서 새 이웃들이 서로 인사를 나누는 자리를 마련할 예정이라고 말했다.

우리는 계단 위의 넓고 개방된 공간에 모였다. 오른쪽에는 불 꺼진 방이, 그 앞에는 유리문이 있었다. 각 층마다 이 위치에 특수한 활동실이 들어설 예정이었다. 우리가 모인 곳은 체육실이 될 것이었고, 바로 위층인 3층의 같은 자리에는 전자 게임과 옛날식 게임을 모두 갖춘 게임실이, 4층에는 명상실이 들어설 것이었다.

나비 넥타이를 매고 작업 일지를 손에 든 수석 건축가 마이크 더피가 맞장구를 쳤다. "퍼스트 플레이스를 독특한 곳으로 만들어주는 특징 하나는 공용 공간을 매우 중요시한다는 점입니다." 체육실, 게임실, 명상실 외에도 각 층에 라운지 4개가 다양한 형태와 크기로 들어설 예정이었다. 가령, 사람이 많은 곳을 힘들어하는 주민은 규모가 작은 '포켓 라운지'에서 친구 한 명과 스크래블 게임을 할 수 있다.

레스닉은 복도 아래 쪽으로 우리를 안내해 방 하나짜리 집을 보여주었다. 개방형 주방과 나무 캐비닛, 널찍한 찬장, 흰색의 커다란 조리대가 있었다. (주민들이 친구와 함께 요리할 수 있도록 조리대를 의도적으로 크게 만들었다.) 거실의 큰 창문으로는 애리조나의 강렬한 햇빛이 들어왔다. 크고 환한 욕실에는 유리섬유로 된 욕조와 미닫이 유리문이 달린 샤워부스가 있었다.

디자인에서 가장 중요한 부분은 겉으로 잘 드러나지 않는 경우가 많다. 이 건물은 각 층 사이에 약 4센티미터의 석고 콘크리트 층이 있어서 층간 소음을 줄여주고 벽에는 음향 채널이 있어서 소리를 한층 더 완화한다. 또 모든 전구는 LED 전구다.

독특한 면도 있다. 샤워부스에는 수전이 샤워기가 달린 쪽이 아니라 반대쪽 벽에 있었다. "그러면 수증기를 헤치고 손을 뻗지 않아도 물을 끄거나 틀 수 있습니다. 너무 뜨거울 때 약간의 완충 지대를 가질 수 있는 셈이지요." 더피가 설명했다.

각 집의 입구는 복도 벽에서 약간 안으로 움푹 들어가 있었는데 주민이 개인 공간과 공동 공간 사이를 더 부드럽게 이동하도록 한 것이다. "문을 열자마자 곧바로 건물의 큰 복도를 마주치지 않도록요." 더피가 말했다.

입주민의 안전을 위한 알람 시스템도 적용되어 있었다.

스토브와 오븐에는 동작 센서가 있어서 부엌에서 장시간 동안 아무 움직임도 포착되지 않으면 자동으로 꺼지고 당직 직원이 올라와 볼 수 있게 알람이 울린다. 그러면 직원은 늘 무언가를 까먹곤 하는 주민이 오븐 끄는 것을 잊지 않게 할 방도를 강구할 수 있을 것이다. (스토브를 실제로 오래 사용해야 할 경우에는 시스템을 수동으로 끄고 계속해서 치킨을 굽고 파이를 굽고 그 밖에 필요한 일을 할 수 있다.)

디자인 팀은 생활에 깊이 침투하는 방식의 모니터링 테크놀로지는 피하기로 했고, 자동으로 작동하도록 설정된 전등이나 블라인드 같은 최첨단 스마트홈 테크놀로지도 도입하지 않기로 했다. 입주민이 공간을 스스로 관리하는 법을 터득하게 하는 것이 이곳의 목적 중 하나이기 때문이다. "우리는 퍼스트 플레이스가 그 사람이 살 수 있는 유일한 곳이 되기를 바라지 않습니다." 레스닉이 말했다.

퍼스트 플레이스 피닉스가 갖는 매력이 어디에서 나오는지는 명백하다. 이곳은 꼭대기부터 바닥까지 근사한 건물이고 번화한 대도시 한복판에 있다. 이곳은 살고 싶은 곳이고, 그것이 핵심이다. "내가 얻은 커다란 교훈은 자폐인을 위한 디자인은 다른 모든 사람을 위한 디자인과 그리 다르지 않다는 것입니다." 더피가 말했다. "자폐인에게 좋은 디자인은 그냥 좋은 디자인입니다." 자폐인이 환경에 특히 더 민감할지는 모르지만 소음을 줄이고 깜박거리는 전등을 없애고 프라이버시와 개방성 사이의 균형을 맞추고 다양한 종류의 공간을 제공하고 구체적인 필요에 따라 선택지를 열어두는 것은 누구라도 좋아할 디자인 요소다.

메릴랜드 대학의 '건축, 계획 및 보존 대학원' 교수이자 건축가인 매들렌 사이먼은 "보편 디자인의 신조 중 하나는 우리와 '극도로 차이가 있다'고 여겨지는 사람들에게 잘 맞는 디자인을 만들 수 있다면 '전형적인' 사람들도 득을 본다는 것"이라고 말했다. "자폐인은 우리에게 유용한 시사점을 줍니다. 비자폐인이 현재 견디고 있는 나쁜 디자인을 그들은 견디지 못하니까요."

장애인이 어떻게 환경을 인지하고 어떻게 환경에 반응하는지, 또 어떻게 하면 우리가 그들의 역량을 강화하는 건물을 만들 수 있을지 알게 되면, 궁극적으로 이는 우리 모두에게 더 좋은 공간을 만드는 데도 시사점을 준다. 고전적인 사례는 경사턱이다. 원래는 휠체어 사용자들이 보도를 오르내릴 수 있게 하려고 도입되었지만 유아차를 미는 사람, 카트를 끌거나 자전거를 끄는 사람에게도 도움이 된다. 레스닉은 퍼스트 플레이스의 디자인 목적과 원칙도 이와 비슷하다고 말했다. "우리가 찾고자 하는 것은 신경 장애 버전의 경사턱입니다."*

퍼스트 플레이스 피닉스에도 한계는 있다. 가장 명백한

문제는 비용이다. 한 달에 3800달러는 많은 이들에게 그저 불가능한 금액이다. 물론 트랜지션 아카데미 학생들은 주 정부에 지원금을 신청해서 학비와 임대료를 보조받을 수 있고 퍼스트 플레이스는 자체 장학금도 마련했다. "우리는 돈 문제로 참여하지 못하는 가정을 돕기 위해 최선을 다하고 있습니다." 레스닉이 설명했다. 하지만 지금으로서는 정부 보조나 장학금을 못 받는 입주자는 자기 돈으로 임대료를 내야 한다. (레스닉에 따르면 대개는 가족에게 상당히 많은 금전적 지원을 받는다.)

입주민이 지켜야 할 기본 규칙 때문에 배제되는 사람이 생길 수도 있다. 이곳에 들어오려면 먹고 입는 것을 스스로 할 수 있어야 하고, 어느 형태로든 의사소통이 가능해야 하며, 강도 높은 의료적 지원이 필요하거나 폭력적인 성향이 있거나 자해 행위를 하는 사람은 입주하기 어렵다. 레스닉은 이러한 기준이 일부 자폐인을 배제하게 될 것이라고 인정했다. 하지만 레스닉은 모든 사람에게 제공 가능한 건물을 만드는 법을 알

★   2015년 LA의 '서던 캘리포니아 아동 병원' 연구자들은 자폐 아동을 안정시키기 위해 치과에 '감각 순화'(sensory adapted) 디자인을 적용해 조명을 은은하게 하고 편안한 음악을 틀고 천장에 마음을 진정시켜주는 사진과 그림이 보이게 했다. 그랬더니 자폐 아동과 비자폐 아동 모두에게서 불안, 통증, 불편함이 감소했다.[28]

아내려고 오랫동안 연구해본 결과 그것은 불가능하다는 것을 깨닫게 되었다고 했다. "그렇게 해서 퍼스트 플레이스에 도달하게 된 것입니다. 모두를 위한 공간을 여러 가지로 시도해본 끝에, 우리는 우리가 기여할 수 있는 부분이 어디인지와 관련해 어려운 결정을 해야 했습니다." 그는 이곳에서 성취한 것을 자랑스럽게 생각한다. "그래도 우리는 가능한 범위 안에서는 가장 큰 천막이 될 수 있는 공간을 만들려고 했습니다."

사실 자폐인만 입주민으로 받는다는 규정은 없다. 레스닉은 다양한 유형의 장애인이 오기를 원한다며 첫 입주 예정자 중에 뇌에 외상을 입은 사람도 한 명 있다고 말했다. 또 아직 계약을 하지는 않았지만 다운증후군이 있는 성인 몇 명도 관심을 보여왔다고 했다. "우리는 신경다양성을 추구합니다." 레스닉이 말했다.

퍼스트 플레이스 피닉스는 성인 자폐인의 주거 선택지를 넓히려는 운동의 일부다. 2013년에는 캘리포니아의 소노마에 '스위트워터 스펙트럼'이 문을 열었다. 약 1만 1300제곱미터 규모의 이 복합 단지에는 몇몇 공유 주택과 온천, 유기농 농장 등의 부대시설이 있다. 2016년에는 펜실베이니아주 하이델버그에 구매 가능한 가격대의 주택 개발 프로그램의 일환으로 '데이브 라이트 아파트'가 문을 열었다. 총 42세대 중 절반은 성인 자폐인이 사용하고 나머지 절반은 비자폐인 중 저소득층이거나 중위 소득층인 사람이 사용한다.[*] 같은 해에 플로리다주에는 '아르크 잭슨빌 빌리지'가 생겼다. 13만 제곱미터 규모의, 외부인 출입이 제한되는 공동 주거 단지로, 성인 지적 장애인과 발달 장애인을 위한 곳이다.

입주민을 확보하는 데는 문제가 없었지만 이러한 종류의 '계획된 특수 공동체' 프로젝트는 논란을 일으키기도 했다.[29] '자폐인 자조 네트워크'는 장애인만을 위한 건물을 짓는 데 반대한다. 분리를 촉진하고 장애인을 사회에 통합하기보다 사회에서 격리시킨다는 것이다. 게다가 자원을 잘 활용하는 것도 아니라고 크레인은 지적한다. "도시 전역에 구매 가능한 가격대의 주거 공간을 짓고 거기에 자폐인도 살 수 있게 하지 않고 이렇게 별도로 자폐인을 위한 거주 공간을 지으면 자폐인이 살 수 있는 곳은 그곳밖에 없게 됩니다." 즉 다른 지역에 살고 싶은 자폐인은 선택지가 없게 된다.

그뿐 아니라 크레인은 장애인만 대상으로 하는 건물은 입주민에게 부당한 제약을 가하는 경우가 많다고 했다. 좁은 기준을 충족시키지 못하면 입주 자격을 얻지 못하는 것이다.

---

[*] 두 곳 모두 아렌첸과 스틸의 디자인 가이드라인을 활용했다. 아렌첸과 스틸은 이후에 이를 담은 저서 『자폐를 가지고 집에서 살기』를 펴냈다.

"특수 주거 공동체 대다수가 비교적 독립적으로 생활이 가능한 사람에게만 열려 있다는 점은 매우 우려스럽습니다. 자폐가 있는 사람 중 고강도의 지원을 필요로 하는 사람이나 휠체어를 이용해야 하는 등 다른 장애가 있는 사람, 혹은 혼자 옷을 입고 씻을 수 없는 사람은 입주를 거부당할 수 있는 것입니다."

이러한 우려에서 '자폐인 자조 네트워크'는 분산주택 개념을 지지한다.[30] 성인 자폐인들도 도시 곳곳에 분산되어 있는 구매 가능한 가격대의 주택 중에서 살 곳을 고르게 하고, 그럼으로써 비장애인과 동일한 건물과 동일한 동네에서 살게 하는 것이다. 크레인은 전체적으로 구매 가능한 가격대의 주택 공급을 늘리고 주거 바우처 제도를 확대해 장애를 가진 저소득층 성인이 이용하도록 하는 것도 도움이 될 것이라고 말했다. "많은 이들이 직면한 실질적인 장벽은 구매 가능한 가격대의 주거가 너무 적다는 것입니다." (그리고 구매 가능한 가격대의 주거를 확대하면 자폐가 있든 없든 모든 이에게 득이 된다.)

크레인은 장애인 권리 운동에 부동산 중개인, 토지 소유자, 당국자, 도시계획가 등이 참여해야 더 많은 건물이 성인 자폐인이 필요로 하는 바에 부응할 수 있으리라고 생각한다. "구매 가능한 가격대의 주거가 중요하다는 생각은 이미 많은 도시계획가들이 갖고 있습니다. 하지만 그들이 구매 가능한 가격대의 주거를 꼭 접근성까지 함께 고려해서 만들고 있지는 않습니다."

　마지막으로, 자폐인 친화적 디자인이 성장해가는 과정에 자폐인 본인들이 관여하는 것이 절대적으로 중요하다. 당연한 말 같지만 현실에서는 디자인 팀이 부모, 돌봄 제공자, 교사, 간호사, 치료사에게만 의견을 묻고 자폐인 본인에게는 묻지 않는 경우가 부지기수다. "많은 디자인 요소가 정작 당사자에게는 잘 맞지 않고 서비스 제공자에게만 잘 맞을 수 있다는 의미입니다." 크레인이 말했다. "모니터링이 쉬운 커다란 개방형 공간이라든가 청소하기 쉬운 표면 같은 것이 그런 사례입니다." 크레인은 자폐인에게 의견을 묻는 것이 "우선 순위"가 되어야 한다며 "자폐인이 참여하면 다른 모든 것이 제자리를 찾게 될 것"이라고 말했다.

　퍼스트 플레이스 피닉스 같은 공간을 짓는 것이 최종적이거나 완벽한 해법은 아니다. 드니스 레스닉이 그렇게 되기를 원하는 것도 아니다. 그보다, 레스닉은 이 공간이 성인 자폐인의 선택지를 확대하는 과정의 한 단계이기를 바란다. 이제까지 선택지가 너무 좁았던 어떤 집단에 새로운 선택지가 하나 열린 것으로 말이다.

린지 이튼은 퍼스트 플레이스 피닉스로 이사하게 되어 너무나 신이 났다.[31] 아버지 더그는 전날 가서 밤새 기다리다 들어 가면 일착으로 등록하는 입주자가 될 것이라고 농담하기도 했다. 그들은 퍼스트 플레이스가 문을 연 2018년 7월 2일에 도착했다. 이튼은 첫 주에 짐을 푼 서른 명 중 한 명이었다. 그들은 새로 만난 이웃과 환영 바비큐 파티를 했고 브런치를 먹었고 수영장 파티를 했다. 이튼이 선택한 2층의 방 하나짜리 집에서는 도시를 270도로 볼 수 있었고 큰 라운지에 접근하기도 좋았다. 린지는 교육청 동료들과 찍은 사진을 벽에 잘 보이게 걸어놓았다.

처음에는 퍼스트 플레이스 아파트가 트랜지션 아카데미와 매우 다르다는 것에 린지도 부모도 잘 적응하지 못했다. 아카데미에서는 일과가 구조적으로 짜여 있었고 면밀히 살펴주는 직원들이 있었지만 아파트에서는 모든 것을 훨씬 더 많이 스스로 해야 했다. 필요할 때면 직원이 즉시 와 주긴 했지만(아래층으로 내려가거나 전화로 부를 수 있었다) 집이 깨끗한지, 일하러 갈 시간에 나갈 채비가 되었는지 같은 것을 날마다 들여다보며 챙겨주지는 않았다.

물론 그러려고 지어진 공간이긴 하지만 전환의 과정은 쉽지 않았다. "내가 꿈꾼 일이었지만 어려움이 있었습니다." 이사하고 몇 달 뒤인 그해 가을에 린지는 내게 이렇게 말했다. 그는 자신이 룸메이트를 그리워하는 것에 놀랐다고 했다. 아카데미에서는 룸메이트가 있었다. 린지는 혼자 살아본 적이 없었고 혼자 사는 것을 자신이 좋아하는지 어쩐지도 알 수 없었다. "갑자기 방 하나짜리 아파트에서 나 혼자 나한테 말하고 있더라고요." 린지가 반농담으로 말했다.

하지만 린지는 곧 자립에 적응하면서 새로운 사회적 삶을 일구기 시작했다. 주민 자문 위원회에도 참여해(명칭이 곧 '주민 참여 위원회'로 바뀌었다) 핼러윈 파티와 추수감사절 포트럭 저녁 행사[각자 준비한 음식을 가져와서 나눠 먹는 행사]를 진행했다. 또 앱으로 지출을 관리하기 시작했고, 예산 안에서 지출을 잘 맞추고 있는 것을 자랑스러워했다. 여윳돈이 약간 생겼을 때는 애플워치에 끼울 새 손목띠를 샀다. "나는 낙관적입니다." 이튼이 말했고 부모도 동의했다. "우리는 린지가 이보다 더 좋은 곳을 찾을 수 있었으리라고 생각하지 않습니다." 더그 이튼이 말했다. "이곳이 있어서 우리는 날마다 정말 감사하고 있습니다."

다른 입주민들도 각자의 방식을 찾아가고 있었다. 자폐와 시각 장애가 있는 로런 하이머딩거는 퍼스트 플레이스 피닉스로 이사하기 전에 이곳에 들어오면 모든 것을 스스로 해나가야 한다는 것이 너무 걱정되었다고 했다.[32] 이사하기 한두 달 전에 그는 내게 "죽을 만큼 긴장되고 겁이 난다"고 말했다. "32년을 부모님과 살았고 그게 내가 아는 전부니까요."

다행히 전환은 걱정했던 것보다 순조롭게 진행되었다. 로런은 점자판을 부착하고 전자레인지에 버튼을 다는 등 몇 가지를 조정해야 했다. 하지만 독립해서 좋았고 이곳에서 공동체가 형성되는 것도 좋았다. "나는 사회적인 나비입니다. 사람들 주위에 있는 것을 좋아하지요." 이곳에서 만난 사람과 연애를 하고 있고 일요일 밤에는 명상 수업도 이끌고 있다. "여기까지 올 수 있었다는 것이 자랑스럽습니다."

그래도 하이머딩거는 퍼스트 플레이스 피닉스에 영원히 살고 싶지는 않다고 했다. 1년이나 2년이 지나면 가격대가 더 낮은 곳을 찾아볼 생각이다. "이곳에서 직원들이 도움을 주는 것은 좋지만 늘 그렇게 살고 싶지는 않습니다."✴

아파트가 문을 열고 몇 달 뒤에 전화를 해보니 레스닉은 현재의 상황에 고무되어 있었다.[33] 이제 20대가 된 아들 매트는 퍼스트 플레이스 피닉스에서 전환을 시도하고 있었다. 그들은 서두르지 않고 천천히 해나가는 중이었다. 매트는 생활비를 벌기 위해 비스코티 만드는 일을 시작했고 혼자 살아가

✴ 내가 하이머딩거와 처음 이야기를 나누고 몇 달 뒤에 그의 아버지가 퍼스트 플레이스의 임시 재무 책임자가 되었다. 장애인 단체에 부모 등 장애인의 가족이 참여하는 것은 드문 일이 아니다. 2018년 봄에 린지 이튼이 퍼스트 플레이스 트랜지션 아카데미 졸업을 앞두고 있었을 때 린지의 아버지는 그곳 이사회 멤버였다. 그는 참여한 이유에 대해 "퍼스트 플레이스가 성공하는 것을 꼭 봐야 했기 때문"이라고 말했다.

는 데 필요한 일상 생활의 기술을 터득해가고 있었다. (트랜지션 아카데미에 다닐 만큼의 언어 능력은 되지 않았다고 한다.) 그는 1주일에 이틀을 새 아파트에서 보내는데, 레스닉은 횟수를 점차 늘려가기를 바라고 있다. 매트는 그곳의 환경과 일상에 대해 배워가고 있고, 요가도 하고 새로운 이웃과 우노 게임도 한다. 레스닉은 "즐겁고 유쾌하면서 걱정도 되는 일"이라며, 레스닉과 매트 모두 두려움을 잘 이겨내고 있다고 했다.

레스닉은 애리조나 대학 연구팀과 함께 입주자들이 어떻게 지내는지 관찰하고 있다. 삶의 질은 어떤가? 생활에 필요한 기술들을 획득하였는가? 얼마나 많은 입주자가 일을 하거나 자원 활동을 하고 있는가? 레스닉은 젊은 성인 자폐인에게 퍼스트 플레이스가 다른 공간보다 낫다는 탄탄한 실증근거를 제시한다면 정부가 공공 자금으로 입주민에게 임대료를 지원해주리라고 기대하고 있다. 장기적으로는 퍼스트 플레이스를 여러 곳에 두어서 일종의 포트폴리오를 구성하고자 한다.[34] 미국과 캐나다의 수십 개 도시에서 여러 단체와 개발자 들이 벌써 관심을 보이고 있다. "전보다 수요가 훨씬 많습니다. 신경다양성이 번성할 수 있는 장소와 공간을 늘리는 데 도움이 될 것입니다."

모든 사람이 안전하고 삶을 잘 지원해주는 생활 공간을 누릴 자격이 있다. 우리가 진정으로 더 평등하고 포용적인 사회를 건설하고 싶다면 역량의 정도가 어떠하든 모든 사람에게, 또 처한 상황이 어떠하든 모든 사람에게 좋은 디자인의 원칙이 적용되게 해야 한다. 잘못을 저지른 사람에게도 말이다.

6 철창을 허물고

돌이켜보면, 자동차를 훔치기 전에 연료 계기판을 미처 살피지 않은 게 화근이었다. 1993년 당시 열세 살이던 앤서니 데이비스는 친구들과 뉴욕 길거리에 세워져 있던 회색 혼다 시빅 자동차를 훔쳐 타고 질주했다. 정말로 훔칠 생각은 아니었고 재미로 달려보려고 했을 뿐이었다. 그렇게 브롱크스 거리를 신나게 달리고 있는데 기름이 똑 떨어졌고 기름을 훔치려던 중에 경찰에 붙잡혔다.

데이비스는 그의 표현대로 "살아 있는 악몽" 같은 어린 시절을 보냈다.[1] 아버지는 없었고 어머니는 그를 학대했다. 고데기로 화상을 입은 게 여러 번이었다. 아홉 살 때는 친척과 살았는데 그 친척은 심지어 더 심하게 학대했다. 데이비스와 두 누이는 위탁 가정에 보내졌고 거기에서 결국 남매는 헤어졌다.

데이비스는 위탁 가정을 몇 군데 전전했고 더 나이 많은 형들과 어울리게 되었다. 그들은 데이비스에게 마약과 범죄의 "지하 세계"(데이비스의 표현이다)를 알려주었고 얼마 지나지 않아 그는 자동차를 훔치기 시작했다.

1993년에 체포된 것이 처음이었지만 마지막은 아니었다. 3년 뒤에 마약을 팔다 걸려서 라이커스 아일랜드에서 여덟 달을 살게 되었다. 라이커스 아일랜드는 이스트 리버 한가운데에 있는 섬으로, 점점 넓게 퍼져나가는 뉴욕의 감옥 단지가 있는 곳이다. 당시 여자친구가 임신 중이었고 그가 석방된 다음 날 딸이 태어났다. 그리고 6주 뒤에 어머니가 혈액질환 합병증으로 사망했다. "그 일로 나는 완전히 달라졌습니다. 열여섯 살 아이가 한 달 사이에 '소년'에서 '엄마 잃은 애 아빠'가 되었으니까요." 데이비스는 내게 보낸 서신에서 이렇게 말했다.

2002년까지 그는 감옥을 몇 차례 더 들락날락했다. 그러다 2002년의 어느 날, 몇 년 전에 그의 누나를 성적으로 학대했던 옛날 동네 사람을 우연히 마주쳤는데 시비가 붙었다. "그가 있다는 것만으로도 신경이 거슬렸습니다. 저를 나쁜 사람이라고 생각하시게 하고 싶지는 않아서 설명하기가 매우 어렵네요. 저를 둘러싼 삶의 방식이 그랬습니다." 하지만 충돌은 한 번으로 끝나지 않고 계속 이어졌다. "우리는 싸우게 되었습니다. 그가 뭐라고 말했고 내가 뭐라고 말했고 그다음에 내가

'당신, 딱 기다려'라고 말하고 나갔다 돌아왔고 결국에는 그를 쏘고 말았어요." 상대방은 목숨을 잃었다. 데이비스는 여자친구 집으로 일단 피했다. 다음 날 옷가지를 챙겨 주 경계 밖으로 도망가려고 집에 들렀는데 경찰이 이미 와 있었다. 그는 2급 고살로 22년 형을 선고받았다.[2]

수감되고서 얼마 뒤에 그는 심각한 실수를 저질렀다. 싸움을 말리려고 두 사람 사이로 뛰어들었는데 세 사람 모두 처벌을 받은 것이다. 데이비스는 독방에서 90일을 보내야 했다.[3]

그 세 달 동안 데이비스는 하루에 23시간을 약 10제곱미터의 감방 안에서 보냈다. 콘크리트벽은 삭막한 흰색이었고 변기, 싱크대, 침대, 책상, 선반 등 다른 모든 것은 금속제였다. 그 감방에는 샤워기도 있었는데, 대개의 독방 수감자와 달리 씻을 때조차 방을 벗어날 수 없다는 뜻이었다. 먹을 때도 마찬가지였다. 식사는 매끼 금속 쟁반에 담겨 감방으로 배달되었다. 하루에 딱 한 번, 혼자 1시간 동안 감방 뒤쪽으로 연결된 동물 우리 같이 생긴 옥외 감방에 나가는 것이 허용될 뿐이었다.

데이비스는 젊고 활력 있는 사람이었기 때문에 '상자'(재소자들은 종종 독방을 이렇게 부른다)[*]에 들어가게 된 것에

---

[*]　　독방은 '구멍', '행정적 격리실'(AdSeg) 혹은 '슈'(SHU)라고도 불린다. '슈'는 '특별 감방'(Special Housing Unit) 또는 '보안 감방'(Security Housing Unit)의 머리글자다.

그렇게 겁을 먹지는 않았다. 그는 "대개 [처음 들어가는] 사람들은 상자에서 무엇을 겪게 될지 잘 알지 못한다"고 말했다. 그도 독방은 그때가 처음이었고, 이후 16년 중 7년을 상자에서 보내게 될 줄은 꿈에도 몰랐다. 그것이 얼마나 근본적으로 그를 망가뜨리게 될지도.

건조환경이 정신건강에 미치는 영향을 더 알아보고 싶었던 나는, 감옥이 잘못된 환경이 사람을 얼마나 크게 손상시킬 수 있는지 보여주는 좋은 사례라는 생각에서 그와 서신을 교환하기 시작했다. 대개의 현대 미국 감옥은 의도적으로 가혹한 공간이 되도록 설계되어 있다. 감옥 건물은 처벌을 위해, 즉 가두고, 통제하고, 수치심을 주고, 낙인을 찍고, 지배하고, 비인간적으로 대우하기 위해 고안된 공간이다. 감옥은 인간을 몰아넣은 창고나 마찬가지다. 사람들을 사랑하는 이들로부터 떼어내서 낯선 사람들과 함께 던져 놓은 공간이다. 감옥 환경은 삭막하고 막대한 스트레스를 주며(재소자는 프라이버시, 이동의 자유, 통제력 등을 거의 누릴 수 없다), 삶의 모든 면이 통째로 '사로잡혀 있어야 하는' 총체적인 통제의 공간이다.

이러한 여건이 재소자에게 심각한 악영향을 미친다는 것은 이상한 일이 아닐 것이다. 많은 재소자가 트라우마, 중독, 정신질환을 겪는다. 미국에는 정신병동이나 정신병원보다 감옥에 중증 정신질환자가 더 많다.[4] 또 많은 이들이 들어갈 때보다 상태가 악화되어서 나온다.

감옥이 막대한 정신심리적 피해를 일으킨다는 것을 보여주는 과학적 증거가 많아지면서 개혁을 요구하는 목소리가 높아졌고, 구치소, 교도소, 수용소*를 응보의 공간이기보다 사회로의 복귀를 돕는 재활의 공간으로 설계해 더 인간적인 교정 시설을 만들고자 하는 건축가들도 생겨났다. 물론 말이 쉽지 실제로는 굉장히 어려운 일이고, 인간적인 감옥을 만들려는 운동은 근거 기반 디자인의 희망만큼이나 한계를 드러내기도 한다. 감옥의 구조를 바꾼다고 해서 너무 많은 사람을 너무 오래 가둬두는 미국 형사사법제도의 근본 문제가 해결되지는 않는다.

하지만 인간적인 감옥을 만들기 위한 운동은 적어도 우리가 교정 시설에 있는 사람들을 어떻게 대우할 것인가를 다시 생각하게 해준다. 건축은 우리가 바라는 가치를 표현할 수 있는 기회이자 우리가 어떤 종류의 사회를 원하는지 선택할 수 있는 기회다. 그뿐 아니라 '인간적인' 디자인이라는 개념은 감옥 외에도 여러 곳에 적용할 수 있다. 감옥, 병원, 학교, 심지어 도시 전체를 디자인할 때도 점점 더 많은 건축가와 도시계

★   일반적으로 구치소는 재판을 기다리는 미결수를 수용하고 교도소는 형을
선고받은 기결수를 수용하는 곳을 일컫는다. 이 책에서 "인간적인 감옥
디자인"이라고 말할 때의 '감옥'은 모든 종류의 수감, 교정 시설을 통칭한다.

획가 들이 동일한 커다란 질문과 씨름하고 있다. 인간의 존엄을 위한 디자인은 무엇을 의미하는가?

오늘날 미국에서는 수감이 커다란 산업이고 200만 명도 넘는 성인이 수감 시설에 갇혀 있지만,★ 사람을 가두는 것은 비교적 새로운 처벌 형태다.[5] 인류 역사 대부분의 시기에 범죄 혐의를 받은 사람은 혐의가 확정되어 처벌이 선고되기 전까지만 갇혀 있었고 처벌 자체는 구타, 추방, 노역, 사형 등의 형태로 이뤄졌다.[6] 감금은 임시로만 이루어졌으므로 가둘 만한 공간이 있으면 대충 어디든 그 용도로 사용되었다. (중세 유럽에서는 성의 지하 던전이 주로 그렇게 쓰였다.)

수감 '전용' 시설은 16세기에서 18세기 사이에 널리 퍼지기 시작하는데, 커다란 우리 같은 곳에 사람들을 한꺼번에 몰아넣는 형태의 공동 감방이었다. 폭력이 만연했고 수감자의 복지는 고려의 대상이 아니어서 수감자가 굶어 죽는 일도 생겼다. 수감 시설 운영의 최우선 순위는 죄수가 도망치지 못하게 하는 것이었고, 감옥을 설계하는 사람들은 두터운 돌벽, 육중한 문, 단단한 금속 철창 같은 강력한 물리적 장벽을 두어서

★ 2015년의 한 보고서에 따르면, 세계 수감 인구는 약 1000만 명이고 이는 2004년 이래 10퍼센트 증가한 것이다.[7]

이 과제를 해결했다. 감옥 내부는 채광이나 신선한 공기는 거의 접할 수 없는 비위생적인 환경이었고 의도적으로 눈에 잘 띄게 지어졌다. 18세기의 한 건축가가 설명했듯이, 교정 시설은 "낮고 거대해야 하고, 그 안에서 죄수들은 모멸과 압박을 겪으면서 지난날의 방탕과 과오에 반드시 따라와야 하는 후회 속에서 지속적으로 다른 죄수들의 눈앞에 노출되어 자신 앞에 놓인 형벌의 모습을 끊임없이 상기시키도록" 되어 있어야 했다.[8]

하지만 18세기가 지나면서 끔찍한 감옥 환경에 경악하고 신체 처벌과 사형이 비인간적이라고 생각하게 된 개혁가들이 변화를 요구하기 시작했다. 그들은 수감 자체가 처벌의 형태일 수 있으며 범죄자가 수감 기간에 새 사람으로 갱생될 수 있다고 주장했다. 이를테면, 펜실베이니아에서 퀘이커 교도들은 수감자들이 극도의 고립을 통해 개과천선할 수 있다고 믿었다. 홀로 고립된 환경이 범죄자가 반성하고 회개하고 성장하도록 추동한다는 것이다. 그리고 이들은 1829년 필라델피아에 문을 연 이스턴 주립 교도소에 그러한 고립이 건축 구조를 통해 강제될 수 있는 수감 시설을 만들기로 했다.[9]**

** 이 건물은 지금도 존재한다. 1971년까지 교도소로 운영되다가 현재는 관광 명소가 되었다.

어느 면에서 그곳 재소자들의 생활 공간은 '1급'이라고 여겨질 만했다. 각 재소자는 세면대와 수세식 변기가 있는 개인 공간을 배정받았는데 이는 당시 백악관에도 존재하지 않던 첨단 시설이었다. 그리고 각자 울타리가 쳐진 옥외 정원 공간을 누릴 수 있었다. 하지만 이러한 특성 모두 고립을 강화하는 기능을 했다. 재소자는 공동 화장실이나 공동 식당에 갈 수 없었고 옥외에서 다른 재소자들과 어울릴 수도 없었다. 드물게 자신의 감방에서 나와야 하는 경우에는 다른 재소자들을 곁눈으로도 볼 수 없도록 후드를 푹 눌러 써야 했다. 또한 침묵이 엄격하게 강요되어서 노래와 휘파람도 금지되었다. 간수는 신발 위에 양말을 덧신어서 순찰 때 발소리마저 나지 않게 했다.

다른 교정 시설과 달리 이스턴 주립 교도소는 평온하고 질서정연했고, "펜실베이니아 모델"이라고 불린 이 시스템은 곧 서구 유럽 전역에 퍼졌다. 하지만 극단적인 고립이 그다지 치유나 갱생 효과가 없다는 것이 금세 드러났다. 이러한 시설에 수감된 재소자들은 종종 비명을 지르고 몸을 떨고 환영에 시달렸다. 또 화를 잘 내고 충동적이 되었으며 정신이상 증세를 나타내기도 했다. 1847년에 나온 보고서 「미국의 감옥 규율」에서 프랜시스 C. 그레이는 이렇게 언급했다. "지속적인 격리 시스템은 아무리 인간적으로 운영된다 해도 너무나 많은 정신질환과 심지어 죽음까지 야기한다. 이는 이 시스템이 일반적으로 신체와 정신을 쇠약하게 만드는 경향이 있음을 분명하게 시사한다."[10] 그래서 19세기 말이면 독방 체제는 거의 선호되지 않게 되었다.

"펜실베이니아 모델"은 미국에서 생겨났지만 정작 미국에서는 다른 나라에서만큼 널리 사용되지 않았다. 유럽 국가들이 이스턴 주립 교도소를 따라 하려 애쓰던 동안 미국의 지방 정부들은 뉴욕 오번 주립 교도소에서 생겨난 또 다른 모델을 따라 했다.[11] 19세기 초에 문을 연 오번의 관리자들은 재소자를 갱생시키는 가장 좋은 방법은 고립이 아니라 엄격한 규율과 육체 노동이라고 믿었다. 오번의 재소자들은 독방에서 지내긴 했지만 식사는 함께했고 낮 시간 동안 감옥 내의 작업장에서 함께 가구, 옷, 구두, 단추, 못, 통, 빗, 빗자루, 양동이 등을 만들었다. (19세기 중반에는 짧은 기간이었지만 뽕나무와 누에를 들여와 죄수들이 견사를 잣게 하기도 했다.) 오번의 규칙은 아주 엄격했다. 재소자들은 머리를 짧게 밀고, 검고 흰 줄무늬 죄수복을 입고, 건물 안에서는 언제나 머리를 숙이고 발을 맞춰 걸어야 했다.

오번의 관리자들은 엄격한 고립 시스템보다 이곳의 시스템에서 재소자들이 더 나은 생활을 한다고 주장했다. 하지만 이 모델의 진짜 강점은 재정적인 이득이었다. 재소자 각자에게 독방과 개인 정원 공간을 충분히 줄 필요가 없으니 감방을 켜켜이 위로 쌓은 고층의 밀집된 건물로 감옥을 지을 수 있게 된 것이다. 또한 주 정부는 감옥에서 생산된 물건을 판매함으로써 재소자의 노동에서 수익을 올릴 수 있었다. 당국자들에게 오번 시스템은 거부하기 어려운 선택지였을 것이다.

하지만 수감 인구가 늘면서 이 접근 방식의 한계가 명확하게 드러났다. 교정 시설들은 한 감방에 여러 명의 죄수를 수용하기 시작했고 엄격한 질서를 유지하기가 더 어려워졌다. 개혁가들의 온갖 노력에도 불구하고 수감 시설은 초창기 감옥처럼 혼돈 상태가 되었고 폭력이 만연했으며 과밀한 인구로 복닥거렸다. 결국 20세기 말에 독방이 극적으로 되돌아왔다.

1983년 10월 22일 아침 일리노이주 매리언에 있는 유나이티드 주립 교정 시설에서 간수 세 명이 토머스 실버스타인을 샤워실에서 감방으로 데리고 가고 있었다. 갑자기 실버스타인이 발걸음을 멈추더니 다른 재소자의 감방으로 손을 뻗었다. 그 죄수는 빠른 동작으로 실버스타인이 수갑을 풀게 도와주고 임시변통으로 만든 칼 하나를 건네주었다. 실버스타인은 그 칼로 간수 한 명을 찔렀고 그 간수는 숨졌다. 몇 시간 뒤에 또 다른 재소자 클레이턴 파운틴도 동일한 방식으로, 즉 동료의 도움으로 수갑을 풀고 칼을 건네받아서 또 다른 간수를 찔러

죽였다.[12]

당시 매리언은 미국에서 가장 위험한 범죄자들이 오는 곳이었다.[13] 그리고 실버스타인과 파운틴을 비롯해 특히 더 위험하다고 판단된 사람들은 이 감옥의 '통제 수감동'에 수감되어 있었다. 통제 수감동 죄수들은 좁은 독방에서 지냈고, 수갑과 족쇄를 찬 채로만, 그리고 여러 명의 간수가 따라다니는 채로만 이동할 수 있었다. 매리언의 통제 수감동은 미국에서 가장 보안이 튼튼한 감옥의 가장 보안이 튼튼한 수감동이라고 여겨졌다. 그런데 그곳에서 하루 사이에 간수 두 명이 살해된 것이다.

며칠 뒤, 이번에는 재소자가 살해를 당하는 사건이 일어나자 매리언은 고위험으로 분류되지 않은 사람까지 모든 재소자를 통제 수감동으로 보내고 봉쇄 조치를 내렸다. 모두가 하루 중 23시간은 독방에서 나올 수 없었다. 가족 면회도 극히 제한되었고 법률 자료 도서관은 폐쇄되었으며 종교 의례도 중단되었다. 감옥의 목사와 사제는 독방의 창살을 사이에 두고 성찬식을 베풀었다.[14]

보안이 재정비된 뒤에도 봉쇄 조치는 몇 주간, 몇 달간, 몇 년간 계속 이어졌다. 긴급 상황에서 임시 조치로 시작되었던 것이 감옥 설계상의 몇 가지 변화를 거쳐 공식화되면서 영구적인 생활 조건이 되었다. 감옥 당국은 수감자의 침대를 콘크리트로 바꾸었고, 면회실에는 재소자가 면회인과 신체 접촉을 하지 못하도록 투명 아크릴 부스를 설치했다. 연못과 정원은 밀어버렸고 운동장으로 쓰이던 커다란 경내 마당은 작고 창살 있는 공간으로 분할되었다.

새 시스템은 23년이나 이어지게 되는데, 가혹하고 비인간적이었지만 질서 유지에는 효과가 있었다. 감옥 내 폭력 사건이 크게 줄었고, 1985년 가을에 이곳을 방문한 한 감옥 개혁 단체는 "불안한 차분함이 감돈다"고 인정했다.[15] 교정 시설 관리자들에게 매리언은 혼돈 상태인 미국의 감옥을 통제하는 방법을 보여준 모델이었다.

매리언에서 봉쇄 조치가 시작되었을 무렵에 미국의 교정 시스템은 위기에 처해 있었다. 수감 인구는 폭발적으로 늘었고, 감옥에서는 갱단들이 세력을 키우고 있었으며, 폭력 사태(재소자끼리의 폭력과 간수를 상대로 한 폭력 모두)가 늘고 있었다. 이러한 대혼란의 상황에서 매리언이 보여준 엄격한 격리와 통제 시스템은 의사가 내려준 처방이나 마찬가지로 보였다. 1980년대 말과 1990년대에 슈퍼맥스[super-maximum security prisons. 가장 높은 수준의 감시 및 보안 시스템이 있는 감옥] 건물이 유행하면서 재소자를 거의 24시간 내내 독방에 가두는 슈퍼맥스 교정 시설이 미국에 수십 곳이나 생겨났다.[16]

보안이 낮은 교정 시설도 별도로 최고 수준의 보안 시스템을 갖춘 독방을 두었고 이러한 공간은 "감옥 안의 감옥"이라고 불렸다. 독방은 미국 형벌 제도에서 매우 일반적인 것이 되었고[17] 독방에 수감된 재소자 수가 폭발적으로 늘었다.*

독방 수감 인구에 대한 공식 통계는 없지만 전문가들은 어느 한 시점에 미국 교정 시설에서 많게는 10만 명이 독방에 수감되어 있을 것으로 추산한다.[18] 다른 재소자들로부터 폭행당할 위험이 커서 신변 보호를 위해 독방으로 보내지는 경우도 있고, 감옥 규칙을 어겨서 일시적으로 독방에 갇히는 경우도 있다. 또 특히나 위험하고 통제가 어렵거나 탈옥 위험이 높다고 분류된 죄수는 수년, 심지어는 수십 년을 독방에서 보내기도 한다. (매리언에서 간수를 살해한 실버스타인은 2019년에 사망할 때까지 거의 36년을 독방에서 지냈다.[19])

싸움을 말리려다가 난생처음 독방 신세를 지게 된 앤서니 데이비스는 상자에서의 삶이 "폭탄을 맞은 것처럼 충격적이었다"고 표현했다.[20] 상자에 들어간 후 그는 분노의 분출을 잘 통제하지 못했고 반항적이 되었으며, 이후 몇 년 동안 계속

---

*　미국이 독방의 세계 선도 국가라는 오명을 가지고 있긴 하지만 사실 독방 시스템은 아일랜드부터 이란까지 전 세계에서 쓰이고 있다. 인간적인 수감 시설을 운영한다고 알려진 스칸디나비아 국가들에서도 재판을 기다리는 동안 미결수들은 보통 독방에서 지낸다. 또한 2016년 『가디언』 기사에 따르면, 유럽 국가들이 테러 관련 혐의를 받은 사람들을 수감하는 데 독방을 점점 더 많이 사용하고 있는 것으로 나타났다.[21]

해서 교도관과 싸움을 일으켜서 뉴욕 전역의 독방을 전전했다. 나와 주고받은 서신과 전화 통화에서 그는 따뜻하고 호감가는 사람으로 보였다. 감옥 마당에서 다친 새를 구해준 이야기를 했고, 내가 콧물 훌쩍이는 소리를 듣더니 집에서 해볼 수 있는 감기 퇴치법을 알려주었으며, 손주가 태어나 할아버지가 되었을 때는 정말 신이 나서 내게 전화를 했다.

하지만 대화 주제가 독방 이야기로 돌아오자 한탄하며 몹시 속상해했다. 그는 감옥은 자존심 센 터프가이들의 공간이지만, 독방이 그에게 미친 영향은 전혀 자랑스럽지 않다고 말했다. 상자에 들어갈 때마다 매번 조금씩 더 망가졌다. 독방에서는 개인 소지품이 거의 허용되지 않았고(편지, 사진, 책 정도가 다였다) 그는 글을 읽고 쓰면서 그 안에서의 시간을 보내려고 노력했다. (한번은 독방에 있는 동안 소설도 썼다. "뉴욕의 세 여성에 대한 이야기였어요. 「섹스 인 더 시티」인가 그거처럼요.") 하지만 단조로움과 외로움이 그를 참담하게 무너뜨렸다. "때로는 정신도 신체만큼이나 꼼짝 못 하고 갇혀 있다는 생각이 들었어요." 작고 깔끔한 글씨로 내게 보낸 편지에서 그는 이렇게 말했다.

시간이 가면서 그의 생각은 점점 더 어두워졌다. "삶이 통째로 작은 방에 갇혀 있으면 뇌가 계속 날뛰게 됩니다." 그는 피해망상을 겪기 시작했다. 교도관부터 사랑하는 사람들까지 모두가 그를 괴롭히려고 작당하고 있다는 확신이 들었다. 작은 일에도 분노가 폭발했다. 매사에 공격적, 적대적이 되었고, 소리를 지르고 저주를 퍼붓거나 손에 멍이 들 정도로 벽을 치기도 했다. 자기 자신과 전쟁을 벌이고 있는 것 같았다. "나는 우리에 갇힌 짐승 같았습니다. 내 안의 제정신 아닌 부분과 분노가 시시각각 피부를 뚫고 나오려 하는 것 같았어요."

데이비스의 경험은 독방 수감자의 전형적인 경험이다. 수감과 고립이 미치는 영향을 연구하는 심리학자이자 캘리포니아 주립대학 샌터크루즈 캠퍼스의 심리학과 교수인 크레이그 헤이니는 캘리포니아주의 펠리컨 베이 주립 교도소에서 독방 수감자 100명을 무작위로 선정해 면접 조사를 진행했는데, 88퍼센트가 "발작적인 분노"를 경험한다고 답했고, 80퍼센트 이상이 불안, 침투적 사고, 자극에 과도하게 민감한 반응, 혼란, 사회적 위축 등을 겪는다고 말했다.[22] 4분의 3 정도는 심한 감정 기복, 우울, 전반적인 "정서적 무감응 상태"를 겪는다고 했으며, 70퍼센트는 "정서적으로 붕괴하기 일보직전"을 느낀다고 답했다. 또한 이들은 두통, 심계항진, 다한증, 불면, 악몽, 식욕 상실 등 정신적 스트레스와 트라우마에 자주 동반되는 신체적 증상도 호소했다. 그리고 적지 않은 비중의 응답자가 더 심각한 종류의 정신병리적 증상을 보였다. 이를테면, 40퍼센트 이상이 환각과 지각 왜곡을 경험했다. 헤이니는 "이렇게 많은 심리적 트라우마와 정신병리적 증상을 유발하는 수감 형태는 거의 찾아보기 힘들 것"이라고 기록했다.

독방이 이러한 증상들을 일으킨 **원인**인지를 입증하기는 쉽지 않고, 정신질환을 가진 사람이 독방에 보내지는 비중이 높기 때문에 결론을 내리기가 더욱 까다롭다. 하지만 독방이 원인일 수 있음을 시사하는 정황증거는 많다. 처음 독방에 수감되었을 때는 건강했던 재소자들에게서도 이러한 증상이 나타나며 독방에 오래 있을수록 정도가 심해지다가 독방 수감 기간이 끝나면 종종 증상이 완화된다.[23] 미국의 수감 환경에 제기된 한 집단소송에서 전문가 증인으로 활동한 캘리포니아의 정신과 의사 테리 쿠퍼스는 "독방 환경 자체가 유해하다는 의미일 수 있다"고 말했다. 뉴욕의 감옥을 연구한 2014년의 한 논문에 따르면 중증 정신질환 변수를 통제하고 난 뒤에도 독방 수감 경험이 있는 재소자가 독방 수감 경험이 없는 재소자보다 자해 가능성이 7배나 높은 것으로 나타났다.[24]

2013년 여름에 데이비스는 바닥을 겪었다. 그때 그는 간수와 또 싸움을 벌이고서 3년간 독방에 갇히게 되었다. (나중에 2년으로 줄었다.) 그가 보내진 슈퍼맥스 시설은 가족이 사는 곳에서 몇 시간이나 떨어져 있었다. 외로움이 곧 그를 압도했다. 이 감옥 특유의 무언가가 유달리 더 억압적으로 느껴졌다. "벽은 정말 밋밋한 베이지 색이었고 나는 죽은 거나 다름

없다고 느꼈습니다. 살아 있는 것 같지가 않았어요."

8월의 어느 날 새벽, 그는 할 만큼 했다고 생각했다. "일어나자마자 그런 느낌이 왔어요." 간수들이 그를 샤워실로 데리고 갔을 때 그는 면도를 하게 면도칼 좀 달라고 부탁했다. 그리고 샤워실 바닥에 앉아서 손목을 그었다. 곧바로 병원에 보내졌고 의사가 상처를 꿰맬 때 그는 마취를 거부했다.

치료가 끝나자 그는 형기를 마치기 위해 다시 독방에 돌아와야 했다. "어떤 래퍼가 이렇게 노래한 적이 있죠. '그들은 나를 죽이려고 하면서 동시에 내가 죽지도 못하게 하네'라고요. 상자에 있을 때 느낌이 딱 그렇습니다. 이곳은 나를 죽이고 있으면서 동시에 내가 죽지도 못하게 만들고 있어요."

인간 존재를 이렇게나 심각하게 망가뜨리는 수감 환경은 정확히 어떤 것인가? 한 가지 가능성은 격리 상태가 사람들이 너무나 필요로 하는 감각적 자극을 박탈하여 피해를 입히는 것이다. 1950년대에 몬트리올 맥길 대학 연구자들은 이러한 종류의 자극 박탈이 야기할 수 있는 피해를 실험으로 보여주었다.[25] 연구진은 대학생들에게 하루에 20달러를 주고, 눈가리개를 하고 면장갑을 끼고 팔에도 마분지로 만든 토시를 낀 채로 작은 큐비클 안에 마련된 침대에 누워 있도록 했다. U자형 베개가 귀를 덮었고 에어컨 소리가 계속해서 백색 소음을 내보냈다.

불과 하루이틀 만에 학생들은 짜증을 내고 불안해했고 사고도 흐리멍덩해졌다. 독방 수감자들처럼 이들도 피해망상을 겪기 시작했고(예를 들어 연구진이 그들을 일부러 괴롭힌다고 생각했다) 점점 더 정교해지는 환영을 경험했다. "선사 시대 동물이 정글에서 걸어나오는 모습"이라든가 "안경들이 거리에서 행진하는 모습" 등을 선명하게 보는 식으로 말이다. 어떤 학생은 환청을 들었고 어떤 학생은 가짜 감각을 느꼈으며 한 학생은 "무언가가 내 눈을 통해 내 마음을 빨아먹고 있는 것 같았다"고 말했다.

이렇게까지 극단적으로 감각이 박탈되지는 않지만 독방 수감자들도 동일한 것에만 줄곧 노출되는, 가차없는 감각적 단조로움의 상태에 처하게 된다. 나는 1997년부터 독방에 수감 중인 프랜시스 해리스와 서신을 교환했다.[26] (해리스는 1급 살인으로 사형 선고를 받고 복역 중이었다. 당시 펜실베이니아주에서는 사형수를 독방에 가두는 것이 관례였다.)* 지난 20여 년 동안 자동차 한 대 주차 공간보다도 좁은 곳에서 날마다 대

---

* 이에 대해 2019년 11월에 집단소송이 제기되었고 양자 간의 합의에서 펜실베이니아주는 이 관례를 없애기로 동의했다. 하지만 해리스는 2020년 1월 현재 아직 이행되지는 않고 있다고 했다. 또한 해리스는 주 정부 교정 당국이 그에게 의료 조치를 제공하지 않았다고 소송을 걸었다.

부분의 시간을 밝은 회색벽만 보면서 지냈다는 의미다. 창밖으로는 가시 철망이 감긴 감옥 담장이 보였고 감방 문에 달린 작은 창문으로는 벽만 보였다. "나는 자연이 그립습니다. 지난 20년 동안 잔디나 흙을 밟아보지 못했어요."

당연하게도 이러한 종류의 감각적 단조로움은 스트레스를 유발한다. 캐나다 워털루 대학의 신경과학자 콜린 엘러드는 "사람들이 환경과 어떻게 상호작용하는지 이해하는 가장 좋은 방법은 인간이 '정보를 먹고 사는 동물'이어서 새로운 정보를 흡수해야만 생존하고 번성할 수 있는 존재임을 염두에 두는 것"이라며 "인간은 다양성을 갈구한다"고 말했다.

이는 엘러드 본인의 연구에서도 입증되었다.[27] 그는 실험 참가자들을 모집해 바이오메트릭 센서를 부착하고 뉴욕, 토론토, 밴쿠버, 베를린, 뭄바이 등의 도시를 걸어다니면서 어떤 인상을 받았는지 기록하게 했다. 그러는 동안 바이오메트릭 센서가 그들의 눈동자 움직임을 추적하고, 뇌파를 측정하고, 피부전도도(생리적 흥분을 가늠하는 지표로 쓰인다)를 측정했다. 시각적 복잡성이 낮은 건물 전면을 마주하고 있을 때(밋밋한 외관의 대형 할인매장이 한 블록 전체에 걸쳐 있는 경우 등) 참가자들의 흥분 수준은 뚝 떨어졌다. 그들이 직접 기록한 인상도 그러한 환경에서는 흥미가 줄고 유쾌하지 않다고 되어 있었다. 즉, 그들은 지루함을 느꼈다. 엘러드는 "지루함은 스트레스를 유발할 수 있기 때문에 이것은 우려스러운 결과"라고 말했다. (엘러드의 동료 신경과학자 제임스 댄커트는 지루한 동영상을 잠깐 보는 것만으로도 스트레스 호르몬인 코르티솔이 증가한다는 것을 발견했다.[28])

독방은 긍정적인 자극이 없다는 점만이 아니라 극도로 불쾌한 자극이 존재한다는 점에서도 문제다. 해리스가 처음 들어간 독방에는 쥐와 바퀴벌레가 들끓었다. "그 쥐들은 성격이 안 좋았어요. 대개 불을 켜면 쥐와 바퀴벌레가 숨을 곳을 찾아 잽싸게 도망갈 거라고들 생각하시겠죠? 하지만 거기 쥐들은 어깨 위로 슬쩍 올려다보면서 나한테 이렇게 말하는 것 같았어요. '이봐, 내가 여기서 네 음식 좀 먹으려고 하는데, 불만 있나?'" 그리고 그 독방은 인간의 배설물과 체취가 섞인 냄새가 지독했다. "너무 심해서 처음 들어가면 토하게 됩니다." 현재의 감방은 그보다는 훨씬 깨끗하지만 시끄러운 소음을 견뎌야 한다. 옆 감방에서 비명 지르는 소리, 위층에서 간수의 부츠가 금속제 통로 바닥에 부딪히는 소리 등 낮이고 밤이고 소음에서 벗어날 수 없다.

이러한 감각적 스트레스가 주는 막대한 불쾌함도 문제지만, 극도의 '고립'이 이보다 더 해로운 것으로 보인다. 인간은 사회적 동물인지라 다른 이들과의 접촉을 원하게 되어 있다. "우리는 인간으로 존재하기 위해 사회적 관계를 필요로 합니다. 사회적 관계를 박탈하는 것은 비정하고 무정한 일입니다." 쿠퍼스가 설명했다.

외로움과 사회적 고립은 높은 스트레스 호르몬 수치, 고혈압, 염증, 유전자 발현 변화, 면역 기능 약화 등과 상관관계가 있다고 알려져 있다.[29] 고립된 (혹은 고립되었다고 느끼는) 사람은 심장질환, 노화에 따른 인지 저하, 정신장애, 조기 사망 등의 위험이 높아진다. 건강이 안 좋아서 고립되는 경우도 있지만 거꾸로 고립 자체가 신경적, 행동적 변화의 원인이 되기도 한다는 것이 여러 동물 실험에서 밝혀졌다. 독방과 비슷한 환경에 처한 동물은 독방 수감자에게서 볼 수 있는 것과 유사한 우울, 공격성, 자해 등의 이상 행동을 보였다.

'구멍'에서의 시간을 견디고 살아남은 경우에도 지속적인 후유증에 시달린다. 여러 번 독방 신세를 진 데이비스는 이제 다른 사람들과 함께 있는 것을 힘겨워하고 여전히 작은 자극에도 분노가 분출하곤 한다. 분노는 친구나 사랑하는 사람들과의 관계를 망가뜨렸다. 또한 그는 현재의 자신을 인정하지도 좋아하지도 못할 때가 많다. 2014년 한 에세이에서 그는 이렇게 썼다. "매력적이고 유머 감각 있고 잘생기고 카리스마 있던 나는 사라지고 없다. 그의 영혼은 독방이 정신에 미친 악영향 때문에 갈갈이 찢겨졌다. 이제 나는 영혼 없고 늘 억울해하고 정서적으로 불안정하고 분노로 가득한, 아주 일각의 나로

서만 존재할 뿐이다. 이는 내가 살고 싶어 했던 방식이 아니고 내가 되고자 했던 사람이 아니다."[30]

2011년 유엔의 한 당국자는 독방 수감이 "고문이나 마찬가지일 수 있다"고 밝혔다. 그리고 독방은 정말로 최후의 수단으로만, 그리고 짧은 기간만 사용되어야 한다는 데 전 세계적인 합의가 생겨나고 있다. (전문가들은 절대로 15일을 넘기지 말 것과 미성년자와 정신질환이 있는 사람은 독방에 수감하지 말 것을 권고한다.) 미국 연방 대법원은 아직까지 독방을 금지하지 않았지만 몇몇 주는 독방 사용을 제한하기 시작했고 격리 감방과 슈퍼맥스 감방을 없앤 주들도 있다. (슈퍼맥스 시설은 운영 비용이 많이 들기 때문에 그것을 없애면 주 정부 재정에 득이 될 수 있다.) 그리고 2018년에 미국 연방 의회는 미성년자의 독방 수감을 엄격하게 제한하는 법을 통과시켰다.

독방이 유독 위험한 형태이긴 하지만, 독방 사용을 규제하려는 노력은 미국의 형사사법체제를 개혁하려는 광범위한 운동의 일부다. 미국의 수감률은 1970년대에서 2000년대 사이에 급격히 치솟았다. (지난 10년 동안 드디어 약하게나마 감소세로 돌아섰다.) 미국은 세계 인구의 5퍼센트밖에 차지하지 않지만 세계 수감 인구의 20퍼센트를 차지한다.[31] 상당수가 마리화나 소지나 보호관찰 규칙 위반 같은 비교적 가벼운 죄를 짓고서도 중형을 선고받은 경우다. 또 어떤 사람은 그저 보석

금이 없어서 몇 주, 몇 달, 심지어 몇 년을 갇혀 있기도 한다. 유색 인종의 수감률이 압도적으로 높고 재소자 중 정신질환이 있는 사람의 비중도 지난 몇십 년 사이 크게 늘었다. 이러한 사실들이 드러나면서 양형 기준 개선, 현금 보석금 제도 폐지, 수감 이외의 대안적인 형사 제도 개발 등 대대적인 개혁을 요구하는 목소리가 드물게도 초당적으로 일게 되었다.

또 어떤 디자이너들은 감옥이라는 공간을 다시 생각하기 시작했다. 독방이 아니더라도 감옥 자체가 고립적이고 비인간적이고 안전하지 않을 수 있다. 미국의 감옥 개혁 운동가들은 다른 나라에서 생겨나고 있는 '인간적인' 교정 시설에 주목했다. 전형적인 사례는 노르웨이 남동부 소나무숲에 자리 잡은 할렌 교도소다.[32] 약 6미터 높이의 담장이 있는 최고 보안 수준 시설이긴 하지만 이곳은 마을처럼 보이고 마을처럼 기능하도록 구성되었다. 창문에는 창살이 없고 수감자들은 감옥 단지 경내의 건물과 공동 공간을 자유롭게 돌아다닐 수 있다. 곳곳에 정원이 있고 미술품도 수십 점이나 설치되어 있으며 가로수가 늘어선 산책로와 암벽 등반을 할 수 있는 벽, 도자기 워크숍, 녹음실까지 있다. 재소자 각자에게 환한 개인용 방이 배정되고, 방에는 화장실, 미니 냉장고, TV가 갖춰져 있다. 재소자를 애지중지 보살피려는 게 아니라 석방 이후에 그들이 사회에서 건강하고 생산적인 삶을 살 수 있도록 도우려는 것이다.

할렌을 비롯해 스칸디나비아의 비슷한 교정 시설들은 상당한 관심과 찬사를 받았다. 하지만 스칸디나비아 국가들과 그곳의 형사사법체제는 미국과 다르다. 예를 들어 노르웨이는 사형제가 없고 무기징역도 사실상 없다. 사회는 비교적 평등하고 사회 안전망도 탄탄하며 수감 인구도 적은 편이다. 할렌 같은 곳이 미국에서 잘 작동할 수 있을까? 이에 대해 알아보기 시작하자 라스 콜리나스라는 이름을 계속해서 마주치게 되었다.

막다른 길에 홀로 들어선 시설인데도 캘리포니아주 샌티에 위치한 '라스 콜리나스 수용 및 사회 재진입 시설'을 나는 곧바로 알아보지 못했다. 높은 벽도, 눈에 띄는 감시탑도 없었다. 조용한 가로수길을 1분쯤 더 운전해서 들어가자 멀리 사막의 언덕이 보이더니 금방 길이 끝나버렸다. 입구로 들어가는 길을 놓친 것이다.

얼른 유턴해서 제대로 찾아 들어간 뒤 주차장에 차를 세웠다. 그리고 귀중품을 주섬주섬 차에다 꺼내 놓기 시작했다. 휴대전화, 지갑 등을 두고 들어오라는 말을 들었기 때문이다. 내 옆에 다른 차가 한 대 들어왔고 건축 회사 HMC아키텍츠의 디자인 책임자 제임스 크루거가 차에서 내렸다. 회색 셔츠에 짙은 회색 바지를 입고 머리카락은 은색으로 빛나고 있어서 마치 은색으로 색상을 맞춘 듯했다. 2018년 서던 캘리포니아의 우아한 봄날, 몇 년 전에 라스 콜리나스의 대대적인 시설 개비를 지휘한 크루거는 미국 감옥의 유토피아적 미래를 내게 보여주려고 이곳에 온 참이었다.

라스 콜리나스는 1967년에 청소년 교정 시설로 문을 열었고 12년 뒤에 여성용 수감 시설로 바뀌었다. 1990년대 말에 이곳은 대대적인 수리가 필요한 상태였다. 이 시설을 운영하고 있는 샌디에이고 카운티 보안관실 사회 재진입 서비스 담당자 크리스틴 브라운 테일러는 "낡고 어둡고 칙칙하고 가시 철망이 쳐진 담이 아주 많았다"고 당시 모습을 설명했다.

1999년 샌디에이고 카운티는 교정 시설 컨설팅 및 설계 회사 '카터 고블 리'(CGL)에 의뢰해 카운티 내 교정 시설이 필요로 하는 바를 분석하고 시설 현대화 계획을 마련하도록 했다. 라스 콜리나스 시설 개비가 최우선 과제로 떠올랐다. CGL과 카운티 보안관실은 교정 시설 같은 느낌을 덜 주는 여성용 교정 시설을 만들기로 했다. CGL 부회장 스티븐 카터는 "진지하게 무언가 다른 것을 시도해보고자 하는 보안관실 사람들이 처음부터 계획 과정에 참여했다"고 말했다.

카운티 당국은 재소자들이 친밀하게 지낼 수 있고, 모일 수 있고, 물리적 장벽이 거의 없는 상태에서 돌아다닐 수 있게 할 교정 시설의 설계 제안서를 공모했다. 이 공모는 HMC아키 텍츠의 관심을 끌었다. 학교를 감옥보다는 대학과 더 비슷하 게 만드는 디자인을 개발해온 경험을 활용할 수 있으리라고 생각한 것이다. HMC는 교정 시설 설계에 전문성이 있는 샌프 란시스코의 기업 KMD와 공동으로 공모에 참가했다.[*]

공원처럼 개방된 단지에 구불구불한 산책로, 다양한 옥 외 레크리에이션 공간 등을 포함한 설계안으로 HMC-KMD 팀이 계약을 따냈다.[33] 커다란 반원형 야외극장부터 프리스비 던지기나 축구를 할 수 있는 너른 잔디밭까지 다양한 부대시 설을 핵심적으로 배치했고, 철망을 조경으로 세심하게 가려서 경비와 보안 장치들은 의도적으로 눈에 보이지 않게 했다. 또 한 크루거는 강좌, 직업 훈련, 종교 의례 등을 위한 별도 건물들 을 두어서 재소자들이 "리셋 버튼을 눌러 정말로 인생에 재시 동을 걸 수 있도록 했다"고 설명했다.

적어도 당시에 그들이 바랐던 바로는 그랬다. 크루거는 2014년에 라스 콜리나스가 새로 문을 연 이후 지금까지 다시

---

[*] 1980년대에 KMD는 가혹한 여건과 장기간의 독방 수감으로 악명 높은 캘리포니아주 슈퍼맥스 시설 펠리컨 베이 주립 교도소를 지었다. 하지만 이후로 감옥 설계에 대한 이 회사의 접근법이 달라진 것으로 보인다. 최근 KMD는 자연 채광, 다양한 활동 공간, 자연과의 더 많은 접촉 등의 요소를 도입한 청소년 교정 시설 단지 등 더 인간적인 시설들을 설계했다.

와보지 못했고, 사실 좀 걱정된다고 털어놓았다. "오늘 가서 보면 감옥처럼 보일까 봐 걱정되네요. 그러면 안 되는데 말이에요."

부보안관 세라 오델이 우리를 맞이했다. 검은 머리카락을 단정하게 뒤로 묶은 오델은 유쾌했지만 절도 있었다. 허리춤 한쪽에는 열쇠 꾸러미를, 다른 한쪽에는 총을 차고 있었다. 서로 소개를 하고 나서 그는 자신의 무기를 총 보관함에 넣었다. 이어서 행정동의 뒤쪽 이중문이 철컥 소리를 내며 열렸다.

오델의 안내를 따라 우리는 단지 안으로 들어갔다. 눈부시게 강렬한 햇빛 아래 너른 잔디밭이 펼쳐져 있었다. 바로 오른쪽에는 배구 네트도 있었다. 긴 산책로에는 종려나무가 줄지어 있었고 그 길은 단지의 중앙으로 이어져 있었다. 단지는 우리가 처음에 서 있었던 곳의 바로 뒤쪽에 있는 행정동부터 반대편 끝의 식당과 종교 의례용 건물까지 총 18만 2100제곱미터 규모였다. 강의실, 도서관, 레크리에이션 건물은 단지 중앙 쪽에 모여 있었고, 생활 공간은 경내에 있는 몇 군데의 뜰에 점점이 흩어져 있었다.

라스 콜리나스는 1200명가량을 수용할 수 있고 미결수와 기결수를 모두 수용한다. 모든 수감자는 범죄의 종류와 수감된 이후의 행동에 따라서 보안 위험 등급이 정해진다. 보안 위험 등급이 낮으면(이곳 재소자 중 약 70퍼센트에 해당한다)

간수가 따라다니지 않는 상태로 단지 내를 자유롭게 다닐 수 있고, 옥외 시설도 이용할 수 있으며, 식사는 식당에서 할 수 있다. (보안 위험 등급이 낮더라도 규칙을 어기면 이러한 특권을 잃게 되고 보안 위험 등급이 높더라도 행동이 모범적이면 그러한 특권을 얻을 수 있다.)

우리는 보안 위험 등급이 낮은 수감자들의 생활 공간으로 이동했다. 세 명의 여성이 황갈색 죄수복을 입고 건물 바로 밖의 소풍용 식탁에서 조용히 대화를 나누고 있었다. 우리는 문을 지나 커다란 공용 공간으로 들어갔다. 재소자들이 TV를 보거나 카드 게임을 하거나 책을 읽거나 아니면 그냥 어울려 담소를 나누는 공간이었다. 밝은 초록색 안락의자 수십 개와 여러 모양과 크기의 밝은색 나무 테이블이 있었다. 크루거와 동료들은 이곳에 교정 시설 공간의 '정상화'라는 개념을 도입하고자 했다. 비인간적인 집합시설 같은 느낌을 덜어내고 일반 사회에서의 실제 집처럼 느껴지게 만든다는 것이다. 이를 위해 교정 시설에 일반적으로 사용되는 철제 변기, 콘크리트 벤치, 땅에 붙박인 금속제 테이블 등 부술 수 없도록 제작된 가구와 설비를 사용하지 않기로 했다.

커다란 창문으로 빛이 풍성하게 들어오고 뒤쪽 벽면 전체에 해변의 파노라마 경관을 담은 사진이 걸려 있었다. 모든 생활 공간에 이와 같이 샌디에이고 카운티의 자연 풍경을 담은 사진이 걸려 있다고 했다. (여러 연구에 따르면, 자연을 담은 사진과 동영상이 재소자와 교도관의 마음을 안정시키는 효과가 있으며 폭력적인 행동을 줄이는 데도 기여한다.[34]) 벽은 마음을 안정시켜주는 푸른색과 초록색 색조이고 단조롭지 않도록 밝은 노란색 목재로 악센트를 주고 있었다. 이케아가 감옥을 디자인하면 이렇지 않을까 싶은 느낌이었다.

공용 공간 바로 위에 있는 거주 공간은 개방형 구조다. 감방도, 문도, 자물쇠도 없다. 수감자는 각자 큐비클을 배정받으며 그 안에는 침대, 책상, 의자, 작은 장롱이 있다. 여기 가구도 따뜻함을 주는 나무 재질에 초록빛이 감도는 옅은 푸른색이었다. 큐비클은 각자 마음대로 꾸밀 수 있다. 우리가 있던 데서 가장 가까운 큐비클에는 트럼프 카드, 과학소설, 닥터페퍼 병, 머리빗, VO5샴푸 병 등이 있었다. 하지만 깔끔했고 낙서 하나 보이지 않았다. 크루거는 이 점을 놓치지 않았고, 오델도 재소자들이 "방을 깨끗하게 쓰고 정리 정돈에 신경을 쓴다"고 말했다. 공동 욕실을 포함해서 공동 공간은 어디든 자유롭게 다닐 수 있다. 재소자들은 공동 욕실에 진짜 거울이 있는 것을 좋아한다. 그리고 1층 뒤쪽에 더 작은 공동 공간이 또 하나 있는데 여기에는 전자레인지, 화상 전화기, 에어 하키 게임대가 있다.

교도관들은 막혀 있는 감시 스테이션이나 사무실에 앉

아 있는 대신 중앙 공용 공간에 있는 개방형 데스크에서 일한다. 통상적인 교정 시설과는 매우 상이한 구조다. 대개는 방탄 유리, 두꺼운 문, 창살 같은 것들로 교도관과 그들이 감시하는 재소자 사이가 단단히 분리되어 있다. 하지만 여기에서는 교도관이 재소자의 생활 공간에서 일하고 서로 얼굴을 맞대고 대화를 나눌 수 있다.

연방 교정국은 '직접 감독'이라고 불리는 이 방식을 1970년대에 실험하기 시작했고 연구자들은 이 구조가 전통적인 간접 감시 방식에 비해 객관적으로는 안전하고 폭력의 빈도도 낮다는 증거를 반복적으로 발견했다.[35] 직접 감독에 대한 몇몇 초창기 연구를 수행한 뉴욕 대학 환경심리학자 리처드 웨너는 "직관적으로는 그 반대일 것 같지만 교도관이 재소자와 직접적으로 접촉하면 모두가 더 안전해진다"고 말했다. "간수와 수감자가 실제로 상호작용을 하면 서로를 단순한 대상이나 객체가 아니라 사람으로 보기 시작한다"는 것이다. 또한 직접 감독 방식을 택한 시설들에서 교도관과 재소자 모두 더 차분하고 느긋해지고 긴장과 스트레스가 줄어드는 것으로 나타났다.*

교도관이 재소자를 개인적으로 더 잘 알게 되면 재소자가 필요로 하는 바에 더 잘 대응할 수 있다. 화장실에 휴지가 떨어졌을 때 채워 넣는 일처럼 간단한 것도 있고 법정에서 일이 잘 안 풀린 수감자가 감정을 추스르게 돕는 일처럼 복잡한 것도 있다. 싸움이 벌어질 때까지 손 놓고 있다가 뒤늦게 싸움이 벌어진 감방으로 달려가기보다 애초에 상황이 나빠지지 않도록 수감자들이 긴장을 누그러뜨리게 도울 수도 있다. 직접 감독 방식에서 교도관은 경비를 하는 간수보다는 의사소통, 갈등 관리, 상담 기술을 활용하는 사회복지사와 더 비슷하다.

그렇더라도, 이 접근 방식에 회의적인 교도관도 있다. 라스 콜리나스의 교도관들도 처음에는 이 방식이 잘 작동하지 않을 것이라고 우려했다. 재소자들이 데스크로 몰려와서 컴퓨터와 전화를 엉망으로 만들고 온갖 난리법석을 야기할지 모른다고 말이다. 하지만 이는 근거 없는 우려로 밝혀졌다. "재소자들은 데스크의 업무를 존중했다"고 오델은 설명했다. 재소

✳   2014년 네덜란드 수감 시설 32곳을 대상으로 수행한 연구에서, 감옥의 건축 구조가 재소자와 교도관의 관계에 매우 깊은 영향을 미치는 것으로 나타났다. 각 수감동의 규모가 작고 교도관이 가까이 있는 캠퍼스 스타일의 시설에서 지내는 수감자들이 교도관과의 관계를 가장 긍정적으로 여겼다. 파놉티콘 양식의 시설에서 지내는 수감자는 교도관과의 관계를 가장 비관적으로 생각했다. 파놉티콘은 영국 철학자 제러미 벤담이 18세기 말에 고안한 구조로, 감시와 통제에 우선순위를 두고 지어진 모델이다. 중앙의 감시탑 주위로 감방이 둥글게 배치된 구조로, 수감자들이 언제 자신이 관찰당하는지 알 수 없는 상태에서 교도관이 수감자를 관찰할 수 있다. 이 구조는 수감자와 교도관 사이에 물리적으로 거리를 두는 구조이기도 해서, 수감자들이 교도관으로부터 더 소외되었다고 느끼게 만든다. 또한 연구자들에 따르면 "파놉티콘의 규모가 크면 익명성이 증가하고 탈인간적이 되며 수감자와 교도관의 상호작용이 줄어들 수 있다."[36]

자들은 난리법석을 일으키는 데는 관심이 없었고, 특히 수업을 듣거나 직업 훈련을 받으면서 하루를 보내고 난 다음에는 더 그랬다. 그들은 얼른 샤워하고 잠자리에 들고 싶어 했다. "우리가 그것을 깨닫기까지는 시간이 좀 걸렸습니다." 하지만 교정 시설 운영자들은 반복적으로 이런 사실을 발견했고 재소자들이 더 많은 자유와 자율성을 가질 수 있도록 그들을 신뢰해도 된다는 사실을 알게 되었다. 처음에 가정했던 것보다 훨씬 더 많이 말이다.

교정 시설 내 강의실 수를 5개에서 20개로 늘리는 재건축을 거치고서 라스 콜리나스는 프로그램과 서비스를 대폭 늘렸다. 지금은 직업 훈련을 위해 마련된 건물들이 있어서 조경부터 세탁까지 다양한 분야를 교육하고 직업 상담 센터를 운영한다. 그리고 거대한 산업용 크기의 주방에서는 유명한 조리 교육 프로그램이 이뤄진다. 이 프로그램에서 재소자들은 6개월간 '전국 레스토랑 협회'가 개발한 교육 과정을 배운다. 이 프로그램을 듣는 재소자들이 교정 시설 내 직원 식당과 식당 근처에 있는 커피 카트의 식음료를 담당한다. 오델은 재소자들이 "스타벅스 메뉴는 다 만들 줄 알게 된다"고 말했다. 이 프로그램을 수료한 사람 상당수가 출소 후 레스토랑에서 일한다.

진료소(치과, 산과, 부인과, 정신 치료 등 다양한 진료를 제공한다)는 넓고 현대적이고 깨끗했으며 이 시설의 다른 많은 곳처럼 초록, 파랑, 그리고 밝은 나무 색조로 꾸며져 있었다. 1년에 한 번씩 이동식 유방 촬영 장비가 와서 무료 유방 검사도 받을 수 있다.

　이 시설에는 그 외의 장점도 많았다. 개방형 가족 방문 공간은 통유리창이 있어서 밝았고, 줄무늬 벽, 산뜻한 흰색과 푸른색 색조로 꾸며져 있었다. 아동이 들어갈 수 있는 개별 방문실 네 곳은 원색으로 장식되어 있었고, 폭신한 폼 재질의 바닥에 책, 장난감, 어린이 미끄럼틀 같은 플라스틱 놀이기구가 구비되어 있었다. 또 실내 레크리에이션 공간에는 에어컨이 설치되어 있었고 요가 매트와 줌바 DVD도 있었다. 옥외의 반원형 극장에서는 주말 활동, 금요일 밤의 영화 관람, 지역 오케스트라나 극단의 공연 같은 행사가 펼쳐졌다. 오텔은 "감옥에서 일한다는 느낌이 들지 않는다"고 말했다. "예전 시설에서는 '에휴, 내가 일하는 곳이 감옥이었지'라고 늘 상기하게 되었거든요. 슬픈 일이었죠."

2015년 교정 시설 컨설팅 회사 CGL은 라스 콜리나스의 교도관과 재소자를 대상으로 '거주 후 평가'를 진행했다.[37] 수감자들은 설계에 긍정적인 점수를 주었다. CGL 경영진인 스티븐 카터는 이렇게 말했다. "많은 사람을 인터뷰했는데 이곳이 마음에 들지 않는다고 말한 사람은 딱 한 명이었습니다. 그래서 더 물어보았더니 그 사람은 걷기를 싫어해서 숙소동에서 식사동까지 한참 걸어가는 것보다 방에서 식사하는 것이 좋다더군요." 그래도 그 여성은 기숙사 스타일의 시설이 주는 공동체 느낌을 좋아했고 직접 감독 방식도 좋아했다. "그들에게는 교도관에게 다가가서 무언가를 물어본다는 것이 무척 자연스러운 일이었습니다."

교도관들도 좋아했다. 카터는 "교도관들이 일하러 오는 것이 즐겁다"고 말했다며 "스트레스가 줄었고 거의 모두가 통제실에 처박혀 있는 것보다 직접 감독 방식이 더 좋다고 대답했다"고 설명했다.

수감자의 행동 개선도 두드러졌다. 카운티 통계에 따르면 새 시설이 문을 연 뒤 (수감자 사이에 혹은 수감자와 간수 사이에) 공격적인 행동이 발생한 건수가 50퍼센트나 줄었다.[38] 브라운 테일러는 "거의 즉각적인 변화였다"며 "차이를 대번에 볼 수 있었다"고 말했다.

이 결과는 리처드 웨너가 지난 수십 년간 감옥을 연구하면서 관찰한 결과와도 일치한다. 그는 이렇게 설명했다. "물리적인 환경이 하는 일 중 하나는 다른 사람들이 어떻게 행동할 것 같은지, 또 사람들이 당신이 어떻게 행동할 것 같다고 생각할지에 대해 예상이나 기대를 형성하는 것입니다. 우리가 당신에게서 무엇을 예상할 것인가를 말이지요. 그리고 당신은 그러한 예상에 반응하게 됩니다. 많은 교정 시설이 그렇듯이 옛 센트럴 파크 동물원 같은 곳, 즉 콘크리트로 된 공간에 창살이 있고 동물 우리 관리하듯이 바닥은 호스로 물을 뿌려 청소하는 공간에 당신이 들어가면, 그 공간 자체가 그들이 당신을 어떻게 생각하고 있는지를 말해줍니다. '이들은 위험한 짐승이다. 창살 뒤에 꽁꽁 가둬두어야 한다'라고 생각하고 있다는 것을요." 웨너는, 반면 더 부드럽고 집과 같은 환경은 "우리는 당신을 문명화된 인간이라고 생각한다는 메시지를 상징적으로 전달한다"고 설명했다.

나는 라스 콜리나스를 둘러보는 동안 교정 시설을 보고 있다는 사실을 잊곤 했다. 가령 이곳의 식당은 버지니아주 버킹엄 카운티에서 보았던 학교 식당과 비슷했다. 하지만 이곳이 감옥임을 상기시켜주는 모습들이 문득문득 나타났다. 세 명의 여성이 벽을 향해 팔다리를 벌리고 서 있었고 교도관이 몸을 수색했다. [자해를 방지하기 위해] 패드를 댄 교도소 입소 검사실에서는 소름끼치는 비명 소리가 들려왔다. 디자인 요소 중에도 감옥임을 드러내는 부분들이 있었다. 흔들의자는 수감자들이 들어서 던지지 못하도록 모래로 채워져 있었고 계단 챌판은 수감자들이 시야에서 숨지 못하게 모두 그물망 재질로 되어 있었다.

보안 위험 등급이 낮은 수감자들을 수용하기 위해 설계자들과 카운티 당국이 만든 새로운 환경이 진심으로 인상적이긴 했지만, 이 접근 방법이 적용될 수 있는 범위에는 한계도 있었다. 고위험 재소자는 보안을 높인 별도의 시설에 수감된다. 경내의 한쪽, 문을 단단히 잠그는 건물에 따로 격리되어 있는 이곳에는 개방된 큐비클은 존재하지 않고 전형적인 형태의 감방이 있다. 3인 1조의 교도관이 분리된 통제실에서 감시하고 금속제 가구들은 바닥에 단단히 고정되어 있다. 이곳에도 공용 공간이 있어서 재소자들이 사용할 수 있고 그 근처에 마련된 옥외 운동 시설도 이용할 수 있지만 반드시 교도관이 따라다녀야 한다. 크루거는 "그들이 가장 자유롭지 못한 사람들"이라고 말했다.

물론 보안 등급이 높은 감옥도 기존 감옥보다는 미학적으로 훨씬 나았다. 가령, 보안 등급이 낮은 구역처럼 자연 채광이 풍성하게 들어왔고 벽면은 파스텔톤의 푸른색과 초록색 계열의 악센트 월[accent wall. 벽면의 소재, 색상 등을 다르게 한 벽]로 되어 있었다. "색상을 이용하는 디자인 요소를 조금이나마 도입하려고 애썼습니다." 크루거는 "보기 좋게 만들려고 노력했지만, 그래도 이곳은 다른 종류의 공간"이라고 말했다.

스티븐 카터는 되돌아보면 이렇게 엄격한 보안이 꼭 필요한지 모르겠다고 했다. "다시 설계한다면 보안 측면은 더 완화할 것 같아요. 내 생각에, 보안 등급이 높은 쪽의 시설 규모를 줄일 수도 있지 않을까 합니다."

라스 콜리나스는 많은 관심을 받았다. 오텔은 멀리 사우디아라비아와 뉴질랜드에서도 교도관과 전문가 들이 탐방을 온다고 했다. 그리고 미국에 비슷한 교정 시설이 몇 군데 생겨나기도 했다. 하지만 이 모델이 늘 지지받는 것은 아니다. 특히 정치인들은 범죄에 너무 '무른' 것으로 보일까 봐 우려한다. 웨너가 말했듯이 카운티 보안관 선거에서 현직 보안관이 도전자에게 지는 가장 쉬운 방법은 "나쁜 사람들을 위해 컨트리 클럽을 지어주고 운영하는 사람이라는 말을 듣는 것"이다. 그리고 많은 사람이 형사사법체제의 개혁을 지지하고는 있지만 그래도 여전히 상당수 미국인이 수감이란 기본적으로 징벌을 위한 것이어야 하고 갱생보다 응보가 중요하다고 생각한다.[39]

라스 콜리나스가 여성 교정 시설이었다는 점은 우연이 아닐 것이다. 설계팀은 만약 남성 교정 시설이었다면 대중의 심한 반대에 직면했을 것이라고 생각한다. 실제로 뉴욕시가 2017년에 악명 높은 라이커스 아일랜드 감옥(남성용 교정 시설이다)을 몇 개의 규모가 더 작고 더 인간적인 감옥으로 바꾸려고 했을 때 타블로이드 신문 『뉴욕 포스트』는 "뉴욕 시장이 감옥을 툴룸의 휴양지처럼 만들려고 한다"고 맹비난하면서

라스 콜리나스의 사진을 함께 실었다.[40]

　물론 벽화와 파스텔톤의 안락의자가 있다고 열대의 휴양지가 되는 것은 아니다. 웨너는 이러한 반대가 수감이 무엇을 위한 것인지에 대한 오해에서 비롯한다고 생각한다. "자유의 상실 자체가 처벌입니다. 감옥에 보내지는 것 자체가 처벌이지 추가로 처벌을 하려고 감옥에 보내는 것이 아닙니다."

　하지만 진보 진영에서도 인간적인 감옥 운동에 대해 비판적인 목소리가 나온다. 이들의 비판 지점이 무엇인지 알아보려고 나는 '사회적 책임을 위한 건축가, 디자이너, 계획가 모임' 회장 래피얼 스페리에게 연락을 취했다. 그는 더 좋은 감옥을 만들자는 운동이 미국 형사사법체제가 가진 더 큰 문제에서 사람들의 관심을 멀어지게 한다고 지적했다. "형사사법체제에 대해 우리가 알아야 할 가장 중요한 사실은 부당하게 감옥에 간 사람이 너무 많다는 점입니다. 근사한 감옥에 집어넣는다고 해서 자유의 박탈이 보상되지는 않습니다."

　감옥 건물을 더 좋게 짓는 것이 아니라 애초에 감옥에 갇히는 사람의 수를 줄이는 것이 우선이라는 지적이었다. 그는 건축가들이 문제 해결에 기여하고 싶다면 구매 가능한 가격대의 주거, 마약 치료 센터, 정신건강 시설, 그 밖에 사회적 안전망을 제공하는 건물의 디자인에 초점을 두어야 한다고 본다. "나는 건강과 후생을 위한 건물 디자인에 반대하는 것이 아닙니다. 오히려 굉장히 많이 지지합니다. 다만, 사람들을 범죄로 이끄는 문제를 해결하려면 감옥에서 일할 게 아니라 동네와 사회에서 일해야 한다는 말이 하고 싶은 겁니다."

나도 그렇게 생각한다. 우리는 공동체와 마을에, 공중보건과 교육에, 회복적 사법 등 수감 이외의 형사 제도에, 그리고 수감 인구를 줄이는 데 투자해야 한다. 하지만 이 모든 일을 달성한다 해도 감옥이 사라지지는 않을 것이다. 그러므로 감옥 안에서 발생하는 피해를 최소화하는 것도 여전히 가치 있는 일이다.[*] 이 목적들은 상충하지 않는다. 우리는 더 적은 사람을 감옥에 보내야 하고 그곳에서 그들을 더 잘 대우해야 한다. (분명히 해두자면, 안정감을 주는 색으로 벽을 꾸미는 것만이 아니라 감옥 내에서 학대를 없애고 음식, 위생, 의료 등 기본 서비스에 대한 접근성을 보장함으로써 그렇게 해야 한다.)

그리고 앞으로는 이러한 감옥 개혁이 실제로 발하는 효과에도 면밀히 주의를 기울여야 할 것이다. 이제까지 미국의 감옥을 개혁하려고 노력한 오랜 역사가 있었지만, 늘 수감자에게 좋은 결과를 가져온 것은 아니었다. 더 인간적인 감옥이 장기적으로 좋은 결과를 가져올지 아닐지는 아직 분명하지 않

---

[*] 감옥을 아예 없애자는 운동도 있다. 이들은 신규 교정 시설을 더 이상 건설하지 말고 기존의 교정 시설을 단계적으로 없애나갈 것을 촉구한다.

다. 라스 콜리나스는 이곳을 거쳐간 사람들의 재수감률을 추적하기 시작했다. "재소자들은 사회로 돌아옵니다. 이 사실을 다른 사람들은 종종 잊는 것 같습니다." 크루거가 말했다. 미국에서 매주 1만 명이 감옥에서 나온다.[41] "그들이 감옥에서 어떻게 대우받았는지는 나와서 어떻게 행동하는지와 크게 관련이 있습니다."*

웨너는 인간적인 감옥을 만들려는 운동의 기본 개념은 아마 다들 할머니에게 들어서 알고 있을 것이라고 말했다. "사람은 더 잘 대우하면 더 잘 행동하기 마련"이라는 것이다.

감옥 밖에서도 그렇다. 요양원부터 정신병원까지 다양한 거주 시설의 설계에 인간적인 디자인 개념을 도입하는 사례가 많아지고 있다. 정신병원 설계 전문가인 뉴욕의 건축가 프랜시스 피츠는 이러한 움직임이 진작 있었어야 한다고 생각한다. "기존의 정신병원은 인간의 경험을 고려해 디자인되지 않았습니다. 영혼 없고, 관료적이고, 일 처리 기계나 다름없게 디자인되

---

* 당신이 인도주의적인 주장에 설득되지 않았다면, 출소자가 삶을 다시 일구도록 돕고 재수감되지 않게 하는 것이 가져올 경제적인 이득을 생각해보기 바란다. 대규모로 사람을 잡아 가두는 데는 비용이 많이 든다. 카터는 이렇게 말했다. "재수감률을 낮추지 못한다면 미국의 주와 카운티, 특히 지방 정부는 파산하고 말 것입니다."

었지요." 사실 많은 정신병원이 차갑고 관료적이고 입소자의 통제를 주된 목적으로 지어졌다는 면에서 감옥을 닮았다. "질병을 염두에 두고 디자인되지 그 질병을 가진 사람을 염두에 두고 디자인되지는 않습니다. 그리고 이제껏 참 끈질기게도 달라지지 않고 있었지요."

그래도 오늘날에는 정신병원을 더 따뜻하고 매력적인 환경으로 만들어서 환자들이 집처럼 편안하게 느낄 수 있게 하려는 노력이 점점 많이 시도되고 있다.[42] 환자들이 자신만의 공간을 가질 수 있게 하고 식사 때는 제대로 된 식기를 제공한다. 또한 옥상 정원부터 공동체 감각을 고취하는 소규모 그룹을 위한 공간까지, 건강, 돌봄, 주거, 교육용 건물 디자인에 사용되는 여러 전략도 도입하고 있다. 피츠에 따르면, 사려 깊은 디자인은 환자의 후생이 더 나아지게 하는 것에 더해 환자에게 매우 귀중한 메시지를 전달한다는 면에서도 중요하다. "그들이 존엄과 희망을 주는 공간, 존엄과 희망을 주는 건물에 있다"는 메시지 말이다.

물리적 환경은 우리가 무엇을, 누구를, 가치 있게 여기는지에 대해 강력한 신호를 보낼 수 있다. 2012년의 한 연구에서 코넬 대학 환경심리학자 로레인 맥스웰은 청소년의 자아인식이 그들이 다니는 학교 건물의 질과 관련 있다는 사실을 발견했다.[43] 밝고 깨끗하고 통풍이 잘되고 유지관리 상태가 좋은 학교에 다니는 고등학생이 어둡고 지저분하고 낡은 학교에 다니는 고등학생에 비해 학업 성적뿐 아니라 자신감도 높았다. 맥스웰에 따르면 "좋은" 건물은 학생들에게 그들이 중요한 사람이라는 메시지를 주고 "나쁜" 건물은 반대의 메시지를 준다.

더 큰 규모의 공간도 마찬가지다. 쓰레기가 널린 동네에 사는 사람들은 깔끔한 동네에 사는 사람들에 비해 공동체에 대한 자부심이 적고 지역 정부에 대한 신뢰도가 낮다.[44] 도시의 녹지가 정신건강 증진을 포함해 상당한 이득을 주지만 단정하지 못한 녹지는 오히려 역습을 가할 수도 있다.[45] 녹지가 잘 관리되지 못한 블록에 사는 사람들은 녹지가 아예 없는 블록에 사는 사람들보다 신뢰가 낮았다.[46] 반대로, 공터를 깔끔하게 관리하면 몇몇 유형의 범죄를 줄이고 주민의 스트레스를 완화하며 동네의 안전에 대한 신뢰가 높아지고 주민들이 집 밖으로 나와 더 많은 친교 활동을 하도록 유도하는 효과가 있는 것으로 나타났다.[47]

점점 더 많은 연구(밴쿠버의 '해피 시티'나 런던의 '도시 디자인과 정신건강 센터' 같은 단체들의 노력으로)가 정신건강을 육성하도록 도시를 디자인하는 방법에 대해 시사점을 주고 있다. 또 어떤 이들은 좋은 도시 디자인이 "외로움의 만연"이라는 문제에 대처하는 데도 도움을 줄 것으로 기대한다.

펜실베이니아 주립대학 비버 캠퍼스의 심리학자 케빈 베넷은 "여러 자료에 따르면 전 세계적으로 특히 도시 지역에서 외로움과 사회적 고립이 증가하고 있다"며 "좁은 땅에 수백만 명씩 모여 사는 과밀한 도시에서도 고립의 정도는 믿을 수 없을 만큼 높다"고 설명했다.

도시 생활은 감옥 생활과 매우 다르지만 베넷은 명백한 유사점도 존재한다고 지적했다.[48] 그는 독방 수감자들이 겪는 것과 유사한 정신심리적 영향이 "고립되었다고 느끼고 좁은 아파트에서 다른 이들과 단절되어 사는 도시 사람들에게서도 (극단적인 정도로는 아니라 해도) 관찰된다"고 말했다.

도시가 의도적으로 사람들을 고립시키려고 디자인된 것은 아니지만 규모와 밀도 자체가 너무 압도적이어서 그러한 효과를 유발할 수 있다. 낯선 얼굴이 너무 많다 보니 그중 누구하고도 친밀한 관계를 맺기 어려워지는 것이다. 2012년 밴쿠버 재단이 약 4000명을 대상으로 실시한 조사 결과, 고층건물 거주자 중 이웃과 한 번도 가벼운 대화를 나눠본 적이 없다고 대답한 비중이 타운하우스나 단독주택 거주자 중에서보다 높았다.[49] 단독주택 거주자는 81퍼센트가 이웃 중 적어도 두 명의 이름을 안다고 답했는데 고층건물 거주자 중에서는 이 숫자가 겨우 56퍼센트였다. 또한 고층건물 거주자는 '이웃을 신뢰한다', '이웃에게 작은 도움을 제공한다'와 같은 항목에 그렇다고 답한 비중이 더 적었고 '외로움을 느낀다', '친구를 새로 만드는 것이 어렵다'고 답한 비중은 더 높았다.

하지만 건축 디자이너와 도시계획가가 사람들의 사회적 상호작용을 촉진하는 데 일조할 수 있는 길이 다양하다. 베넷은 이렇게 설명했다. "실내든 실외든 공용 공간이 있다고 해봅시다. 벤치나 테이블을 어떻게 배열하느냐만으로도 소통을 어느 정도 촉진할 수 있습니다." 예를 들어, 장기 요양 시설의 라운지에 대한 연구에서 의자를 소규모로 그룹을 지어 배치하면 전체 공간을 따라 열을 지어 배치할 때보다 친목 활동을 더 촉진하는 것으로 나타났다.[50] 이러한 결과에 착안해, 도시 디자인에도 옥외에 소규모로 사람들이 모일 수 있는 공간을 만들고 공원 벤치들을 서로 마주보게 배열하는 식의 변화를 도입해볼 수 있을 것이다. "그렇다고 사람들이 인생을 바꾸는 대화를 나누게 되지는 않겠지요. 하지만 그곳에서 마주친 누군가와 2분간 짧은 대화를 나누고 일상으로 돌아갔다가 또 다른 누군가와 2분간 대화를 나누고 이런 식으로 작은 상호작용들이 쌓여 일으키는 효과가 사람들에게 도움이 되리라고 생각합니다."

또한 여러 연구에서 공원, 도서관, 식당 같은 편의시설이 많은 동네에 사는 사람들이 그렇지 않은 동네에 사는 사람들보다 이웃과 더 친밀하게 지내고 고립감을 덜 느끼는 것으로 나타났다.[51] 건물 차원에서도, 아파트에 놀이방이나 공동 정원 같은 공용 공간이 있으면 비슷한 관심사를 가진 사람들이 자연스럽게 모여 소통하는 데 도움이 되는 것으로 나타났다.

마지막으로, 도시의 후생을 촉진하려면 근본적인 요소들에 관심을 기울여야 한다. 이를테면 안전하고 깨끗하고 조용하고 유지관리가 잘되는 주거 환경을 만드는 것이다.[52] 특히 주거비가 감당 가능한 범위에 있어야 한다는 점이 매우 중요하다. 호주에서 진행한 대규모 장기 추적 연구 결과, 저소득 및 중위 소득층 사람들이 지출 여력이 되는 집에 살다가 예산이 빠듯해지는 집으로 이사하자 정신건강이 저하되는 경향을 보이는 것으로 나타났다.[53]

'인간적인 디자인'이라는 목적이 거대해 보이지만 그것을 추동하는 동기는 간단하다. 피츠는 "인간 중심적인 디자인 운동의 핵심은 '친절함'을 구현하려는 것"이라고 말했다. "디자인은 더 친절한 건물을 만들 수 있습니다."

그리고 어쩌면 더 똑똑한 건물도. 사회적 가치가 달라지면서 우리가 더 친절한 공간을 만드는 데 관심을 갖고 나서게 되었듯이, 기술이 발달하면서 우리가 더 똑똑한 건물을 지을 가능성도 커지고 있다. 실내 환경에 대해 사소해 보이는 결정들, 이를테면 창문을 열 것인가, 계단을 어디에 둘 것인가, 가구를 어떻게 배치할 것인가 같은 선택들이 우리 삶에 큰 영향을 미칠 수 있다는 사실은 이제 명백하게 알려져 있다. 그리고 스마트홈 센서와 스마트홈 시스템이 우리의 건물에 새로운 역량을 부여하고 있다. 가령, 이제 우리 집이 우리의 건강과 후생을 적극적으로 챙기는 역할을 수행하게 될지 모른다.

7 말하고 듣고 기록하는 벽

레이 브래드버리부터 『우주가족 젯슨』 제작자까지, 반세기 넘도록 수많은 작가와 미래주의자들이 스스로 작동하는 스마트홈을 상상했다. 그들이 그린 미래의 집은 단지 우리를 보호해주는 거처가 아니다. 미래의 집은 우리를 위해 요리하고 청소하고 우리의 건강을 챙긴다. 아침에 깨워주고 아침상을 차려주고 다 먹으면 싹 치워준다.

 그 미래가 여기에 와 있다. 전 세계의 많은 집에서 스마트 온도계가 번쩍이고, 자동 진공청소기가 돌아가고, 스마트 스피커가 대기하고 있다. 프로그램되어 있는 블라인드는 해가 뜨면 알아서 올라가고, 온라인으로 연결된 냉장고는 우유가 얼마나 남았는지 알아서 체크한다. 스마트 화분이 언제 물을 줘야 하는지 우리에게 알려주고 스마트 급식기가 강아지에게 사료를 딱딱 정량씩 내어주며 집에 사람이 없어도 건물 관리실 직원이 들어가서 일을 처리할 수 있게 스마트 자물쇠가 알아서 문을 열어준다. 퇴근하고 돌아오면 저녁거리를 오븐에 넣기만 해도 오븐이 그게 닭고기인 줄 알아차리고 완벽하게 굽는다. 다 먹고 나면 따뜻하게 데워진 침대로 쏙 들어간다. 밤새 매트리스는 알아서 온도와 푹신한 정도를 조절한다. 그리고 아침이면 내가 침대에서 뭉그적거리지 않도록 매트리스 온도가 저절로 내려간다.

영국 미들섹스 대학에서 지능환경 연구팀을 이끌고 있는 후안 카를로스 아우구스토는 "이 영역이 매우 빠르게 변화하고 있다"고 말했다. "몇십 년 전만 해도 과학소설 이야기라고 여겨졌던 많은 것이 벌써 시장에 나오고 있습니다." 소비자의 수요가 증가하면서 테크놀로지 기업들은 스마트홈 시스템(지능환경, 가정 자동화, 퍼베이시브 컴퓨팅[pervasive computing], 사물 인터넷 등으로도 불린다)에 엄청나게 투자를 하고 있다. 2023년이면 미국 가정의 절반 이상, 전 세계 가정의 6분의 1 이상이 스마트홈 장비를 갖추게 될 것으로 보인다.[1]

일상 생활의 귀찮음을 줄여줄 목적으로 개발된 제품의 첫 번째 물결은 우리의 행동과 선호를 추적해서 우리 집을 더 편하고 효율적이고 편리한 곳으로 만드는 것을 목표로 했다. 하지만 이제는 빅 브라더가 의사가 되고 있다. 스마트 매트리스는 우리를 안락하게 해주는 데서 그치지 않고 수면의 질, 심장박동, 호흡 등의 정보를 수집하고, 스마트 온도계는 우리 집의 공기 질을 체크한다. 많은 회사가 약 먹을 시간이 되면 불빛이 나거나 알람이 울리거나 문자 메시지를 보내주는 스마트 약병을 판매하고 있다. 구글은 안색의 미세한 변화를 포착해 심혈관계 건강 상태를 알려주는 스마트 거울을 만들기 위해 광학 센서에 특허를 받았다.[2] 아마존은 콧물 훌쩍이는 소리를 들으면 곧바로 감기약을 주문할 수 있는 스마트 스피커 시스템에 특허를 받았다.[3] (아마도 아마존에서 주문하겠지?)

이러한 변화는 우리의 집이 우리의 건강을 돌보는 일에 어느 때보다도 긴밀히 관여하게 되리라는 점을 시사한다. 그런데 자못 의외의 시장이 이 분야의 테크놀로지 발달을 선도하고 있다. 이러한 제품들의 가장 최신 버전을 개척하고 있는 곳은 테크놀로지에 익숙한 밀레니얼 세대 대상의 시장이 아니다. 과학자와 공학자가 모든 테크놀로지와 기기를 총동원해 집을 의료기기로 탈바꿈하는 '통합 건강 모니터링 시스템'을 실험하고 있는 영역은 바로 노인 돌봄 영역이다.

여기에서 얻을 수 있을 잠재적 이득은 어마어마하다. 지구상에 65세 이상 인구가 7억이 넘으며 이 숫자는 2050년이면 두 배가 될 것으로 보인다.[4] 게다가 수명이 길어지면서 노인들이 생애의 더 많은 기간을 신체적으로 취약하고 인지 기능이 저하된 상태로 살게 될지 모른다. 집에 센서, 카메라, 추적 장치, 모니터링 기기 등이 있으면, 적어도 이론상으로는 노인 인구 상당수가 건강하고 자립적으로 살아가는 데 도움을 줄 수 있다. 병들고 쇠약해지더라도 자신의 집에서 안전하게 나이들어갈 수 있는 것이다. 이러한 시스템은 건물이 의사 역할을 하게 될 때의 희망과 위험 모두를 보여주는 일종의 예고편으로서, 스마트홈을 통한 건강 모니터링의 미래를 엿볼 수 있게 해준다.

미주리 대학의 연구자이자 노인 전문 간호사인 매릴린 랜츠는 나이 듦이 더 좋은 경험이 되게 하는 데 평생의 경력을 바쳤다. 일반적으로 노년에는 돌봄 서비스를 받아야 하는 상황이 증가하면서 점점 더 고강도의 돌봄을 제공하는 거주지로 옮겨 가게 된다. 자신에 집에 살다가 거동이 불편한 사람을 위한 생활지원 시설로 옮겼다가, 그다음에는 요양원으로 가게 되는 것이다. 하지만 이렇게 거주지를 옮기면 불안정해지고 생활이 혼란스러워지며 매우 위험할 수도 있다. 노인을 한 거주지에서 다른 거주지로 옮기면, 특히 그들의 의사에 반해서 옮기면 혼란, 불면, 식욕 상실, 불안, 우울을 유발할 수 있다.[5]

더 심각한 결과도 낳을 수 있다. 랜츠는 1980년대에 심각한 상황을 직접 목격했다. 당시 그는 위스콘신주에 있는 한 요양원의 관리자로 일하고 있었는데 요양원 거주자의 일부를 새로운 시설로 옮겼을 때 사망률이 치솟은 것이다.[6] "이들에게는 이사가 적응하기 매우 어려운 일이어서 상당한 스트레스를 유발합니다. 조기 사망으로도 이어질 수 있습니다." 그리고 노인들은 시설로 가는 것을 달가워하지 않는다. 여러 조사에서 노인들이 자신의 집에 머물면서 최대한 오래 자립적으로 살기를 원한다는 결과가 반복적으로 나왔다.[7]

1996년 랜츠와 미주리 대학 싱클레어 간호 대학원 동료들은 노인 거주 시설의 새로운 모델을 만들기로 했다. 노인들이 "자신의 공간에서 나이 들어가도록" 하는 것이 목표였다. 그들은 노인 생활 시설을 소유, 운영하고 있는 아메리케어 코퍼레이션과 파트너십을 맺고 타이거플레이스라는 곳을 만들었다. (이름은 미주리 대학의 마스코트인 고양이를 염두에 둔 것이다.[8]) 그리고 이곳을 운영할 돌봄 기관 '싱클레어 홈 케어'를 설립했다. 타이거플레이스는 성인이 삶의 마지막까지 지낼 수 있는 아파트로서 구상되었다. 이곳은 각 세대가 자립적으로 생활하는 공간이지만 필요에 따라 조정 가능하도록 유연하게 구성될 것이었다. 거주자가 필요로 하는 바에 따라 싱클레어 측에서 물리 치료, 상처 치료, 목욕 도우미, 옷차림 도우미 같은 추가적인 보조를 제공하고 삶의 마지막 순간에는 호스피스 케어를 제공하는 것이다. 랜츠는 이렇게 설명했다. "우리는 사람들이 살고 있는 곳으로 의료와 돌봄을 가지고 가서 말년까지 그들이 자신의 집에 머물 수 있게 할 것입니다."

랜츠가 한창 타이거플레이스 설립과 운영에 매진하고 있던 1999년 말에 랜츠의 노모가 넘어져서 어깨 골절상을 입었다. 노모는 혼자 8시간이나 집 바닥에 쓰러져 있었다. 그리고 결국 회복되지 못했다. "낙상하고 여섯 달을 못 넘기고 돌아가셨어요." 랜츠가 말했다. "낙상과 골절 이후에 흔히 일어나는 일이지요."

매년 노인 4명 중 1명 이상이 낙상을 하고, 바닥에 오랜 시간 방치되어 있을 경우 특히 예후가 안 좋다.[9] 랜츠는 낙상을 자동으로 포착하는 시스템을 타이거플레이스에 만들면 어머니가 맞아야 했던 운명을 많은 사람이 피할 수 있지 않을까 생각했다.

이를 위해 협업자를 찾던 중에 랜츠는 같은 학교 공대에서 그가 꿈꾸는 바를 강연하게 되었는데 청중 중에 마저리 스쿠빅이라는 전자공학자이자 컴퓨터공학자가 있었다. 1997년 이 대학에 온 스쿠빅은 다른 학과와 협업을 하고 싶었고 변화를 만들어내는 연구를 하고 싶었다. ("열 명이나 읽을까 말까 한 고루한 학술지 논문 쓰는 데만 매달리면서 시간을 보내고 싶지 않았습니다.") 그리고 랜츠의 비전은 그가 바라는 두 가지를 다 충족했다. "나는 '우와, 정확히 내가 찾던 거야'라고 생각했어요. 그리고 자청해서 손을 들었습니다."

일련의 포커스 그룹 인터뷰를 통해 스쿠빅과 랜츠는 노인들이 낙상 감지 기술이라는 개념은 기꺼이 받아들이지만 몸에 무언가를 부착하는 것(가령, 팔찌를 차거나 클립을 다는 것)은 꺼린다는 것을 알게 되었다.[10] 몸에 부착하는 장비는 사용자가 할 일이 많다. 일단 부착을 까먹지 말아야 하고 충전도 잊지 말고 해야 한다. 또 장비를 달고 있으면 병이 있거나 몸에 문제가 있는 사람이라는 낙인이 찍힐 수도 있다. 그래서 스쿠빅과 랜츠는 사람의 몸이 아니라 집에 센서를 부착하는 방식을 개발하기 시작했다. "우리는 '그들은 아무것도 안 해도 되게 하자'고 생각했어요. 센서를 주위의 환경에 부착하면 사람은 그것을 착용하거나 충전을 신경 써야 할 필요가 없죠."

여러 동료 및 학생과 함께 일하면서 스쿠빅은 그 후 몇 년 동안 대학 연구실에서 낙상 감지 기술을 개발했다.[11] 그의 연구실에는 하이테크 동작 감지 카메라와 가정용 가구들이 널려 있다. 연구팀은 바닥 진동 센서, 도플러 레이더, 낙상 소리를 감지하는 마이크 등 여러 가지를 실험해보고 나서 비디오 게임에 쓰이던 기술 하나를 사용하는 것이 가장 전망 있으리라는 결론에 도달했다. 마이크로소프트의 엑스박스 게임 콘솔에 사용되었던 동작 감지 카메라 '마이크로 키넥트'였다. (지금은 생산되지 않는다.) 키넥트는 원근을 인식해 물체가 센서로부터 얼마나 멀리 떨어져 있는지를 파악할 수 있다. 스쿠빅의 팀은 원근 데이터를 통해 인간 형체의 실루엣을 뽑아내고 시간에 따른 실루엣의 움직임을 추적해서 갑자기 넘어질 경우 곧바로 포착할 수 있었다.

성능을 테스트하고 개선하기 위해 스쿠빅의 연구팀은 스턴트 배우들에게 의뢰해 무언가에 걸려 넘어지는 것, 미끄러져 넘어지는 것, 의자에서 넘어지는 것, 침대에서 굴러떨어지는 것 등 스무 가지의 낙상 동작을 해보도록 했다. 스쿠빅은 "스턴트 배우들이 노인처럼 넘어지도록 훈련시켰다"고 설명했다. 또 바닥에 떨어진 물건을 줍는 것처럼 센서가 가짜 낙상 신호를 울리게 할 법한 동작도 시켜보고 기계학습을 통해 소프트웨어가 진짜 낙상과 가짜 낙상을 구별하도록 했다. "낙상 감지의 핵심은 넘어지는 것을 포착하는 데보다 그것이 낙상인지 아닌지를 구별하는 데 있습니다." 충분히 만족스러운 결과에 도달했을 때 연구팀은 그것을 타이거플레이스로 가지고 왔다.

나는 2018년 여름에 타이거플레이스를 방문했다.[12] 2004년에 문을 연 이곳은 널찍한 1층짜리 벽돌 건물로, 미주리 대학 캠퍼스에서 가까웠다. 내부는 고급스러웠다. 로비에는 그랜드 피아노, 양단 커튼, 셀 수 없이 많은 샹들리에가 있었고, 복도에는 자연 채광이 들어왔다. 거주자들은 쉽게 밖으로 나갈 수 있었고 모든 호실에는 방충망이 있는 현관 테라스가 있었으며 이곳은 공동 정원으로 이어져 있었다. 공동 정원에는 분수, 새 모이 주는 곳, 화분 등이 있었다. (타이거플레이스가 반려동물을 허용하기 때문에 밖에 나갈 수 있다는 것은 특히나 유용했다. "반려동물 친화적인 것 이상입니다. 반려동물을 장려하죠." 타이거플레이스 운영 소장 카리 레인은 이렇게 말했다. 이곳은 전형적인 주거용 아파트지만 열 마리도 넘는 개와 고양이가 살고 동물 병원도 있다. 미주리 대학 수의학과 학생과 교수 들이 이곳의 동물을 진료한다.)

거주자의 연령은 60대 중반부터 90대 후반까지 다양하고 대부분은 적어도 하나 이상의 만성질환을 가지고 있다. 이곳에는 심장질환, 관절염, 당뇨, 치매 등을 가진 사람들이 살고 있고, 대부분 열 가지 이상의 약을 먹는다.[13] 이들은 6개월에 한 번씩 종합 검진을 받고, 개인 주치의는 타이거플레이스의 간호사들과 늘 연락이 가능하다.

물론 목표는 노인들을 건강하게 하는 것이지만, 노쇠해지더라도 그들이 계속 집에서 지낼 수 있도록 하는 것 역시 중요한 목표다. "누군가가 걷는 데 문제가 생기면 우리는 물리 치료사를 보낼 겁니다. 괜찮아지면 물리 치료를 중단하고요. 누군가가 넘어져서 고관절이 골절되면 우리 모두와 마찬가지로 병원에 가서 치료를 받게 되겠지요. 그리고 재활 시설에서 어느 정도 지내야 할 수도 있겠지만 그다음에는 집으로 돌아올 겁니다." 레인이 설명했다.

이러한 접근법은 효과가 있는 것으로 보인다. 타이거플레이스가 문을 연 이래 평균 거주 기간은 계속 늘고 있으며 전국 노인 생활 시설의 평균 거주 기간은 이미 넘어섰다.[14] 삶의 가장 마지막 순간까지 10년 넘게 이곳에 사는 사람도 있다. 내가 방문한 날에는 14년 전에 이곳에 온 한 남성 노인이 임종을 앞두고 있었다. "오늘을 못 넘기실 것 같아요." 랜츠가 말했다. 이곳 직원들은 그의 임박한 죽음을 매우 슬퍼했지만 많은 면에서 이것이 행복한 이야기라는 것 또한 알고 있었다. 노인이 말년을 자신의 집에서 살다가 평화롭게 임종을 맞이하는 것이니 말이다.

미주리 대학 연구자들은 타이거플레이스에서 새로운 아이디어를 계속 시도하고 있다. 식당 밖의 게시판에는 참가자를 모집하는 연구 전단지들이 빼곡하다. 2013년 스쿠빅의 팀은 원근 감지 카메라를 타이거플레이스의 10여 세대에 설치해 낙상 감지 시스템 연구를 시작했다.[15] 이 시스템은 낙상이 일어난 것으로 판단되면 당직 간호사에게 이메일로 알람을 보낸다. 이메일에는 해당 움직임을 담은 짧은 동영상이 첨부되어서 간호사가 그것을 보고 무슨 일이 일어났는지 빠르게 파악할 수 있다. 동영상 장면이 정말로 거주자가 넘어진 것을 의미한다면 간호사는 몇 분 만에 그 집에 도달할 수 있다. 동영상을 보니 알람이 잘못 온 것이었다면 (강아지가 소파에서 뛰었거나 손주가 바닥에서 뛰어다니며 논 것을 시스템이 낙상으로 오인한 경우 등) 그냥 둔다. "넘어진 것이 아니라면 15명이 달려가서 확인해야 할 필요가 없지요. 우리는 거주자들이 프라이버시와 존엄을 최대한 누리기를 바랍니다. 그래서 가급적 그렇게 집 안으로 들어가는 일을 하지 않으려 합니다."

이 시스템은 101일 동안 낙상을 75퍼센트 포착했고 한 달에 한 집당 가짜 경고가 한 번씩 울렸다. 이 시스템은 굉장히 인기가 있어서 이후에 연구팀은 타이거플레이스의 다른 집과 다른 주의 노인 생활 시설들에도 이것을 설치했다.[16] (알고리즘도 점점 더 정확해져서, 스쿠빅에 따르면 이제는 카메라의 시야 안에서 발생한 거의 모든 낙상을 잡아낸다.)

하지만 처음부터 연구자들의 목적은 단순히 위기에 대응하는 것보다 훨씬 원대했다. 집에 부착된 센서들이 노인의 건강과 행동 패턴에서 미세한 차이들을 잡아내면 문제가 커지기 전에 증상을 미리 진단할 수 있으리라는 것이 그들의 생각이었다. 낙상할 **위험**이 있는 사람을 짚어낼 수 있다면 물리 치료사를 보내서 힘과 균형 감각을 기르는 연습을 하게 해 낙상을 예방할 수 있을 것이다. 폐렴으로 발달할지 모르는 징후를 보이는 사람이 있으면 미리 항생제와 수액을 투여할 수 있을 것이다.

느리고 짧은 보폭으로 걷는 노인이 낙상 위험이 높다는 사실이 이전의 여러 연구에서 밝혀졌기 때문에 스쿠빅과 동료들은 원근 카메라에 추가할 보폭 모니터링 소프트웨어를 개발했다. 타이거플레이스에서 시험해보니 걸음 속도와 보폭이 약간만 떨어져도 낙상을 잘 예측할 수 있는 것으로 나타났다.[17] 이제 이 시스템은 누군가가 낙상할 확률이 85퍼센트 이상이 되면 직원들에게 알람을 보내준다. 랜츠는 어머니가 낙상 사고를 겪기 전인 20년 전에 이 시스템이 있었으면 얼마나 좋았을까 하는 생각이 든다고 했다. "엄마에게 그런 일이 일어날 가능성이 있다는 것을 그보다 3~4주 전에 알았다면 적절한 치료나 조치를 미리 받으시게 했을 거예요."

스쿠빅의 팀은 침대용 수압 센서도 개발했다. 물이 담긴 길고 유연한 관을 침대 매트리스 안에 설치해 밤에 얼마나 뒤척이는지 파악하고 심장과 폐의 미세한 움직임을 포착해 심장 박동과 호흡도 측정할 수 있다. 또 간단한 동작 센서를 집에 설치하면 거주자의 일상적인 움직임에서도 징후를 발견할 수 있다. 가령, 방에 들어가고 나가는 것을 매번 확인할 수 있다.

이렇게 해서 이 센서들은 일종의 '지속적인 건강 검진'을 수행해[18] 우려할 만한 변화가 포착되면 간호사에게 바로 알린다. 예컨대 갑자기 밤에 뒤척이는 횟수가 많아지는 것은 통증의 신호일 수 있다. 화장실에 자주 가는 것은 요로 감염의 초기 신호일 수 있다. 전보다 침대에서 시간을 더 많이 보내는 여성 노인은 피로나 우울증을 겪고 있을 수 있다. 밤에 집에서 나가는 사람은 치매의 초기 증상일 수 있다.

알람이 오면 간호사는 가서 당사자와 이야기를 나눈다. "우리는 들어가서 '간밤에 알람이 울렸어요'라고 말하지 않습니다. 조심스럽게 질문하면서 신뢰 관계를 형성해갑니다. 그들이 어떤 상태인지를 살피고 우리가 더 주의를 기울여야 하는 것이 있는지 알아내기 위해서요. 탐정 일과 비슷하죠."

최근에 타이거플레이스 직원들은 한 여성 거주자가 밤에 평소보다 더 뒤척이는 것을 발견했다. 간호사가 확인하러 갔을 때 그 여성은 잠을 잘 못 잔다고 말하면서 손을 희한하게 뒤틀기 시작했다. 심각할 수도 있는 징후였다. 손을 뒤트는 것은 탈수와 전해질 불균형의 신호일 수 있기 때문이다. 간호사는 그 여성의 주치의에게 연락했고 주치의는 몇몇 검사를 지시했으며 그 결과 정확한 진단이 나왔다. "그리고 곧바로 수액을 투여해서 입원까지 가지 않을 수 있었습니다." 레인이 설명했다. 간호사의 교대 근무 한 타임 정도의 시간 안에 그 여성 노인은 진찰, 진단, 치료 모두를 자신의 집을 떠나지 않은 상태로 받을 수 있었다.

또 한 번은 남성 노인이 한밤중에 집에서 돌아다니는 것이 포착되었다. 타이거플레이스 직원들은 그가 치매 초기임을 알게 되었고 치매의 진행을 늦추는 상담과 약물 치료를 받도록 했다. "사례는 더 있습니다. 원하시는 만큼 알려드릴 수 있어요." 이 시스템을 통해 간호사는 폐렴, 섬망, 심장병, 저혈당 등 여러 문제를 더 잘 짚어낼 수 있고 낙상, 응급실 내원, 입원 같은 건강 관련 중대 사건을 그것이 실제로 일어나기 몇 주 전에 포착해 예측할 수 있다. 당사자가 증상을 느껴서 이야기하기 전에, 때로는 당사자가 아직 아무 증상도 느끼기 전에 말이다. 2015년의 한 연구에서 타이거플레이스 거주자 중 센서가 부착된 집에 사는 사람들이 부착하지 않은 사람들보다 이곳에서 1.7년을 더 오래 산 것으로 나타났다.[19]

타이거플레이스는 스쿠빅의 팀이 세운 가설을 강력하게 입증했으며 연구팀은 이러한 성취에 기반을 둔 연구를 더 진전시키고 있다. 스쿠빅의 전 대학원생 한 명은 이 기술을 상업화하려고 포사이트 헬스케어라는 회사를 차렸다. 포사이트는 마이크로소프트의 키넥트를 대신할 원근 센서 카메라를 직접 개발했고 낙상 감지 시스템이 가짜 알람을 울리는 빈도를 세 달에 한 번 꼴 정도로 낮췄다. 포사이트는 여러 주의 노인 생활 시설 수십 곳에 이 시스템을 설치했다.[20]*

　　스쿠빅과 랜츠는 질병 포착 시스템을 개인 가정에 적용할 방법도 강구하고 있다. 스쿠빅은 이것이 생각보다 쉽지 않다는 것을 사우스다코타주의 부모님 집에 센서를 설치해보고 절실히 깨달았다.[21] 센서를 설치하고 얼마 뒤에 96세인 아버지가 폐렴에 걸렸다. 이를 알게 된 스쿠빅은 데이터를 찾아보았다. 아버지의 침대 센서는 지난 6주간 아버지가 평소보다 많이 뒤척였음을 보여주고 있었다. 사실 뒤척임 증세가 상당히 뚜렷해서 스쿠빅은 알람도 받았다. 하지만 스쿠빅은 그것을 해석할 줄을, 혹은 어떻게 반응해야 할 줄을 몰랐다.

그의 아버지가 타이거플레이스에 살았더라면 알람이 왔을 때 간호사가 그의 의료 차트와 함께 알람을 검토하고 과거의 비슷한 알람과 비교하고 아버지를 직접 만나 진찰도 했을 것이다. 하지만 스쿠빅이 사는 곳은 아버지가 사는 곳과 매우 멀었고 그는 엔지니어였지 간호사가 아니었다. 사실 뒤척임 자체는 큰 문제가 아닐 수도 있다. 잠을 잘 못 자는 데는 수많은 이유가 있을 테니 말이다. 그래서 스쿠빅은 그것을 "불규칙"이라고만 기록하고 넘어갔다.

스쿠빅의 아버지가 병원에 간 것은 70년 넘게 부부로 살

★ 포사이트는 병원에서 환자의 낙상과 욕창 예방을 돕는 시스템도 개발했다. 환자가 침대에서 나가려는 것 같은 움직임을 센서가 포착하면 간호사가 들어가서 도와줄 수 있고, 침대에만 있는 환자들이 너무 오래 한 자세로 지내서 압력이 가해지는 부위에 욕창이 발생하지 않게 하는 데도 센서의 도움을 받을 수 있다.

아온 아내가 그가 평소와 다르다는 것을 알아차리고 다그쳐 서였다. "우리가 센서 시스템으로 하고자 하는 일을 엄마가 하신 셈이죠." 스쿠빅이 웃으면서 말했다. 이 경험에서 그는 교훈을 얻었다. "제가 이 일을 10년, 사실은 15년을 했는데도 신호를 어떻게 해석해야 할지를 몰랐어요. 이 모든 데이터를 유용한 정보로 바꾸려면 아주 많은 개발이 더 필요할 것입니다. 그리고 이 시스템을 정말로 간단하게 만들어야 합니다."

스쿠빅과 동료들은 데이터가 가득하고 해독하기 어려운 신호를 알기 쉬운 일상어로 바꾸는 작업을 하고 있다. 또한 아마존 에코나 구글 홈처럼 시중에서 쉽게 구할 수 있는 스마트 스피커를 통해 데이터를 전달할 수 있는 가능성을 탐색하고 있다. '대화형 시스템을 만들어서 '내가 어젯밤에 잠을 잘 잤어?', '내가 넘어질 위험이 얼마나 되지?' 같은 식으로 시스템에 질문할 수 있을 것입니다. 또는 도움을 주는 식구가 '엄마 어제 잘 주무셨어?', '엄마가 넘어지실 위험은?' 같은 식으로 시스템에 대신 질문할 수도 있을 테고요."

문제는 그다음이다. 타이거플레이스에서는 간호사에게 가면 되고 간호사가 다음 단계들을 진행할 수 있다. 하지만 혼자 사는 여성 노인이 간밤에 늦게까지 잠들지 못했다는 것을 시리나 알렉사가 알려오면 어떻게 해야 하는가? "그러면 그 여성 노인은 이렇게 질문할 것입니다. '의사한테 가봐야 할 정도인 거야? 아니면 먹는 것을 바꿔보거나 잠자리에 좀 일찍 들거나 하면 되는 거야? 내가 약을 잘못 먹고 있었던 거야?' 이렇게요. 그러니까, 누군가는 이것을 종합적으로 보고 지침을 줄 수 있어야 합니다." 의사들은 이미 업무가 과중하므로 이 모든 알람을 의사에게 보내는 것은 좋은 해법이 아닐 것이다. 그래서 스쿠빅의 팀은 사용자가 알람 신호를 검토하고 해석할 수 있게 도와주는 간호사 혹은 '돌봄 코디네이터' 네트워크를 만드는 방식의 해법을 생각하고 있다.

많은 노인이 이러한 테크놀로지를 반기지만, 너무 일상 깊숙이 침투하고 믿을 만하지 못하며 괜한 걱정을 불러일으킨다고 우려하기도 한다.[22] 자신의 신체 기능과 활동에 대한 정보가 날마다 세세하게 이메일로 보고되는 것을 모두가 좋아하는 것은 아니다. 레인은 이렇게 말했다. "어떤 사람들은 이렇게 말합니다. '나는 그것을 보고 싶지 않아요. 건강 염려증이 되고 싶지 않아요. 나는 그런 정보를 알 필요가 없어요. 병원에 가야 한다면 누가 말해주겠죠'라고요."

테크놀로지를 기꺼이 받아들이는 사람도 프라이버시에 대해서는 우려한다. "가령, 이렇게 말하는 사람들이 있습니다. '딸이 그걸 보는 건 괜찮지만 아들이 보는 것은 싫어. 며느리를 못 믿겠거든'이라고 말이에요." 스쿠빅이 설명했다. "그들은 그것을 '자신의' 데이터라고 생각합니다. 흥미로운 관점이고, 사실 고무적인 관점이라고 생각합니다." 또한 낙상 감지 카메라는 신체를 실루엣으로만 보여주지만 그렇더라도 화장실과 침실에는 설치를 꺼리는 사람도 많다.

충분히 이해할 만하지만, 여기에는 상충관계가 있다. 카메라나 센서가 볼 수 있는 범위가 제한될수록 시스템이 놓치는 것이 많아진다. 그래서 타이거플레이스 연구자들이 몇몇 개인 가정에 시범용으로 센서를 설치했을 때 오해를 사기도 했다. "이런 항의 전화를 받곤 합니다. '내가 넘어졌는데도 당신들은 나에게 알리지 않았어요'라고요. 하지만 사실은 센서가 없는 곳에서 넘어졌던 것이죠. 넘어질 위험이 크면서 동시에 당사자가 설치해도 좋다고 허락하는 곳에만 센서를 설치해야 하니까요." 레인이 설명했다.

이러한 기술을 도입하고자 하는 노인 돌봄 시설도 기술의 한계를 늘 잘 이해하고 있는 것은 아니다. "그들은 전원만 꼽으면 작동되는 시스템을 원합니다." 하지만 시스템을 잘 이용하려면 직원들이 교육을 받아야 하고 대응에만 치중하기보다 선제적인 개입에 더 초점을 두는 쪽으로 문화적인 변화가 필요하다. 어쨌거나 테크놀로지는 마법이 아니고 센서 자체가 타이거플레이스 거주자들을 건강하게 해주는 것은 아니다. "이곳에서 우리가 쓰는 테크놀로지는 훌륭하지만 여전히 그 뒤에서 챙기고 관리하는 사람을 필요로 합니다. 이것은 청진기 같은 또 하나의 도구일 뿐이에요. 우리가 다양한 정보에 기반을 두고 선택할 수 있게 도와주는 새로운 도구죠." 레인이 설명했다.

전 세계의 공학자들이 건강 모니터링 장치 개발에 나서면서 도구상자는 점점 커지고 있다. 몇몇 일본 대학의 연구자들은 목욕하는 사람의 심장 움직임에서 전기적 활동을 아무 통증 없이, 그리고 당사자는 아무 일도 하지 않아도 되는 채로 측정할 수 있는 욕조를 만들었다. 그들은 심장병, 부정맥 등의 증상을 잡아낼 수 있을 것으로 기대하고 있다.[23] MIT의 한 공학자 팀은 벽에 붙이면 가슴의 미세한 움직임을 무선으로 포착해서 호흡과 심장박동을 측정하는 장치를 개발했다.[24] 노인들이 약을 잘 먹는지 혹은 식사를 제때 하는지 등을 지속적으로 확인하는 동작 감지 시스템과[25] 치매가 있는 성인에게 현관문을 닫으라거나 수도꼭지를 잠그라거나 비 올 때 창문을 닫으라고 알려주는 장치도 있다.[26] 또 집 안에 설치된 건강 센서와 연동되어 작동하는 로봇도 있다.[27] 이 로봇은 거주자가 탈수 증상을 보이면 물을 마시라고 말해주고 넘어지면 얼른 달려와 본다. (낙상에 반응하는 로봇이 곧바로 돌봄 제공자에게 메시지를 전하면 돌봄 제공자는 그 로봇을 이용해 넘어진 사람과 동영상으로 대화를 나누면서 대책을 세울 수 있을 것이다.) 노인

돌봄 로봇은 고령화가 특히 빠르게 진행되고 있는 일본에서 굉장히 활발하게 연구되고 있는 분야다.[28]

스마트홈 테크놀로지를 그 밖의 장애를 가진 사람들을 위해 적용하는 곳도 있다. (5장에서 보았듯이 퍼스트 플레이스에서도 동작 감지 센서 기반의 시스템을 이용해 신경 장애가 있는 주민이 실수로 스토브를 켜놓고 나가지 않게 돕는다.) 미국 보훈부는 "가정 기반 인지 보조 장치"를 개발했다.[29] 뇌에 부상을 입어 기억, 계획, 문제 해결 능력을 잃은 재향 군인들을 위한 시스템으로, 집에서 돌아다닐 때 그들의 위치와 행동을 추적하고 잘 보이는 터치 스크린을 통해 아침 식사를 준비하라거나 이를 닦으라거나 약을 먹으라거나 세탁기에서 빨래를 꺼내라는 식으로 그들이 해야 할 일을 맞춤으로 상기시켜 준다.

컴퓨터의 계산 능력과 인터넷 속도가 급속히 빨라지면서 가능성의 범위도 증폭되었다. 특히 스마트 도시가 전례 없는 양의 데이터를 모을 수 있게 되면서 더 그렇다. 도시들은 전력 수요의 변화에 반응하는 전력망을 실험하고 있고, 행인이 적으면 불빛이 흐려지는 가로등, 주차 공간이 비어 있으면 신호를 보내주는 센서, 수거해야 할 쓰레기나 수리해야 할 도로가 있는지 알려주는 센서도 개발하고 있다. "빅 데이터는 새로운 천연자원입니다. 수도와 전기가 100년 전에 도시의 구성을 완전히 바꾸었듯이 빅 데이터도 그만한 영향력을 발휘할 것입니다." 캔자스 대학의 '스마트 시티 연구소' 소장 조 콜리스트라는 이렇게 말했다.

콜리스트라는 스마트 메트로폴리스가 공중보건 상태를 모니터링하고 관리하는 새로운 방법도 제공할 수 있다고 말했다. 2018년 봄에 그는 자신이 생각하는 바를 보여주고자 캔자스주 로렌스로 나를 초대했다.[30] 우리는 톱밥 냄새가 나는 창고 뒤쪽의 동굴 같은 구석으로 들어갔다. 콜리스트라는 그곳에 나무로 된 작은 집의 구조물을 세워두었는데, 이것이 그의 비전의 초창기 모델이다. 건강 모니터링 센서가 장착되어 있고 모듈 형태로 된, 구매 가능한 가격대의 기성품 주택이 그가 꿈꾸는 비전이다. 그는 이러한 유형의 주택을 도시에 수천 개, 수만 개씩 설치할 수 있을 것이라고 했다.

콜리스트라는 한창 그가 개발한 낙상 감지 및 걸음걸이 분석 시스템을 테스트하는 중이었다. 이 시스템은 바닥에 부착하는 센서를 이용한다. 창고 안은 추웠지만 콜리스트라는 스포츠 외투를 벗어서 나무 판넬이 쌓여 있는 곳에 걸쳐두었다. "먼지를 뒤집어쓸지 몰라서요." 우리는 지하로 내려가서 바닥판 아래로 기어 들어갔다. 바닥을 누르는 압력을 측정하는 희한하게 생긴 장비들, 진동을 측정하는 가속계 등이 나무 들보에 줄지어 부착되어 있었다. 콜리스트라가 말했다. "하이

힐의 압력을 포착하도록 측정 장비의 눈금을 새로 맞추어 두었어요. 당신이 바닥을 지나가면 걷는 패턴을 볼 수 있지요."

센서들은 1초에 200개의 데이터를 읽어 들이며 모든 데이터를 무선으로 클라우드에 보낸다. 콜리스트라는 수학자 및 의사 들과 함께 일하면서, 낙상뿐 아니라 다리를 절거나 림프, 떨림, 파킨슨병, 경화증, 심지어는 당뇨까지(당뇨는 발의 신경을 죽여서 걸음걸이가 미세하게 달라지게 만든다) 찾아내는 알고리즘의 개발 가능성을 탐색하고 있다.

"센서와 전선으로 연결된 바닥"은 콜리스트라가 구상한 더 큰 시스템의 일부이자 첫 번째 대상일 뿐이다. 그는 스마트 거울로 얼굴의 점 패턴, 치석, 눈의 반사 작용, (뇌졸중의 신호인) 안면의 미세한 비대칭 등을 모니터링하는 것도 구상 중이다.[*] 또한 그는 화장실 센서로 탈수, 신장병, 당뇨를 알아내는 것에 특히 관심이 많다. 그는 탈수 감지 센서가 달린 스마트 변기가 심장질환이 있는 사람에게 매우 소중한 도구가 될 수 있을 것이라고 생각한다. 신체에서 수분을 추가적으로 빼내기 위해 정확한 용량의 이뇨제를 복용해야 하기 때문이다. "스마

---

[*] 이 영역에서는 많은 연구가 이미 진행되고 있다. 이런 연구들은 광학 센서와 알고리즘을 사용해 사람들의 눈, 피부, 얼굴을 스캔한 데이터로 피부암, 빈혈, 콜레스테롤 증가, 혈당, 심장박동, 스트레스, 피로, 불안, 여러 유전적 질환 등을 포착하려 한다.

트 변기의 데이터가 자동화된 약통과 연결되어 이뇨제의 양을 조절하게 하는 것입니다." 콜리스트라가 설명했다. "집은 의료기기가 될 것입니다. 집이 당신을 돌보는 것이죠."

콜리스트라의 꿈은 가정용 센서가 수집한 정보를 스마트 시티, 그리고 관련 기업들이 수집하는 다른 모든 데이터와 결합하는 것이다. "누군가가 이틀 연속 잠을 두 시간밖에 못 잤고, 다리를 절기 시작했고, 스마트 거울에 따르면 눈 움직임이 평소와 다르고, 반응 시간이 늦어졌고, 스마트 변기에 따르면 탈수 상태이고 등등의 정보를 당신이 알 수 있다고 합시다. 당신은 이러한 정보를 그 지역이 습도가 높다든가, 기온이 0도 근처라든가, 비가 조금 내려서 보행자 도로에 살얼음이 형성되고 있다든가 하는 환경 조건에 겹쳐볼 수 있습니다. 그러면 매우 높은 정확성으로, 아마도 99퍼센트의 확률로, 그가 다음 날 낙상할 것이라고 예측하게 될 것입니다. 이러한 센서를 1만 명이 사는 동네에 설치한다고 치면, 인구 중 몇 명이 99퍼센트의 확률로 넘어질 것이라고 예측할 수 있겠죠. 그러면 그 열 명이나 스무 명에게, 혹은 그들의 가족에게 연락해서 '내일 특히 더 조심하시고 장 보러 갈 때 차를 이용하시거나 지금 거주하고 계신 생활 시설의 담당자에게 알리세요'라고 말할 수 있을 것입니다."

콜리스트라는 이러한 가정 건강 데이터가 도시 당국이

인구 집단의 후생을 추적할 수 있게 해주고 공중보건상의 특정한 개입이 필요한 지점이 어디인지 짚어내는 데 도움을 줄 것이라고 본다. (그러한 개입에는 활동 친화적 디자인도 포함될 것이다.) 가령, 스마트 바닥이나 스마트 변기가 당뇨가 많이 발생하는 지역을 발견했다면 연구자와 당국자는 원인과 해결책을 찾아나설 수 있을 것이다. 아마도 그 동네에 더 많은 공원과 산책로, 적당한 가격대의 신선 식품을 파는 가게 등이 필요할지 모른다. "이것은 도시계획을 어떻게 할 것인가, 이상적인 세계를 어떻게 지을 것인가, 특정한 동네에 돈을 사용할 때 우선순위를 어디에 둘 것인가 등에 폭넓은 시사점을 줄 수 있습니다. 모든 데이터가 서로서로 소통하게 하는 방식으로 우리가 데이터를 사용할 수 있다면 정말로 혁명적일 것입니다!"

하지만 이 시스템을 강력하고 효과적으로 만들어주는 바로 그 특성은 한편으로 그것을 매우 위험하게 만들기도 한다. 이러한 기술의 핵심은 우리의 신체와 우리가 사적 공간인 집에서 하는 행동에서 방대한 데이터를 뽑아내는 능력이다.* 그런

✻ 얼마나 개인적인 데이터까지 수집할 수 있는지 보여주는 사례를 하나 들자면, 2017년 캐나다의 한 회사가 블루투스에 연결된 '진동기'를 사용한 개인 고객의 정보를 수집한 것 때문에 집단소송에 걸렸다. 회사는 "시장 조사"를 위해 필요했다고 주장했다. 소송은 양자 간의 합의로 종결되었다.[31]

데 스마트홈 시스템은 해커들에게 유혹적인 목표물이고 기업이 아무리 조심한다고 해도 누출되거나 보안이 뚫리는 것은 불가피하다. 일부 사용자의 건강 정보가 세계에 노출되는 일이 벌어지는 것은 시간문제일 뿐이다.

이에 더해 스마트홈과 스마트 도시가 제기하는 실존적인 위험 중 하나는 우리의 공적, 사적 공간을 기업에 내놓는다는 데 있다. 기업은 우리의 정보를 자신의 이익을 위해 사용할 것이다. 사실 이미 벌어지고 있는 일이다. 2018년 10월 『뉴욕타임스』의 보도에 따르면, 한 스마트 온도계 스타트업이 고객의 건강 정보를 클로록스에 팔았고 클로록스는 그 데이터를 이용해 열병이 급증한 지역에 감염 예방 제품을 광고했다.[32] 또한 한 달쯤 뒤에 『프로퍼블리카』에 게재된 기사에 따르면 인터넷에 연결된 CPAP기계(수면 무호흡증 환자가 수면 중 호흡 패턴을 유지하게 도와주는 기계)가 종종 데이터를 환자의 보험회사와 공유한 것으로 나타났다.[33] 환자가 이 기계를 꾸준하고 정확하게 사용하지 않으면 보험회사가 의료비 지출에 대해 보험금 지급을 거부할 수 있는 것이다. (몇몇 디지털 의료 회사는 그들이 우리의 데이터를 판매한다는 것을 우리가 서명하는 동의서에 알아보기 어려운 문구와 깨알 같은 글씨로 밝혀놓기라도 하지만 어떤 곳은 그마저도 하지 않는다.[34])

가장 우려스러운 점은 이러한 기술이 환자가 원하지 않

는 의료적 처치를 받도록 강요하는 경우다. 몇몇 정신과 의사는 스마트 알약병이 양극성 장애나 조현병 환자가 처방대로 약을 먹게 돕는 데 유용하다고 주장해왔다.* 그래서 약을 잘 먹지 않는 사람은 어떻게 하겠다는 말인가? 의사가 그들을 치료하지 않을 것인가? 보험회사가 그들의 보험료를 크게 인상할 것인가?

설령 우리가 특정한 회사가 건강 데이터를 수집하도록 동의한다 해도 그 정보가 미래에 어떻게 쓰일지는 예측하기 어렵다. 데이터 분석 기술과 기계학습은 빠르게 성장하고 있고 더 정교해지고 있다. 한두 해 뒤면 연구자, 의사, 보험회사가 오늘 우리가 제공한 건강 데이터에서 완전히 새로운 지식과 정보를 끄집어낼 것이다. 즉 우리는 지금 동의한 것보다 훨씬 많은 것을 노출하게 될 수 있다. 이를테면 애초에 동의한 적 없는 친척의 유전적 건강 정보가 알려질 수도 있다. ('동의'는 치매 등 인지 장애가 있을 가능성이 큰 노인 대상의 건강 모니터링 기술과 관련해 더 심각한 문제를 일으킬 수 있다.) 게다가 이러한 제품과 시스템이 우리의 집이나 아파트 건물에, 호텔에, 병실에 이미 설치되어 있다면(사실 그런 일은 지금도 일어나고 있다)

★　하지만 전자 약병의 효과는 불분명하다. 최근에 심장질환을 겪은 사람들을 대상으로 한 대규모의 무작위 통제 실험에서 연구자들은 이 기술이 환자들이 약을 잘 챙겨 먹는 비중을 높인다는 증거를 발견하지 못했다.[35]

누가 실질적으로 이 옵션을 선택하지 않을 수 있겠는가?

　　이런 위험을 차치하더라도, 모든 사람이 이러한 기술에서 동일하게 이득을 얻는 것도 아니다. 구매하고 설치하고 유지하는 데 들어가는 비용이 매우 높을 수 있기 때문이다. 이 시스템이 진정으로 효과가 있다면 교육 수준과 소득 수준이 높은 소비자들과 나머지 사람들 사이에 건강 격차가 벌어질 것이다. 그리고 이러한 불평등은 시스템의 편향에 의해 더 악화될 수 있다. 많은 시스템이 건강하고 장애가 없는 백인 남성 데이터에 기초하고 있기 때문이다. 몇몇 안면 인식 소프트웨어는 밝은 피부의 남성을 여성이나 짙은 피부색을 가진 사람보다 정확하게 인식한다.[36] 이런 일이 스마트 기기를 통한 건강 모니터링 시스템에서도 발생할 수 있다. 우리의 의료 지식이 상당 부분 백인 남성을 연구해서 나온 것임을 생각하면 더욱 그렇다. (스쿠빅도 스마트 스피커가 젊은 성인의 목소리를 노인의 목소리보다 잘 인식한다는 사실을 발견했다.[37])

　　기술 오류의 문제도 있다. 스마트 온도계가 온도를 잘못 설정하면 당신은 짜증이 날 것이다. 하지만 스마트홈 시스템으로 집이 의료기기가 된 상태에서 그 시스템이 오류를 일으키면 짜증 정도가 아니라 재앙을 초래할 수도 있다. "일이 잘못될 경우의 수를 생각해보십시오." 미들섹스 대학의 지능환경 연구자 후안 카를로스 아우구스토가 말했다. "시스템이 실마리 하나를 놓쳤는데 그것이 이 사람에게 정말 중요한 기회였다면 어떻게 되겠습니까?"

또한 건강한 사람을 지속적으로 모니터링해서 질병을 잡아내는 것은 득보다 해가 클 수도 있다. 가짜 양성 반응은 시스템에 대한 신뢰를 훼손하는 데서만 그치지 않고 심각한 결과도 초래할 수 있다. 스마트 욕조가 멀쩡한 사람의 심장박동을 비정상이라고 보고하거나 스마트 거울이 정상적인 점을 우려할 만한 징후로 인식하는 경우, 완전히 건강한 사람이 괜히 병원에 가서 비싸고 시간도 오래 걸리는 검사를 받게 될지 모르고 그것이 오히려 건강을 위협하는 요인이 될 수 있다.

점점 똑똑해지는 기계에 점점 많은 일을 아웃소싱하는 것이 가져올 사회적 결과도 우려스럽다. 다른 사람들과의 관계는 우리의 건강과 행복에 핵심적으로 중요하다. 우리는 많은 노인이 외로움으로 고통받고 있으며 강한 사회적 네트워크가 그들이 온전하게 나이들어가는 데 도움을 준다는 것을 알고 있다.[38] 하지만 똑똑한 가정용품이 인간 돌봄 제공자를 대체해버리면 어떻게 될 것인가? "이 기술이 만병통치약이 되리라고 생각해서는 안 됩니다." 콜리스트라가 말했다. "우리는 건강과 후생의 가장 중요한 부분은 여전히 사회적 연결이라고 생각합니다. 그러므로 사람들이 서로를 지원해줄 수 있는 동네를 만드는 것이 누군가의 소변이나 걸음걸이에서 데이터를 뽑아내는 것보다 훨씬 유익할 것입니다."

자립 생활을 지원하는 기술이 궁극적으로는 되레 자립성을 훼손하는 결과를 낳을 수도 있다. 현관문 알람과 GPS 추적기는 치매 노인이 안전하게 지내는 데 도움을 주겠지만 그들의 자율성을 침해하기도 한다. 이러한 상충관계 속에서 정확한 균형점을 찾는 것도, 이런 종류의 프라이버시 침해가 어디까지 허용되어야 하는지를 결정하는 것도 쉽지 않을 것이다.

아우구스토도 노인 돌봄 시장을 염두에 두고 개발된 많은 제품이 "비인간화를 일으키는 면이 있고" 사람들의 행동을 그들의 집에서마저 통제하려 하고 다른 이들에게 그들의 약점과 실수를 알리는 격이 될 수도 있다고 생각한다. 그래서 그는 의도적으로 이와 다른 접근 방식을 취한다. 치매 초기인 성인에게 고자질쟁이보다는 코치와 더 비슷하게 작동하는 시스템을 고안하려 하는 것이다.[39] 가령 잠을 잘 못 잤거나 샤워를 건너뛰었거나 식사를 하지 않았거나 그 밖에 그들이 인지하지 못한 변화가 생기면 그것을 당사자에게 직접 알려줄 수 있다. 아우구스토는 "무언가를 잊었을 때 친구가 상기시켜주거나 건강 문제처럼 보이는 행동을 친구가 알아차리고 말해주는 것을 떠올리면 된다"고 설명했다. 문제점을 일러준 다음, 소프트웨어가 그에게 수면이나 식습관을 개선할 수 있는 방법을 안내하거나 샤워 시간이나 식사 시간이 되면 알려주는 식으로 도움을 줄 수 있을 것이다. "우리는 기술과 사용자 사이에 더 친절하고 더 신뢰할 수 있는 관계가 형성되기를 바랍니다."

아우구스토는 스마트홈 시스템 개발자들 사이에서 널리 사용되었으면 하는 내용들을 담은 윤리 가이드라인을 제안했다.[40] 스마트 환경은 "적극적으로 사용자에게 도움을 주어야" 하며 사용자가 원하고 필요로 하는 것 위주로 고안되어야 한다. 사용자의 자율과 존엄을 존중해야 하고 어떤 배경과 역량을 가지고 있건 모든 사람이 쉽게 접근하고 구매하고 사용할 수 있어야 한다. 안정적이고 믿을 만하고 보안이 잘되어 있어야 하고 인간 돌봄 제공자를 대체해서는 안 된다. 개발자는 사용자에게 모니터링과 데이터 수집이 어느 정도까지 이뤄지는지, 데이터가 어떻게 사용되는지, 시스템의 위험, 취약점, 한계는 무엇인지 등을 투명하게 밝혀야 한다. 무엇보다, 계속해서 사용자가 통제권을 가질 수 있어야 한다. 사용자는 자신의 데이터에 접근할 수 있어야 하고 자신의 프라이버시에 대해 결정할 수 있어야 하며 데이터를 어디까지 공유할 것인지 정할 수 있어야 한다. 또 시스템과 사용자의 의사가 상충할 때는 사용자가 시스템을 누르고 결정을 적용할 수 있거나 원할 때면 언제든지 시스템을 끌 수 있어야 한다. "기술이 우리를 위해 복무해야지 우리가 기술을 위해 복무해선 안 되고, 그렇게 되지 않도록 확실히 보장해야 합니다." 아우구스토가 말했다.

기술이 우리의 집으로 더 깊숙이 스며들어오면 윤리 가이드라인 이상의 것이 필요할 것이다. 소비자와 소비자의 데이터를 보호하고 개발자가 선을 넘을 때 집행력을 가지고 규제하는 법 제도 같은 것 말이다. 지난 몇 년 동안 미국의 몇몇 주는 유럽연합의 개인정보보호규정을 본떠 데이터 프라이버시법을 통과시켰다. 그리고 연방 정부 차원에서 건물을 대대적으로 규제해야 한다는 요구도 높아지고 있다. 하지만 법이 존재해도 충분하지는 않을 것이다. 이제까지 법은 혁신의 속도를 따라가지 못하는 경우가 많았다. 아우구스토는 "대개 법은 기술을 만드는 사람들이 하는 일을 따라가기 급급하다"고 말했다.

이 기술은 속성상 속속들이 퍼지기 쉽고 매우 강력하다. 그리고 미래의 건물은 단순히 우리의 생리적 데이터를 모으기만 하는 것이 아니라 그 데이터에 실시간으로 **반응**하기도 할 것이다. 진단에서 그치지 않고 돌봄 기능까지 수행하는 것이다. 적응형 건축 분야의 전문가인 건축가이자 연구자 홀저 슈나델바흐는 "우리의 후생을 적극적으로 챙겨주는 건물을 갖게 되는 것"이라고 설명했다. 10년쯤 전에 슈나델바흐는 '엑소빌딩 프로젝트'를 시작했다.[41] 엑소빌딩은 작은 천막 같은 구조물로, 천막 자체가 공기가 가득 든 허파처럼 안에 있는 사람의 호흡에 반응한다. 천막 안에 있는 사람이 숨을 들이쉬면 천으로 된 벽이 밖으로 부풀고 숨을 내쉬면 벽이 수축한다.

"처음에는 다소 황당무계한 아이디어 하나를 알아보자는 정도의 생각에서 시작했습니다. 순전히 재미로 해본 것이었어요." 그가 설명했다. 하지만 몇몇 대학 동료와 함께 스스로 실험 대상이 되어 소규모 파일럿 연구를 해보았을 때 사람들이 엑소빌딩에 강렬하게 반응한다는 것을 발견했다. 참가자들은 그 안에 있으면 긴장이 풀리고, 벽이 자신의 들숨과 날숨에 따라 부풀거나 수축하는 것을 볼 때 약간의 최면 효과가 느껴진다고 말했다. "몇 분 사이에 구조물과 내가 신체적으로 기묘하게 연결되었습니다." 2017년 말 노팅엄 대학에 있는 그의 연구실을 찾아갔을 때 슈나델바흐는 내게 이렇게 말했다. 한 참가자는 시스템이 갑자기 꺼졌을 때 가슴에 통증을 느꼈다고 했다.

그게 다가 아니었다. "우리는 매우 빠르게 그 안에서 사람들이 숨쉬는 방식을 바꾼다는 것을 발견했습니다. 꽤 놀라운 결과였어요." 사람들의 호흡 속도가 느려지고 규칙적으로 변했다. 엑소빌딩은 바이오피드백[biofeedback. 몸에 부착된 감지기를 통해 본인의 생리적 상태를 알 수 있게 해서 신체 기능을 조절하도록 유도하는 기법]을 건축으로 구현한 형태라고 할 만했다. 참가자들은 자신의 호흡 패턴을 더 잘 인식하고 그것을 통제하는 법을 터득하게 되었다.

슈나델바흐는 재미 삼아 시작한 프로젝트가 현실에 적용될 가능성이 있다는 것을 깨달았다. 이후 몇 년 동안 그는 엑소빌딩을 개선해서(이름도 '숨쉬는 공간'이라고 바꾸었다) 요가 센터나 노인 돌봄 시설 같은 실제 환경에 적용해오고 있다. 슈나델바흐는 급하고 시간에 쫓기는 노동자들이 잠시 숨을 고르고 쉴 수 있도록 사무 건물에도 사용할 수 있으리라고 생각한다.

또 다른 연구자들은 훨씬 복잡한 형태의 적응형 건물을 실험 중이다. 2016년에 펴낸 논문에서 스페인 카스티야 라만차 대학 과학자들은 우리의 기분을 조절할 수 있는 스마트홈의 개념을 설명했다.[42] 사람들의 생리학적 반응, 신체 움직임, 얼굴 표정 등을 추적해서 집의 조명이나 음악을 맞춤으로 조정해준다는 것이다. "궁극적인 목적은 건강한 감정 상태를 유지하는 것"이라고 연구진은 언급했다. 마음이 조마조마하거나 긴장하면 집이 알아서 마음을 안정시켜주는 음악과 조명을 내보내고 슬플 때는 기운을 북돋워주는 음악과 조명을 제공하는 것이다.

사람들의 생리적 기능과 기분을 조절하기 위해 건축을 사용한다는 전망에는 윤리적으로 생각해볼 문제가 아주 많다. 슈나델바흐는 "이러한 비전에는 디스토피아적 상상과 유토피아적 상상이 늘 공존한다"고 말했다.

따라서 이 분야가 발달해가는 동안 우리는 소비자로서 우리가 원하는 미래에 대해 목소리를 내야 한다. 그러한 기술이 어떻게 쓰이는지 지켜볼 수 있는 규제를 요구해야 하고 우리의 지갑으로 투표해야 한다. 모든 위험을 없앨 수는 없겠지만, 막대한 잠재력을 가진 기술도 있을 테니 무턱대고 기술을 사용하지 말자고 할 일은 아니다. 책임 있게 활용한다면 보건의료의 진정한 성공담이 될 수도 있다. 아우구스토는 "이것은 우리가 제대로 해볼 기회가 아직 남아 있는 영역"이라고 말했다.

좌충우돌하며 미래로 나아가는 과정에서, 건축은 우리가 우리 스스로의 운명을 통제할 수 있는 한 가지 방법이 될 수 있을 것이다. 그리고 집이 생명을 구하는 방법은 한 가지만 있는 것이 아니다. 건물은 우리가 새로운 테크놀로지의 이득을 누리게 해주기 위해서만이 아니라 곧 닥칠지 모를 지구의 가장 실존적 위협인 기후변화에 우리가 더 잘 견디도록 돕기 위해서도 진화해야 할 것이다.

8 물 위에 뜨는 집

2017년 6월의 어느 목요일 늦은 밤, 온타리오주 남부에 번개 폭풍이 내리쳤다. 비는 순식간에 폭우로 변했고 몇 시간 만에 저지대는 한 달 치 강수량만큼의 물폭탄을 맞았다. 아침이 되자, 강둑이 무너져 있었고 지하실은 수영장이, 육상 트랙은 호수가 되어 있었다. 지역 당국은 비상사태를 선포했다. 주민들은 기자에게 평생 이렇게 많은 비는 처음 본다고 말했다. 어떤 이는 백 년에 한 번 있을까 말까 한 홍수라고 했다.

이 기상학적 상황과 딱 맞는 우연의 일치로, 홍수의 여파가 아직 한창이던 불과 며칠 뒤에 전 세계의 건축가, 공학자, 정책 결정자 들이 홍수가 일상이 될 미래에 인류가 어떻게 적응할 수 있을지 논의하러 온타리오주 워털루에 모였다. 이날 모인 이들이 특별히 염두에 두고 있는 생존 전략 한 가지는 바로 물에 뜨는 수륙양용 건물이었다. 통상적인 건물과 달리 수륙양용 건물은 고정되어 있지 않아서 홍수가 닥치면 배가 파도를 타듯이 물 위에 두둥실 떠오를 수 있다. 한 참가자는 이렇게 설명했다. "발이 젖었을 때 몸을 적당히 들어올릴 수 있는 동물을 생각해보시면 됩니다."

홍수의 위험에 대비하는 전통 방식은 장벽, 제방, 둑을 세워서 물을 막는 것이다. 수륙양용 건물의 철학은 이와 다르다. 수륙양용 건물 지지자들은 우리가 계속해서 물과 싸울 수는 없다고 본다. 그보다는 물과 함께 사는 법을 배워야 한다는 것이다. 워털루 대학의 건축가이자 공학자로 제2회 '국제 수륙양용 건물, 디자인, 공학 컨퍼런스'(ICAADE)를 주관한 엘리자베스 잉글리시는 "수륙양용 건물은 적응해야 하는 쪽은 물이 아니라 우리라는 개념을 기본으로 한다"고 말했다. 짧은 은발 머리에 수려한 외모를 가진 잉글리시는 화이트보드 앞에 서 있었는데, 거기에는 컨퍼런스의 해시태그 중 하나가 쓰여 있었다. #홍수가나면떠오른다

홍수는 가장 흔히 일어나는 자연재해다. 1995년에서 2015년 사이에 23억 명 이상이 수해를 입었다.[1] 앞으로는 더 심해질 것이다. 기후변화가 미칠 영향은 지역에 따라 다르겠지만 여러 연구에 따르면 더 거센 폭우, 더 강한 허리케인, 더 잦은 홍수가 올 것이고, 작물에 영향을 미치는 가뭄과 건강에 치명

적인 폭염도 빈번해질 것이며, 산불 빈발 기간도 길어지고 산불의 규모도 더 파괴적이 될 것으로 보인다.[2]

아주 희박한 가능성이거나 먼 미래의 종말 시나리오가 아니다. 이것은 우리가 새로이 처한 정상적인 상황이다. 온타리오주에 홍수가 나고 몇 달 뒤에 허리케인 하비가 텍사스에 많게는 약 1500밀리미터에 달하는 비를 퍼부었고 수만 명이 집을 떠나 대피해야 했다.[3] 카리브해 연안에 닥친 허리케인 이르마는 연안의 섬들을 훑고 지나갔다. 허리케인 마리아는 푸에르토리코를 쑥대밭으로 만들었다. 인도, 네팔, 방글라데시에서는 장마로 1000명 이상이 숨졌고 80만 채가 넘는 집이 파손되었다.[4] 시에라리온에서는 폭우로 산사태가 나서 600명이 목숨을 잃었고[5] 나이지리아에서는 홍수로 10만 명 이상이 피해를 입었다. 중국의 일부 지역과 유럽 남부에는 기록적인 폭염이 닥쳤으며[6] 캘리포니아에서는 화재로 1000제곱킬로미터가 불에 탔다.[7]

가뭄의 나날, 산불의 시대, 폭우의 세대에 오신 것을 환영한다. 인명 피해나 인프라 파손 같은 즉각적인 피해 외에도 극단적인 자연재해는 공동체와 사회를 극심하게 뒤흔들고 생존 수단을 파괴하며 농업에 큰 손실을 입히고 대량 이주를 일으키고 깊은 정신심리적 상처를 남긴다. (재난 피해자 중 많게는 40퍼센트가량이 외상 후 스트레스 장애를 겪는다.[8])

기후변화는 매우 긴급하고 인류의 사활이 걸린 문제이며 빠르게 화석연료에서 벗어나 에너지 전환을 이루는 것을 포함해 포괄적이고 대대적인 해법을 필요로 한다. 하지만 오늘 당장 탄소 배출을 멈춘다고 해도(그럴 것 같아 보이지도 않지만) 우리는 우리가 이미 만들어놓은 새로운 세계에 적응해야 한다. 이는 자연의 공격(그것이 어떤 종류이건 간에)을 견디고 원상태로 잘 회복될 수 있는 구조물을 설계하는 것도 우리의 노력에 포함되어야 한다는 의미다. '회복력 있는' 건물은 인간의 생명을 구할 수 있고 고통을 줄여줄 수 있다. 재앙이 닥치더라도 최악의 피해까지는 발생하지 않도록 해서 우리가 빠르게 회복하도록 도울 수 있다. 또한 과밀한 인구가 존재하는 지구에 우리가 남기는 발자국을 줄이고 줄어들어 가는 자원을 최대한 활용함으로써 미래의 재앙을 막고 격동 속에서 우리가 생존을 도모하는 데 도움을 줄 수 있다.

엘리자베스 잉글리시는 경력의 대부분을 자연의 파괴적인 힘을 이해하려 애쓰면서 보냈다. 프린스턴 대학에서 건축과 도시계획을 전공하고 MIT에서 토목공학으로 학위 과정을 밟으면서 바람에 대해 논문을 썼다. 캠퍼스의 풍동을 이용해 돌풍이 상이한 유형의 건물에 어떻게 영향을 미치는지 연구한 논문이었다. 1999년에 루이지애나주로 가서 몇 년간 뉴올리언스의 툴레인 대학에 재직하다가 루이지애나 대학의 허리케인 센터로 자리를 옮겨 돌풍에 휩쓸려 날아가는 파편의 궤적을 연구했다.[9]

그곳에서 일을 시작한 지 얼마 되지 않은 2005년에 허리케인 카트리나가 걸프 코스트를 할퀴고 지나갔다. 엄청난 풍속의 돌풍에 지붕이 날아가고 파편이 창문으로 사정없이 들이쳤다. 정말로 충격적이었던 것은 홍수였다. 잉글리시의 회상에 따르면 "카트리나는 바람보다 물이 문제"였다. 뉴올리언스의 많은 마을이 고도가 해수면보다 낮은 지역에 있었다. 홍수를 막아주는 제방이 있었지만 카트리나에 맞서기에는 어림도 없었다. 도시의 80퍼센트가 침수되었고 어떤 마을은 물 아래로 약 6미터나 잠겼다. 정확한 사상자 숫자는 여전히 알 수 없지만 거의 2000명이 숨진 것으로 추산되며 그중 상당수가 루이지애나주 사람들인 것으로 보인다. 또 뉴올리언스는 가옥의 70퍼센트가 파손되었고 45만 주민 거의 모두가 대피해야 했다. 그리고 많은 이들이 돌아오지 못했다.[10]

돌아온 사람들도 복구 과정에서 막대한 어려움에 직면했다. 뉴올리언스가 미래에 닥칠 폭풍에도 여전히 취약한 상태였기 때문에 연방 정부는 주민들이 토대를 높이거나 받침 기둥을 대어서 집을 영구적으로 올려 짓도록 권고했다. 그런데 잉글리시에게는 이 방법이 바람직해 보이지 않았다. "나는 수

해와 그로 인한 사회적 혼란의 의미를 알아보기 시작했습니다. 그리고 문화적으로 너무 세심하지 못한 해법이 제안된 것에 굉장히 화가 났습니다."

잉글리시는 낮게 지어진 이 지역의 '샷건' 스타일[폭이 3.5미터 내외로 좁고 긴 직사각형 형태로 미국 남부의 전통적인 주택 유형이다] 주택을 위로 들어 올리면 공동체 소속감이 훼손되고 주민들이 이웃이나 행인과 대화를 나누기 어려워질 것이라고 우려했다. 또 집을 위로 올려 지으면 집 안팎을 드나들 때 계단을 많이 오르내려야 하는데 이는 노인이나 거동이 불편한 사람에게 큰 문제가 될 수 있었다. "사람들은 위로 올라가고 싶어 하지 않습니다. 그리고 시각적으로 마을을 완전히 파괴하게 되지요. 더 나은 방법이 필요했습니다."

잉글리시는 더 나은 방법 하나를 네덜란드에서 발견했다. 네덜란드의 주거 개발자들이 범람이 잦은 마스강 주변에 수륙양용 주택 단지를 짓고 있었다. 수륙양용 주택이라는 개념이 완전히 새로운 것은 아니었다. '남미의 베네치아'라고도 불리는 페루의 오지 마을 벨렌 등 세계의 몇몇 지역에는 범람 시 물 위로 떠오르는 수륙양용 주택들이 꽤 있다.[11] 하지만 네덜란드의 디자이너와 개발자 들은 2000년대 초에 이 접근법을 더 광범위하게 적용하는 일에 착수했다. 이들이 지은 주택은 속이 빈 박스 모양의 콘크리트 받침 위에 얹혀 있었고 그 콘크리트 박스에는 커다란 철제 기둥이 끼워져 있었다. 물이 올라오면 콘크리트 박스가 배의 선체처럼 건물을 "떠올리는" 기능을 해서 철제 기둥을 타고 위로 미끄러져 올라가면서 집이 떠오른다. 그러다가 수위가 낮아지면 다시 내려와 원래 위치로 돌아간다.[12]

잉글리시는 이것이 매우 우아한 해법이라고는 생각했지만 정확히 그가 찾고 있는 해법은 아니었다. 속이 빈 토대를 짓는 것은 규모가 큰 건설 프로젝트가 될 텐데, 잉글리시는 뉴올리언스 사람들이 싸고 쉽게 기존 집을 개조하도록 돕고 싶었다. 2006년 잉글리시는 '물에 뜨는 집 프로젝트'라는 비영리 기구를 세우고 일군의 건축가 및 공학 전공 학생들과 함께 뉴올리언스의 주택을 수륙양용으로 개조하는 연구를 시작했다.

잉글리시의 학생 중 한 명이 라쿠시 올드 강의 둑 근처에 있는 루이지애나주의 한 외진 마을에 대해 알려주었다. 라쿠시 올드 강은 미시시피강과 연결되어 있는 약 19킬로미터 길이의 우각호[라쿠시 올드 강은 미시시피강과 먼데이 호수를 연결하고 있어서 라쿠시 (올드) 호수라고도 불린다]. 그 학생의 가족이 이 마을에 사는데, 봄에 미시시피강이 넘치면 범람이 자주 일어난다고 했다. 그런데 몇 년 전에 현지 주민 몇 명이 나름대로 수륙양용 주택을 만들었다는 것이 그 학생의 이야기였다.[13]

학생은 봄에 범람이 일어났을 때 잉글리시를 그곳으로 데려갔다. 그들은 보트를 타고 마을을 둘러보았는데, 수십 채의 집과 레스토랑과 낚시용 미끼 가게가 아무런 손상을 입지 않고 물에 떠 있었다. "굉장했어요. 남부 루이지애나의 뛰어난 독창성을 보았지요." 잉글리시는 이렇게 회상했다.

잉글리시는 지역 주민 몇 명을 ICAADE로 초청해 그들이 고안한 주택 시스템에 대해 이야기해달라고 했다. 주민 중에 데이비드 블래록('버디'라는 별명으로 주로 불렸다)이라는 사람이 있었는데, 컨퍼런스가 열리기 전에 그가 전화를 걸어와서 라쿠시 올드 강이 또 범람했다고 말했다. 전화를 받고 나서 잉글리시는 우리에게 이렇게 전했다. "데이비드 전화인데요, 그가 이렇게 말하네요. '저, 그게요, 제가 못 갈 것 같아요. 지금 지상에서 약 2.4미터 정도 올라와 있거든요. 물이 빠지는 데 2주는 족히 걸릴 것 같아요'라고요."

블래록은 둥둥 떠 있는 집에서 화상으로 컨퍼런스에 참가해 그의 이야기를 들려주었다. 1983년 라쿠시 올드 강 근처 마을로 이사 온 그는 작은 트레일러에 살았다. 하지만 물이 넘칠 때마다 트레일러를 끌고 근처의 제방 위로 올라가서 물이 빠질 때까지 기다려야 했다. 그때는 요즘처럼 홍수가 잦지는 않았지만 그렇게 왔다 갔다 하는 것은 진 빠지는 일이었다. "나는 진력이 나서 다른 방법을 찾기로 했어요. 나는 배를 많이 타 보았거든요? 그래서 생각했죠. '배를 지어서 배 위에서 살면 어떨까?' 그리고 실행에 옮겼습니다.'"14

블래록은 평평한 뗏목 같은 것을 만든 뒤 바닥 아래쪽에 물에 뜨는 폼 재질의 블록을 붙였다. 그리고 집 주위에 금속 막대 기둥을 둘러 세우고 각각에 금속으로 된 속이 빈 슬리브를 끼웠다. 그리고 각 슬리브의 끝을 집 아래쪽 구조물에 용접해 고정했다. 봄에 물이 올라오면 슬리브가 (그리고 집이) 막대 기둥에서 밀려 올라갔다가 물이 빠지면 다시 내려오는 구조였다.

대부분의 주민은 홍수가 시작되면 대피를 하지만 블래록은 물에 뜨는 집 안에서 홍수가 지나가기를 기다린다. "물이 거의 4미터까지 집을 들어 올리는 동안 저는 집 안에서 그 물결을 타면서 머물 수 있었습니다. 파도가 툇마루를 치는 것이 느껴졌어요. 파도 높이가 1미터 정도로 꽤 험하게 치지만 집이 휩쓸려가거나 금이 가거나 하는 일은 없었습니다. 문짝이 뒤틀려 꼼짝 안 한다든지 캐비닛 문이 안 열린다든지 그런 일은 일어나지 않았어요."15 홍수 때도 집이 물 위에 너무나 안정적으로 떠 있어서 유리컵 하나 깨진 적이 없다고 했다.

버디의 집을 처음 보았을 때 잉글리시는 드디어 자신이 찾고 있던 것을 찾았음을 직감했다. 뉴올리언스의 전형적인 샷건 형태의 집은 지상에서 아주 약간 올라온, 해변의 낮은 교각형 받침 위에 지어져 있었다. 잉글리시는 집의 아래쪽에 철제 프레임을 대고 물에 뜨는 폼 재질의 블록을 프레임에 붙이면 물에 뜨게 만들 수 있으리라고 생각했다.[16] 슬리브를 끼우고 그것을 집의 프레임에 용접으로 붙이기보다, 안테나처럼 늘어나는 기둥을 집 주위에 심고 철제 프레임을 거기에 고정했다. 홍수가 나면 물에 뜨는 폼 블록이 집을 떠오르게 하고 안테나식 기둥들이 늘어나서 집이 떠내려가지 않고 제자리에서 그대로 위로 올라가도록 붙잡아줄 것이었다. (또 집이 올라가기 시작하면 돌돌 말려 있는 호스와 전선이 펴져서 물과 전기를 공급하고 하수와 가스는 자동으로 밸브가 닫히게 할 예정이었다.)

잉글리시와 학생들은 이 시스템의 모형을 짓고 2007년 여름에 테스트를 해보았다. 농과 대학에서 울타리용 패널을 빌려서 모형 집 주위에 범람 시뮬레이션용 탱크를 설치했다. 그리고 그 안에 미시시피강에서 펌프로 물을 들여보냈다. 60센티미터, 90센티미터, 120센티미터, 탱크에 물이 차올랐고 집이 서서히 떠오르기 시작했다. "집이 떠오르는 것을 본 순간 종교 체험을 하는 것 같았어요." 잉글리시는 이렇게 회상했다. 물을 들여보내는 펌프를 멈추었을 때 집은 받침에서 약 30센티미터 정도 위에 떠 있었다.

잉글리시는 적당한 솜씨를 가진 사람 두 명이면 중장비

없이도 약 0.09제곱미터당 10-40달러의 가격으로 집을 개조할 수 있다고 설명했다. 이것은 집 소유자 자신이 통제력을 갖게 하고 정부의 대규모 투자에 의존할 필요가 없는 '아래로부터의' 해법이었다. 건물의 외관과 구조는 거의 그대로 유지하면서, 영구적으로 집을 올려 짓는 것보다 비용도 덜 들고 재난에도 잘 버틸 수 있었다. 집을 올려 지으면 바람 피해에 취약할 수 있기 때문이다. 그리고 물이 차는 정도에 따라 유연하게 적응할 수 있었다. 잉글리시는 "하나의 규격에 모든 것을 맞추는 해법이 아니"라고 설명했다. 그는 이 시스템이 엄청나게 빠른 급류나 강한 파도 같은 극단적인 기후에서는 집을 보호해주지 못하겠지만 "어떤 상황에서는 매우 훌륭한 해법이 될 수 있다"고 강조했다.

이 방법은 자연의 홍수 주기를 막는 게 아니라 그 주기를 타고자 한다. 주기적인 범람은 인간에게는 재앙일 수 있지만 생태적으로는 득이 될 수 있다. 지하수 층에 물을 채우고 침전물을 재분배하고 토양에 영양분을 공급할 수 있는 것이다.

잉글리시의 접근 방식은 우리가 물을 완전히 새로운 방식으로 생각하게 만든다. 그는 "수륙양용 건물이 있으면 물이 당신의 친구가 될 수 있다"고 말했다. 물이 안전한 곳으로 우리를 들어 올려줄 수 있는 것이다. "그렇게 해서, 물은 물이 하고 싶은 것을 할 수 있게 될 것입니다. 이것은 어머니 자연에 맞서는 것이 아니라 어머니 자연을 받아들이는 것입니다. … 어머니 자연과 싸우려 들면 결국에는 질 수밖에 없습니다."

이 접근 방식의 매력을 확신한 잉글리시는 미국 남부 저지대를 넘어 전 세계의 가장 취약한 사람들에게 수륙양용 주택을 지어줄 방안을 생각하기 시작했다. 기후변화의 피해는 동등하게 분배되지 않는다. 가난하고 권력 없고 사회적으로 주변화된 동네가 더 많은 부담을 진다.[17] 이들은 재난에 더 취약한 곳에 살고 있을 가능성이 크고 '기후변화 젠트리피케이션' 과정은 이러한 격차가 계속 벌어지게 만들 것이다. 이를테면, 미국에서 해수면 상승으로 가장 크게 위협을 받는 도시 중하나인 마이애미에서는 고지대 주택의 가격이 오르고 있는데, 고지대의 부동산 가격이 오르면 저소득층 사람들은 점점 더 위험한 저지대로 밀려날 것이다.[18]

빈곤층에 속하는 많은 사람이 재난에 잘 버틸 수 있는 집이나 빠르게 대피할 수 있는 여지를 가지고 있지 못하다. 또 재난 이후에 삶을 복구하는 데서도 어려움을 겪는다. 가난한 가정은 보험이 없을 가능성이 크고 자산이 더 적고 다각화되어 있지 못할 가능성도 크다. 탄탄한 정치 세력도 없고 공동체나 정부의 자원에 접근하기도 더 어렵다. 이 모든 요인이 합쳐져, 기후변화와 극단적인 기후는 불평등을 더욱 심화시키는 악순환을 일으킨다.*

허리케인 카트리나는 이러한 불평등을 적나라하게 드러냈다.[19] 가난한 사람 상당수가 대피하지 못했다. 자동차가 없거나 피신할 만한 안전한 곳이 없었기 때문이다. 또 폭풍이 지나간 후에 많은 저소득층 가구가 주택 대출 신청을 거부당했고 부유한 동네가 가난한 동네보다 빠르게 복구되었다.

잉글리시는 물에 뜨는 집이 홍수 때 취약 계층의 가옥 손상을 최소화하고 물이 빠진 뒤에 빠르게 삶을 복구하도록 도울 수 있으리라고 생각했다. 어떤 경우에는 공동체가 전혀 손상을 입지 않을 수도 있을 것이고 사람들이 낡은 집에서 물에 휩쓸려가는 일도 막을 수 있을 것이었다.

첫 모델을 개발하고 몇 년 동안 잉글리시는 뉴올리언스 남서쪽에 위치한 작고 기다란 섬 '아일 드 진 찰스' 주민들과 함께 일했다. 이 섬은 지난 200년간 빌록시-치티마차-촉토 족이 옥수수와 밀을 키우고 고기를 잡고 굴을 따며 살아온 곳이다.[20]

하지만 해수면이 상승하고 땅이 가라앉는 바람에 이 섬은 문자 그대로 발밑으로 사라지고 있다. 1955년 이래 섬 면적이 98퍼센트 이상 줄었고 잦은 홍수와 폭풍으로 많은 사람이

★　스탠퍼드 대학의 과학자 두 명이 2019년 논문에서 기후변화가 이미 가난한 나라들을 더 가난하게 만들고 있음을 밝힌 바 있다.[21]

섬을 떠났다. 부족 지도자들은 마을을 통째로 다른 곳에 재정착시켜 흩어진 마을 사람들을 다시 모을 수 있기를 바라왔지만 이 과정은 매우 더뎠고 복잡했고 정치적으로 어려움이 많았다.

2010년 잉글리시가 주민들과 이야기하기 시작했을 때 그 섬에는 26가구밖에 남아 있지 않았다. 그중 19가구는 이미 가옥의 지반 아래에 기둥을 받치고 있었다. 잉글리시와 동료들은 나머지 가옥들을 수륙양용으로 개조하는 작업을 계획했다. 하지만 잉글리시가 계획을 더 진전시키기 전에 정부가 이곳에 4800만 달러의 재정착 자금을 지원했다. 잉글리시는 내게 이렇게 말했다. "나는 그들의 상황이 너무나 안 좋고 수륙양용 집은 기껏해야 반창고밖에 되지 못하리라는 것을 깨달았습니다. 나는 그들이 스스로 원하는 것을 위해 나아가는 데 방해꾼이 되고 싶지 않았습니다."

루이지애나 주립대학에서 워털루 대학으로 옮기고 나서 잉글리시는 홍수 위협에 처한 캐나다 원주민 보호구역 공동체들과 함께 일하기 시작했다. 또 '물에 뜨는 집 프로젝트' 동료들과 함께 니카라과와 자메이카의 홍수 빈발 지역에 사는 저소득층을 위한 수륙양용 가옥 모델을 구상했다.[22] 기존의 수륙양용 주택 개념을 지속가능한 재료를 사용하고 현지의 필요에 더 맞게끔 조정한 것이다. 니카라과 모델인 '카사 안피비아'(Casa Anfibia)는 현지에 많이 자라고 탄소발자국이 적은 대나무로 집을 짓고 폼 소재의 블록 대신 재활용 플라스틱 통을 사용했다. 또 수위가 올라갈 때 돼지와 닭을 안전하게 지킬 수 있도록 울타리를 친 테라스도 마련했다.

2018년에는 베트남 메콩강 삼각주 인근의 몇몇 가옥을 개비했다.[23] (이 프로젝트를 다룬 짧은 동영상에서 잉글리시는 현지의 협업자들과 함께 응원 구호를 외쳤다. "둘 넷 여섯 여덟, 우리 모두 수륙양용이 돼야 한다!") 잉글리시는 이 집들이 "아주 훌륭하게 작동했으며" 이후의 장마 때도 잘 기능했다고 말했다. 현재 이 팀은 프로젝트 규모를 키우기 위해 자금을 구하고 있다.

루이지애나든 베트남이든, 목표는 마을 전체에 수륙양용 주택 단지를 짓는 것이라기보다 이 접근법이 현실적으로 가능하다는 것을 주민들에게 보여주고, 그들이 스스로 집을 개조하는 데 필요한 자원을 지원하는 것이다. 잉글리시는 이렇게 말했다. "현지에 들어가서 우리는 여기에 이러한 가능성이 있다고 말합니다. 그리고 비용이 많이 들지 않고 쉽게 할 수 있다는 것을 보여줍니다. 그다음에는 그들이 스스로 결정해서 진행할 수 있습니다."

수륙양용 건물은 도처에 생겨나고 있다. 최근 영국에서는 바카 아키텍츠라는 회사가 템스강에 있는 한 섬에 물에 뜨는 방 세 개짜리 주택을 지었다. 방글라데시에서는 잉글리시의 학생 중 한 명이 집을 지속가능하고 구매 가능한 가격대로 물에 뜨도록 개조하기 위해 빈 플라스틱 물병 8000개를 사용한 모델을 선보였다. ICAADE의 한 참가자는 태국에서 수륙양용 병원을 고안했다. 또 다른 참가자는 물에 뜨는 프레임 제작에 사용하기 좋도록 구멍이 숭숭 뚫린 콘크리트를 개발하고 있다고 말했다.

(수륙양용보다 아예 물에만 떠 있는 수상 가옥을 제안하는 디자이너와 엔지니어도 있다. 암스테르담의 운하부터 캄보디아 톤레사프 호수까지 세계 각지의 물이 많은 지역에 수상 가옥이나 수상 마을이 오랫동안 존재해왔지만, 최근의 디자인들은 그와 전혀 다르다. ICAADE에서 한 참가자가 제안한 물에 뜨는 고층건물은 건물이 오르락내리락할 때 전기가 생산된다. 또 다른 제안서는 모든 경기가 대양 위에서 열리게 한다는 물 위의 올림픽 경기장 아이디어를 제시했다. 물에 뜨는 집, 물에 뜨는 식당, 물에 뜨는 호텔 등을 디자인한 네덜란드의 건축회사 워터스튜디오는 물에 뜨는 골프장, 물에 뜨는 스파, 물에 뜨는 모스크까지 디자인했다.[24] 또 2019년에는 오세아닉스라는 회사가 1만 명, 75만 제곱미터 규모의 완전히 자급자족적인 물에 뜨는 도시 건설 계획을 선보이기도 했다.[25])

그렇더라도 수륙양용 건물은 주류로 부상하고 있는 건

축 트렌드라기보다는 기발한 아이디어 정도로 여겨지고 있다. 아마도 직관적으로 이해하기가 그리 쉽지 않아서일 것이다. 잉글리시가 처음 사람들에게 이 아이디어를 이야기했을 때는 종종 비웃음을 샀다. 하지만 정작 큰 장애물은 그보다 더 평범한 데 있었다. 미국의 연방법은 홍수 고위험 지역의 주택 소유자가 홍수 보험을 들도록 하고 있다.[26] 그런데 수륙양용 건물은 전국 수해 보험 프로그램(NFIP)에서 보조를 받을 수 있는 대상이 아니다. 2007년에 NFIP를 관리하는 연방 재난관리청(FEMA)의 당국자가 잉글리시에게 물에 뜨는 집에 대한 정보를 더 이상 대중에게 내보내지 말도록 촉구했다. 그것을 도입하는 마을이 수해 보험 당국과 맺고 있던 "좋은 관계"를 망칠 수 있다는 것이었다.[27]

2017년 내가 FEMA를 찾아갔을 때 그곳 대변인은 더 많은 연구가 필요하다는 입장을 밝혔다. 이후에 내게 보낸 이메일에서 FEMA 당국자는 이렇게 설명했다.[28] "수륙양용형 건물 기술이 발달하고는 있지만 이 시스템은 공학적인 문제, 범람 지역 관리 문제, 또한 경제적인 면과 재난 대처 면에서 몇 가지 우려되는 점이 있습니다. 기계적인 과정에 의존해 가옥을 수해에서 보호하는 기술은 가옥을 영구적으로 높이 올려 지어서 안전하게 보호하는 것과 같은 수준이 될 수 없습니다."

조심스러운 접근은 물론 사려 깊은 것이지만, 기후변화

의 추세를 보면 혁신적인 접근을 받아들이는 일이 시급해 보인다. 2017년 버디 블래록은 라쿠시 올드 강의 범람 빈발 지역을 지나가면서 잉글리시에게 "우리는 이런 것을 훨씬 더 많이 해야 할 것"이라며 "기후변화를 믿지 않는 사람이 많지 않다"고 말했다.

잉글리시는 포기하지 않았다. 현재 캐나다 국가 연구 위원회에서 자금을 지원받아 새로운 모델을 시험하고 있으며 수륙양용형 건물 설계 가이드라인도 개발하고 있다.[29] 또 수륙양용형 건물에 대한 여론의 변화도 느껴진다고 했다. "사람들이 와서 이렇게 말합니다. '이런 것은 전에 들어본 적이 없는데요, 너무 좋은 생각 같아요. 우리 동네에서는 어떻게 구현할 수 있을까요?'라고요. 이제는 사람들이 나를 비웃지 않아요."

물론 건물 디자인만으로 기후변화에서 벗어날 수는 없다. 회복력 있는 거주지와 공동체와 사회를 만들려면 위험 지도 작성, 위험 예측, 조기 경보 시스템 등을 개선하고, 정교한 대피 계획을 짜고, 녹지를 보존하고, 커뮤니케이션 시스템과 긴급 재난 대응 서비스에 투자하고, 보험의 포괄 범위를 넓히고, 지역 경제의 다양성을 촉진하고, 사회적 유대를 강화하고, 사회 안전망을 확충하고, 궁극적으로 빈곤의 근원 문제를 해결해야 한다. 어떤 곳은 거주지 기능을 포기해야 할 수도 있다. 그렇더라도 회복력 있는 건물 디자인이 적어도 큰 재앙과 작은 재앙 사이의 차이를 만들어낼 수는 있을 것이고, 재난과 불편함 사이의 차이를 만들어낼 수도 있을 것이다.

그러한 회복력이 어떤 모습일지는 지역에 따라, 기후와 지리적 상황에 따라 크게 다를 것이다. LA 사람이나 오클라호마시티 사람은 뉴올리언스 사람과는 다른 종류의 위험에 대비해야 한다. 그러므로 모든 종류의 재난에 대한 구조물을 고안하려면 건축가는 크게 생각해야 한다. 토네이도에 잘 견디는 집을 짓고 있는 미주리주 조플린의 Q4아키텍츠는 토네이도가 닥쳤을 때 대피할 수 있는 탄탄한 은신처 '코어'를 두고 그 주위로 평상시에 쓰는 방들을 빙 둘러 배치하는 구조로 이를 달성했다.[30] 노스캐롤라이나의 델텍 홈스는 허리케인급 강풍에 버틸 수 있는, 바퀴 모양의 공기역학 구조물을 설계했다.[31] 또 내진 설계로 유명한 나라답게 일본에서는 충격 흡수 장치, 진동 억제 진자, 테플론으로 감싼 베어링 등을 사용해 고층건물도 지진에 잘 버티게 설계되어 있다.

회복력이 꼭 급진적인 형태를 의미하는 것은 아니다. 뉴올리언스나 보스턴 같은 홍수가 잦은 지역의 병원들은 폭풍에 대비하기 위해 행정 사무실을 저층에 두고 가장 중요한 병실과 기계실 등을 고층에 두는 식으로 건물 내부 구조를 새로이 구성하고 있다. 건축법을 개정하는 것도 많은 이들의 생명을 구하는 데 중요하다. 건축법 조항의 상당수가 과거의 기후 패턴에 맞춰져 있어서 빠르게 무용지물이 될 수 있기 때문이다. 동시에 현재의 건축법을 잘 준수하도록 강제하는 것도 중요하다. (2017년 멕시코시티에서 지진이 일어나 수백 명이 목숨을 잃은 뒤, 탐사보도 기자들은 몇몇 개발자가 건축법상의 규제를 위반했다는 사실을 밝혀냈다.[32])

회복력 개념은 각 지역의 맥락에 따라 달라지지만, 그렇더라도 지속가능성 개념과 함께 간다는 점은 대체로 공통적이다. 자연재해는 전기와 수도 공급에 문제를 일으킬 수 있다. 그래서 점점 더 많은 건축가들이 '패시브 생존성'이라는 개념에 우선순위를 두려 하고 있다. 극단적인 재난 환경에서도 건물이 계속해서 거주 가능한 공간으로 기능할 수 있게끔 설계하는 데 초점을 두는 것이다. 이러한 건물은 단열을 확실하게 하고 자연 채광과 자연 환기에 의존하는 등의 방법으로 에너지 필요량을 줄이며 태양열 같은 대체 에너지원을 이용한다.

회복력 있는 건물의 역할은 닥친 재난을 방어하는 데서만 그치지 않는다. 지속가능하고 친환경적인 건물은 기후변화로 달라질 세계에서 우리의 생존을 도울 뿐 아니라 기후변화가 미칠 최악의 영향을 완화하는 데도 도움을 줄 수 있다. 일반적으로 현대의 건물은 자원을 빨아먹는 거대한 하마다. 새 건물을 하나 지으려면 천연자원을 추출 가공하고, 부품을 제조 운반하고, 구조물을 세우고, 그것을 안전하게 보강해야 한다. 단독주택 한 채 짓는 데 약 0.09제곱미터당 1.8킬로그램의 쓰레기가 나온다.[33] 그리고 미국에서는 1950년대 이래 집 크기가 평균 두 배 이상이 되었다. 건물 유지 관리에서도 엄청난 폐기물이 나오고 막대한 양의 물과 에너지가 소모된다. 건물을 짓고 운영하는 데 전 세계 에너지 사용량의 거의 3분의 1이 들어가고, 이 분야는 에너지 관련 이산화탄소 배출의 거의 40퍼센트를 차지한다.[34]

기후변화에 대응하려면 건물의 생태발자국을 줄여야 한다. 그래서 지구에 발자국을 적게 남길 수 있는 구조물을 만드는 데 관심을 보이는 건축가, 개발자, 주택 소유자가 점점 늘고 있다. 녹색 건축 분야는 번성하는 산업이고 LEED부터 리빙 빌딩 챌린지까지 지속가능 건축물 인증 제도도 빠르게 확산되고 있다. 각국 정부는 친환경 건축을 실천하는 개발자에게 금전적인 인센티브를 제공하고 있으며 소비자들은 삶의 규모를 줄여서 더 작고 맞춤형 조정이 가능한 '마이크로 아파트'로 옮겨 가고 있다.

정말로 신중하게 설계한다면, 더 많이 돌려주는 건물을 공학적으로 설계하는 것도 가능할 수 있다. 사용하는 것보다 더 많은 에너지를 생산하는 '에너지 포지티브' 건물이 그런 사례다. 세계에서 가장 친환경적인 사무용 건물로 일컬어지는 시애틀의 불릿 센터는 옥상에 태양광 패널 575개가 설치되어 있고 빗물을 받아 지하 저수조에 모은 뒤 정화해서 건물에 물을 공급한다. 싱크대와 샤워실의 폐수는 정화되어 다시 지하수를 채운다. 화장실 하수는 건물의 지하로 가서 퇴비가 된다.[35]

주로 스칸디나비아 회사들로 이루어진 파워하우스 컨소시엄은 에너지 포지티브 학교, 사무실, 호텔 등을 설계하고 있다.[36] 또 구글의 자매 회사 사이드워크 랩은 토론토에 동네 전체가 '기후 포지티브'를 실현할 수 있는 하이테크 기반의 스마트 동네를 만들고자 연구하고 있다. 이를 위해 첨단 전력망을 통해 태양열과 지열 에너지를 사용하는 것부터 폭우 관리를 디지털로 하고, 폐기물 운송을 스마트 시스템으로 운영하고, 폐기물 수거 로봇을 사용하는 등 다양한 녹색 테크놀로지를 활용할 계획이다.[37]

언론에는 이처럼 화려한 프로젝트가 주로 소개되곤 하지만, 회복력이 꼭 많은 예산이나 첨단 기술을 필요로 하는 것은 아니다. LEED나 스마트 전력망이 아예 존재하지 않던 수백 년 전에도 사람들은 지속가능한 건물을 지었고 천연자원을 현명하게 사용했으며 현지의 환경에 완벽하게 부합하도록 설계했다. 추운 지역에서는 눈과 뗏장을 두껍게 쌓아 겨울에 따뜻하게 지낼 수 있는 집을 만들었다. 사막에서는 높고 조밀하게 건물을 지어서 뜨거운 태양에서 사람들을 보호해주는 그늘을 형성했다. 열대 지역 사람들은 통풍이 잘되도록 높은 곳에 집을 지었고 종려나무나 코코넛으로 이엉을 얹어서 시원해지게 만들었다. 허리케인이 잦은 어느 지역에서는 원뿔 모양의 지붕을 얹은 둥근 집을 지어서 거센 바람이 비켜가도록 했다.[38] 지진이 잦은 어느 지역에서는 지진에 견딜 수 있는 동굴을 거주지로 삼았다.[39] 수 세기에 걸쳐 어렵게 획득한 문화적 지식에 기초한 전통 건축 기법들은 안전하고 지속가능한 집이 사치품이 아니라 인권인 세상을 만드는 데 도움을 줄 수 있다.

모든 사람이 가격 면에서 감당 가능하고 회복력 있는 집에 살도록 하겠다는 비전이 LA의 북동쪽 모하비사막 고지대의 작은 땅에 구현되어 있다. 2018년 3월 어느 토요일 아침에 나는 그것을 보러 샌 가브리엘산맥을 굽이굽이 올라갔다. 다시 내려가면서 보니 캘리포니아주 헤스페리아의 갈색 풍경이 보였다. 메이플가를 타고(단풍나무는 없었다[Maple은 단풍나무라는 뜻이다]) 윌로우가로 가서(버드나무는 없었다[Willow는 버드나무라는 뜻이다]), 헤스페리아 고등학교('전갈의 고향'[학교의 공식 마스코트가 전갈이다])를 지나 라이브 오크 길로 접어들면(오크나무는 없었다) 작은 주거 개발지가 나온다. 황갈색 이층집들이 깔끔하게 늘어서 있었고 개발 지구의 반대쪽에서 길이 끝났다. 그곳 모래와 사막 관목들 사이에 흙으로 된

돔형의 작은 집들이 점점이 보였다. 흙벽돌로 지은 이글루 같았다.

이 돔이 구호 단체이자 비영리 교육 기구인 칼어스 연구소의 초현실적인 건축물이다. 칼어스는 회복력 있고 지속가능한 집을 말 그대로 바로 발밑에서 찾을 수 있는 재료로 짓는 법을 가르친다. 그날은 계절에 비해 추운 아침이었고 돌풍이 부는 데다 폭풍우가 쏟아질 듯 먹구름이 드리워 있었지만 100명 넘는 사람이 코트를 단단히 껴입고 칼어스 창립자 네이더 칼릴리의 10주기 기일을 기리기 위해 이곳에 모였다.

칼릴리는 1936년에 테헤란의 가난한 가정에서 아홉 아이 중 한 명으로 태어났다. 페르시아 문학과 건축을 공부한 뒤 미국에서 길을 찾기로 결심하고 1960년에 달랑 가방 하나에 페르시아어-영어 사전과 단돈 65달러를 가지고 샌프란시스코에 도착했다. 이곳에서 그는 여러 잡일을 전전했다. 주식(stock) 시장을 가축 시장으로 착각하고서 더러운 작업복을 입은 채로 일용직 일거리를 찾으러 금융 지구로 간 적도 있다. 그러다가 제도공 교육을 받았고 이어서 건축사 자격증을 땄다.[40]

그는 LA와 테헤란에 건축 사무실을 차리고 몇 년 간 두 도시를 오가며 고층 아파트 단지나 거대한 주차 전용 건물처럼 대규모 예산이 투여되는 프로젝트를 했다. 그러던 어느 날, 집안의 전설처럼 된 이야기에 따르면, 그는 세 살배기 아들 다스탄을 공원에 데리고 갔다. 한 무리의 동네 아이들이 나무가 늘어선 산책로에서 달리기 경주를 하며 놀고 있었다. 칼릴리의 아들은 가장 어리고 몸집도 작아서 열심히 달려도 계속 꼴찌로 들어왔다. "내 아들은 다른 아이들보다 늦게 출발점에 들어왔다. 네 번 경주를 하더니 눈물이 그렁그렁한 채 헐떡거리면서 말했다. '아빠, 나는 혼자 경주하고 싶어.'" 칼릴리는 회고록에 이렇게 적었다.[41]

칼릴리는 아들에게 혼자 경주해도 된다고 독려해주었다. "그랬더니 이번에는 아까보다 더 늦게 출발점에 돌아왔다. 하지만 아이는 행복해 보였고 길에서 발견한 노란 잎을 내게 선물로 주었다. 그는 경주를 즐겼고 나뭇잎 찾을 시간도 충분히 가졌으며 무엇보다 일등으로 들어왔다. … 나는 생각했다. 혼자 경주해도 재미있을 수 있구나!"

아들을 보면서 칼릴리는 자신의 삶에 놓인 선택지를 생각했다. 그는 부풀기만 하는 예산, 높아지기만 하는 건물, 철골과 유리로 도배된 스카이라인에 진력이 났다. 무언가 더 소박하고 자연적인 재료를 사용해서 사람들이 살고 싶어 하는 집을 만들고 싶었다. "아버지가 정말로 원하신 것은 '주거'에 해법을 찾는 것이었어요." 칼릴리의 딸 시프테가 말했다.

밤에 몸을 누일 안전한 장소를 갖는 것은 기본적인 인권이다. 2016년의 한 유엔 보고서가 언급했듯이, "생명권은 안전한 거처를 가질 권리와 분리될 수 없다".[42] 그런데도 전 세계에서 십억 명도 넘는 사람이 기준 미달의 주거 공간에 살고 있으며 1억 명은 거처가 없다.[43]

칼릴리가 삶의 경로를 다시 생각하고 있던 1970년대 중반에는 이 숫자가 작았지만 그래도 상당한 숫자였다. 그때도 세계에서 수억 명이 안전한 집을 필요로 했고[44] 칼릴리는 그런 집을 제공하고 싶었다. 1975년 칼릴리는 하던 일을 접은 뒤 모터사이클을 타고 이란의 사막으로 갔다. 수천 년 동안 이곳 사람들은 진흙을 태양에 말려 만든 벽돌로 집을 짓고 살아왔다. 칼릴리는 흙으로 집을 짓는다는 아이디어의 가능성에 매료되었고 흙을 견고하고 구매 가능한 가격대의 집을 짓는 데 쓸 수 있는 새로운 방식을 연구하기 시작했다.

1980년에 미국으로 돌아온 칼릴리는 '슈퍼어도비' 시스템을 개발했다.[45] 기존에 '모래주머니 건축'이라고 알려져 있던 기법을 응용한 것이었다. 그는 젖은 흙을 채운 모래주머니를 둥글게 배열하고 위에 가시 철망을 얹었다. 다시 그 위에 약간 작은 원이 되도록 모래주머니를 얹었다. 이런 식으로 반복해서 전체적으로 돔 형태가 되게 했다. 가시 철망은 찍찍이 단추처럼 위아래의 모래주머니를 붙여주는 기능을 했다. 그렇게 해서 돔 모양이 완성되면 석회를 발라 고정했다.

돔 형태는 우연히 정한 모양이 아니라 이 디자인의 핵심이다. 네모난 형태의 통상적인 건물에 비해 힘을 잘 분산시켜서 더 튼튼하다. 또 공기역학적이고 규모가 작으며 아랫부분이 윗부분보다 넓고 무게중심이 낮아 흔들리거나 뒤집히는 것을 잘 막아준다. 칼릴리는 지진이 나면 돔 형태의 건물이 식탁에 사발을 뒤집어 놓았을 때처럼 반응할 것이라고 예상했다. 식탁이 흔들릴 때 사발이 미끄러질 수는 있겠지만 무너지지는 않을 것이었다. 그는 "토대는 땅에 묻혀 있지만 집은 위에 분리되어 있어서 땅 아래쪽에서 진동이 흩어지게 해준다"고 적었다.[46]*

칼릴리는 1980년대 내내 이러한 개념을 가지고 씨름했다. 그리고 1991년 모하비사막에 2만 8300제곱미터의 땅을 사서 칼어스 연구소를 세우고 이곳을 실물 크기의 모형을 만드는 워크숍 공간으로 삼았다. 지역의 건설 당국은 모래주머니로 건물을 짓는다는 계획을 미심쩍어했다. 훗날 한 업계 저널에 쓴 글에서 헤스페리아의 도시계획 당국자 두 명은 이렇게 회상했다. "우리가 적절한 예절을 배우지 않았더라면 크게 웃고 말았을 것이다." 하지만 슈퍼어도비 구조물은 당국의 내진

＊ 칼릴리가 돔 형태의 장점을 처음 발견한 것은 아니다. 많은 원주민이 오래전부터 돔 형태의 집을 지어왔다. 1940년대에는 건축가 월리스 네프가 거대한 풍선에 콘크리트를 분사해 '거품 집'을 만들기도 했다. 1954년에는 건축가이자 발명가 버크민스터 풀러가 '지오데식 돔'의 특허를 냈다. 작은 삼각형을 반복적으로 배열해 구형을 만든 것이었다. 풀러는 열정적이었지만 이 돔은 건물에, 특히 주거용 건물에 많이 쓰이지는 않았다.

설계 테스트를 훌륭한 점수로 통과했다. "기준을 훌쩍 넘게 달성했고 테스트용 기계가 건물보다 먼저 나가떨어졌다."[47]

칼릴리는 몇 년 동안 이 기술을 다듬어서 1999년에 특허를 냈다.[48] 빈 모래주머니를 먼저 제자리에 놓고 그다음에 속을 채우는 방식이었는데, 그러면 무거운 주머니를 들어올릴 필요가 없어서 어린아이도 슈퍼어도비 돔 짓기를 도울 수 있었다. 시프테 칼릴리는 "흙이 담긴 커피 캔 하나 정도를 들 수 있다면 이 일에 참여하기에 손색이 없다"고 말했다. 시프테는 2008년에 아버지가 사망한 뒤 오빠 다스탄과 함께 칼어스를 이어받아 운영하고 있다.

비전문가도 하루 만에 배울 수 있고 다음 날이면 방 하나짜리 기본형 돔을 지을 수 있다. 시프테 칼릴리는 슈퍼어도비가 재난 긴급 구호 주택을 지을 때 사용하기에 좋은 방법이라고 말했다. 재료도 공정도 지속가능하다. 인근에서 구할 수 있는 흙 정도만 사용하며 어느 지역에서든 그 지역 재료를 쓸 수 있다. 도구도 인간의 손이면 된다. 또 흙을 채운 모래주머니는 화재와 홍수에 강하고 단열도 잘 된다. (돔은 다른 형태의 건물들에 비해 내부 공간 대비 건물의 표면적을 최소화할 수 있어서 에너지 효율적이다.)

슈퍼어도비는 다양한 용도에 유연하게 적용될 수 있다. 여러 가지 크기로 만들 수 있고, 드럼통을 세로로 갈라 엎어

놓은 것처럼 아치형 천장을 한 기다란 통로도 만들 수 있다. 돔과 통로를 서로 연결하면 방이 여러 개 있는 집을 만들 수도 있다. 시프테는 "현지의 문화와 기후에 맞게 만들 수 있다는 것도 장점"이라고 말했다. 모래주머니는 모래뿐 아니라 거의 모든 종류의 물질로 속을 채울 수 있다. 화산재나 매립장에서 나오는 쓰레기로도 채울 수 있다.

1차 걸프 전쟁 직후, 슈퍼어도비를 실제로 만들어볼 수 있는 기회가 왔다.[49] 유엔개발계획이 네이더 칼릴리에게 이라크 난민을 위한 거처 14개를 짓도록 의뢰한 것이다. 칼릴리는 유엔 직원들에게 슈퍼어도비 건물 짓는 법을 전했고 그들이 다시 난민들에게 그 방법을 전했으며 난민들이 직접 집을 지었다. 각 돔은 다섯 명이 지내기에 충분할 만큼 컸고 들어가는 자재 비용은 621달러에 불과했으며 2주 이내에 지을 수 있었다. 철학자이자 시인이기도 한 칼릴리는 정치적 분쟁으로 도망쳐야 했던 사람들을 위한 거처에 슈퍼어도비가 쓰인다는 사실에 영감을 받아 다음과 같은 시를 지었다. "모래주머니와 가시철망, 이 전쟁 물자가 평화의 주춧돌이 되고 자연재해만이 아니라 전쟁에 맞서는 난민을 돕는다."[50]*

---

*   칼릴리는 13세기 페르시아 시인 루미에게 특히 많은 영향을 받았다. 그는 루미의 작품을 번역한 책을 여러 권 냈고 루미가 쓴 구절인 "현명한 자의 손에서 흙이 금으로 변한다"에서 영감을 받았다.

나는 칼어스를 방문했을 때 재난 이후에 빠르게 지을 수 있는, 슈퍼어도비 돔으로 이루어진 '긴급 구호 주거촌'을 둘러보았다. 돌길이 다양한 농도의 흙빛을 띤 돔들 사이로 구불구불 나 있었다. 동그란 창문들이 나 있는 작은 방 하나가 있고 러그가 한두 개 깔린 소박한 집이었다. 하지만 두꺼운 벽은 견고했고 쉽게 흔들리거나 움직이지 않을 것 같았다. 밖에는 돌풍이 불었지만 돔 안은 따뜻하고 조용해서 자궁 안에 있는 것처럼 안락한 느낌이었다.

한 마을의 끝에 커다란 개미굴 같이 생긴 붉은색의 작은 돔이 있었다. 2010년 아이티에 지진이 닥친 뒤 칼어스에서 디자인한 '아이티 원'이었다. 지진이 일어난 뒤, 칼어스 팀은 아이티로 가서 임시 천막촌에서 지내고 있던 생존자들을 만나 이야기를 들었다. 시프테는 이렇게 설명했다. "난민촌은 천막 같은 것을 사용해 임시로 짓지만 대개 사람들은 거기에 몇 년이고 머물게 됩니다."*

시프테와 동료들은 집을 잃은 아이티 사람들에게 장기간 동안 안전하게 지내려면 어떤 종류의 집이 필요하다고 생각하는지 물어보았다. "하나는 허리케인이 올 때 안전한 집이

---

* 정말 그렇다. 지진이 지나고 5년 뒤에도 아이티 사람들 8만 명이 여전히 임시 난민촌에 머물고 있었다.[51]

었습니다. 천막은 돌풍에 쓸려 갈 테니까요. 또 하나는 아이들을 집에 두고 나와도 안심이 되는 집이었습니다. 그래야 부모들이 일거리를 찾을 수 있으니까요. 따라서 문이 잠기는 집이어야 했습니다." 이러한 이야기를 바탕으로 칼어스는 재난 긴급 구호 주택의 모델을 새로 디자인했다. 그들이 설계한 집은 직경 약 3미터의 돔으로, 세 개의 작은 구역으로 나뉘어 있었다. 하나는 자는 방, 하나는 요리하는 방, 다른 하나는 창고였다. 그리고 선박 화물 운송용 상자를 재활용해 잠글 수 있는 문을 만들었다.

네이더 칼릴리는 가난한 사람들, 노숙인들, 집을 떠날 수밖에 없었던 사람들에게 집을 제공하는 데 특히 열정이 있었지만, 지속가능하고 재난에 강한 집을 만드는 데 관심 있는 사람 누구에게나 슈퍼어도비가 좋은 방식이 될 것이라고 생각했다. 이를테면 미국 서던 캘리포니아의 부유한 사람들에게도 말이다. 시프테 칼릴리는 이렇게 설명했다. "LA 출신 사람 중에 친환경적인 생활과 지속가능성에 관심을 가지는 사람이 늘고 있었지만, '그래, 이거 좋네. 하지만 내가 지내기에는 좀 수준이 낮은 것 같아. 나는 이렇게 오두막 같은 데서 살기는 싫어'라고 생각하는 경향이 있었습니다."

그래서 네이더 칼릴리는 '어스 원'을 지었다. 약 186제곱미터 규모에 방이 세 개인 슈퍼어도비 주택으로, 아홉 개의 연결 통로가 있다. 칼어스 단지에 지어졌으며 가구도 모두 구비되어 있고 여러 색상의 쿠션과 베개, 부드러운 담요도 있다. 배관, 중앙 난방, 에어컨, 실제로 작동하는 벽난로, 개방형 부엌, 두 개의 차고까지 현대적인 설비를 모두 갖추고 있다. 시프테 칼릴리는 이것이 "주거와 관련해 아메리칸 드림"이나 마찬가지라며 "모든 것이 이곳에서 나온 것들로 지어졌다"고 말했다. (물론 우리가 진정으로 지속가능한 사회를 원한다면 각 가정이 차를 두 대씩 가질 필요가 없도록 대중교통을 확충하고 걸어다니기 좋은 동네를 만드는 데 투자해야 한다.)

칼어스는 주말 워크숍 외에도 매월 오픈 하우스를 열고 있으며 슈퍼어도비 구조물을 짓고 싶어 하는 사람들에게 긴 과정의 교육 프로그램도 제공한다. "우리가 하는 일의 핵심은 개인의 역량을 강화한다는 것입니다." 시프테 칼릴리가 말했다. "우리는 삽 끝의 정확한 방향을 몰라도 이틀이면 집을 지을 수 있다는 것을 사람들에게 보여줍니다." 이곳에서 교육받은 사람들이 나중에 스스로 워크숍과 강연을 열어 슈퍼어도비를 전파하기도 한다.

베네수엘라, 마다가스카르, 호주, 헝가리, 캐나다, 오만, 인도, 시에라리온, 일본 등 약 50개 국가에 슈퍼어도비 구조물이 있다.[52] 어떤 곳들에서는 재난을 견디고 살아남았다. 2015년 네팔에 진도 7.6의 강진이 닥쳤을 때 다른 집은 거의 다 무너

졌는데 슈퍼어도비 돔 마흔 개로 된 고아원은 석고 외벽에 약간 금이 간 것을 제외하면 무사했다고 한다.[53] 또 칼어스 워크숍을 이수한 사람들이 푸에르토리코에서 만든 슈퍼어도비 돔 두 개는 허리케인 마리아에도 끄떡없었다고 한다.[54]

2017년 12월 캘리포니아에서 사상 최악이었던 토머스 화재가 발생해 환경교육 비영리기구인 오자이 재단을 휩쓸었다. 이 화재로 재단 건물과 쉼터 스무 곳 이상이 파괴되었다. 하지만 주변 풍경은 재로 변했는데도 슈퍼어도비 건물은 살아남았다.[55] "이것을 본 사람들에게 매우 근본적인 영향을 미쳤을 것이라고 생각합니다." 시프테 칼릴리가 말했다. "지진과 화재를 통해 우리가 화재와 허리케인과 홍수에 강한 디자인을 가지고 있다는 것을 사람들에게 입증할 수 있었다고 생각합니다."

그렇더라도 슈퍼어도비의 소구력에는 한계가 존재한다. 미국의 부유한 사람들이 흙으로 만든 집을 진정으로 받아들일 것이라고는 상상하기 어렵다. 현재로서 미국인이 선호하는 집은 칼어스를 방문하러 가던 길에 보았던 맥맨션이다. 흙으로 지은 칼어스의 돔을 내려다보는 위치에 개발되고 있는 주거지가 다 맥맨션 스타일의 집으로 이루어져 있었다. 그리고 칼어스는 역풍도 맞았다. 2017년 카운티 당국이 슈퍼어도비 기법이 공식적으로 평가되고 국제 코드 위원회에서 승인되기 전까지는 더 이상 슈퍼어도비 건물을 허가하지 않겠다고 통지

한 것이다. 국제 코드 위원회는 건물 안전 기준을 개발하는 곳이고 전 세계에서 이곳의 기준을 사용한다. 승인 과정은 현재까지 여러 해에 걸쳐 계속 진행 중인데, 칼어스가 승인을 받는다면 세계 각지에서 슈퍼어도비 건물의 허가를 받는 것이 더 쉬워질 것이다.[56]

시프테 칼릴리는 사람들이 생태발자국과 한정된 지구 자원에 점점 관심을 기울이게 되면서 새로운 것을 시도해볼 준비가 된 사람도 늘고 있다고 말했다. 토머스 화재 이후에 처음 열린 2018년 1월의 오픈하우스에는 오자이 사람들이 동네를 다시 짓는 더 좋은 방법을 기대하며 칼어스에 찾아왔다.[57] "지진도 폭풍도 화재도 다시 닥칠 것입니다. 우리가 잘 대비할 수 있을까요? 무언가를 다르게 할 수 있을까요?" 칼릴리가 말했다.

'다르게'가 꼭 슈퍼어도비를 의미하는 것은 아니다. 많은 기업이 지속가능하고 회복력 있는 돔 주택과 돔 건물 키트라고 광고하면서 다양한 재질과 가격대의 제품을 내놓고 있다. 재팬 돔 하우스는 스티로폼 같은 재질로 "지진에 강한" 돔을 만든다. 일본의 한 리조트가 이 돔을 400개 이상 설치했는데 2016년에 강진이 연달아 왔을 때도 손상되지 않았다는 보도가 있었다.[58]

한편, 미국의 몇몇 기관은 안전하고 지속가능한 '미니 주택'을 노숙인에게 제공하고 있다.[59] 3D프린팅이 구매 가능한 가격대의 주거가 부족하다는 문제에 해법이 되어주리라고 보는 사람들도 있다. 2018년 텍사스 오스틴의 건설 기술 기업 ICON은 벌컨 프린터를 사용해 약 32제곱미터 크기의 콘크리트 집을 지었다.[60] 이 회사는 4000달러 이내의 비용에서 24시간 안에 약 45~75제곱미터의 구조물을 짓는 것을 목표로 한다. 남미의 가난한 가정에 3D프린팅으로 집을 지어주는 프로그램도 계획 중이다.

(3D프린팅 건물의 지속가능성에 대해서는 논란이 있다. 쓰레기의 양과 장거리 운반이 필요한 건설 자재의 양을 최소화할 수는 있지만 여기에 사용되는 물질(가령 콘크리트)이 딱히 친환경적이지는 않다. 그래서 몇몇 디자이너들은 지속가능한 구조물을 만들기 위해 3D프린터에 대나무 섬유, 톱밥, 커피 찌꺼기, 식물 기반의 바이오플라스틱 등의 친환경 물질을 사용하는 방안을 연구하고 있다.[61])

이러한 아이디어의 상당수가 괴짜같이 들리지만 우리는 건물 짓는 방식을 급진적으로 바꿀 필요가 있다. 주거와 관련해 우리가 해결해야 할 가장 큰 문제, 즉 안전성, 지속가능성, 구매 가능성은 서로 연결되어 있고 우리의 미래가 보장되려면 이 모두를 다룰 방법을 찾아야 한다. 시프테 칼릴리는 이렇게 말했다. "아버지는 사람들이 '이것은 지속가능해요. LEED 플래티늄 인증을 받았거든요. 비용은 1000만 달러나 들었고요'

같은 이야기를 하는 것을 들으실 때면 늘 지속가능성이 우습다고 하셨어요. 그리고 늘 이렇게 말씀하셨죠. '그것은 지속가능하다고 부를 수 없어. 구매 가능한 가격대가 아니어서 … 사람들이 참여하는 게 불가능하니까, 그것을 지속가능하다고 부르는 것은 공정하지 않지'라고요. 진정으로 지속가능성이 있으려면 접근 가능성도 있어야 합니다."

네이더 칼릴리는 '보편적'인 건축물을 만들고 싶어 했다. 그리고 여기에서 '보편적'이라는 말은 정말로 누구나 접할 수 있다는 의미다.

9 화성에 집을 짓는다면

네이더 칼릴리는 제한된 자원으로 지구에서 가장 거주 불가능해 보이는 곳에 거주지를 짓는 분야에서 전문가가 되었다. 하지만 지구는 시작일 뿐이었다. 발밑에서 당장 구할 수 있는 재료를 최대한 활용한다는 칼릴리의 아이디어는 우주에 인간이 거주할 만한 곳을 만들어보자는 개념에도 완벽하게 들어맞는다. "달은 지구의 사막보다 훨씬 자원도 적고 기후도 가혹하다."[1]

　1984년 칼릴리는 미국 항공우주국(NASA) 주최로 워싱턴DC에서 열린 '21세기 우주 활동과 달 기지' 심포지엄에서 우주에서의 건축 디자인에 대해 몇 가지 아이디어를 발표했다.[2] 과학자와 엔지니어 들 앞에서 그는 달에서 쉽게 구할 수 있는 전토층(달의 표층을 구성하는 흙먼지)의 흙, 돌가루, 파편을 이용해 달에 거주지를 만들 수 있는 방법을 개략적으로 설명했다. 달의 전토층은 주로 현무암질이다. 현무암은 화산 활동에서 나오는 암석으로, 용암이 식으면서 형성된다. 달 기지 건설 노동자들이 현무암 흙을 커다란 더미로 쌓은 뒤 거대한 거울이나 확대경을 사용해 햇빛의 초점을 모아 그 열로 현무암 흙더미의 표면을 녹이면 녹은 현무암이 아래로 흐르다가 식으면서 굳어질 것이다. 그다음에 흙더미의 속을 파내면 돔 형태의 단단한 구조물을 만들 수 있다. 또한 비슷한 방식으로 "달 어도비 벽돌"을 만들거나, 달 암석을 녹여 "원심력 회전판, 그러니까 거대한 도자기 물레 같은 장치"를 이용해 건물을 빚을 수도 있을 것이다.[3]

칼릴리는 이후 몇 년 동안 아이디어를 더 갈고 다듬으면서 NASA, 로스앨러모스 국립연구소, 맥도널 더글러스 스페이스 시스템스 등의 과학자들과도 논의했다.[4] 그때는 그가 슈퍼어도비를 개발하던 때이기도 했는데, 그는 이 방식이 달에서도 적합하리라고 생각했다.[5] 달 정착민이 튜브나 주머니에 전토층을 채워서 외계의 풍경에 잘 조화되는 방식으로 안전하고 내구성 있는 보금자리를 지을 수 있으리라는 것이었다. 그는 이렇게 기록했다. "벽돌의 적합한 크기와 모양, 적절한 건설 기법, 적합한 재료의 조합을 찾아내고, 그것이 달이라는 새로운 환경에서 조화를 이루며 통합되는 방법을 개발하는 것은 인류가 어머니 지구로부터 독립해 천국에 보금자리를 짓는 첫걸음일 수 있을 것이다."[6]

많은 건축가가 '회복력'에 초점을 맞춰서 우리가 현재 거주하고 있는 곳이 먼 미래에도 계속해서 거주 가능한 곳으로 존재하도록 하고자 노력하지만, 아예 새로운 곳으로 관심을 돌리는 사람들도 있다. 우리가 여기에 계속 머물 수 없게 되면, 혹은 머물고 싶지 않아지면 어떻게 할 것인가? 그다음에 우리가 갈 수 있는 곳은 어디인가? 생각해볼 수 있는 곳은 우주다. 달에, 화성에, 그보다 더 먼 곳에, 전초 기지와 마을과 도시와 국가를 짓는 것이다.

제프 베조스가 세운 민간 우주회사 블루오리진의 첨단 개발 프로그램 부문 부회장인 건축가이자 우주공학자 브렌트 셔우드는 "인류가 영원히 하나의 행성에만 머문다는 것이 나로서는 상상하기 힘들다"고 말했다. 셔우드는 NASA가 생긴 해인 1958년에 태어났고 아폴로 시대의 정점에 청소년기를 보냈다. 그는 우주 탐험의 모험과 낭만에 매료되었고 어렸을 때부터도 언젠가는 인류가 당연히 외계의 별에 거주지를 만들게 되리라고 확신해 마지않았다. "그때는 우리가 달에 도시를 짓게 되리라는 생각이 내게 너무나 당연한 것이었습니다." 그리고 셔우드는 그 길에 동참하고 싶었다. 그래서 '달에서의 도시계획'이라는 분야에 걸맞을 법한 경력을 밟아나갔다. 건축과

우주공학 둘 다에서 학위를 받은 것이다.[7]

대학원을 마치고 보잉에서 일하면서 그는 NASA가 발주한 국제 우주정거장(ISS) 건설에 참여했다. 그리고 거의 20년 동안 보잉에서 ISS 및 그 밖의 우주 관련 프로젝트에 참여했다. 2005년에는 NASA의 제트추진연구소로 자리를 옮겨 몇 년 동안 태양계의 신비를 푸는 우주 미션과 관련해 아이디어를 고안하는 일을 했고, 2019년에 블루오리진으로 옮겨 갔다.

직장에서 이러한 일을 하는 내내, 셔우드는 달에 도시를 건설한다는 꿈을 놓아본 적이 없다. 그는 '우주 거주지'를 구상하고 있는, 많지는 않지만 매우 열정적인 과학자, 공학자, 건축가 공동체의 일원이다. 대개 이들은 이 일을 직업으로 하기보다는 짬을 내어 하고 있다. "이 분야에는 전문직 일거리가 제공될 만한 연구나 작업이 매우 적습니다. 그래서 이 일을 하는 사람들은 대부분 생계는 다른 일로 유지합니다." 셔우드가 말했다. 그는 미국 항공우주연구소 우주건축기술위원회 위원장도 맡고 있다.

알고 보면, 우주에 인간이 장기적으로 살 수 있는 주거지를 만드는 것은 상당히 진지한 관심을 받아온 분야다. 미국, 중국, 일본, 러시아 모두 달에 기지를 짓겠다는 열망을 드러낸 바 있다. 유럽우주기구는 '국제 문 빌리지'를 세우자고 촉구하기도 했다.[8] 실리콘밸리의 몇몇 억만장자도 우주 개척에 진지하게 관심을 보이고 있다. 제프 베조스는 "달에 인간이 지속적으로 머무를 수 있는 환경"을 만들고 싶어 한다. 일론 머스크는 화성에 그러한 환경을 만들고 싶어 한다. NASA는 2030년대에 인간을 '붉은 행성'[화성]에 보낼 수 있기를 바라고 있다. 아랍 에미리트 연합은 다음 세기 내에 화성에 정착지를 건설하겠다는 계획을 발표했다.

달이나 화성에 영구적인 인간 정착지를 건설하면 우주에 대한 근본적인 질문에 답을 찾고자 하는 지질학자, 천문학자, 우주학자 등이 머물 수 있는 연구 기지로 중요한 역할을 할 수 있을 것이다. 우주의 광물을 활용하는 데 관심이 있거나 일생일대의 여행을 하고자 하는 모험가 고객을 대상으로 사업을 하려는 기업에 수익성 있는 비즈니스 기회를 제공할 수도 있을 것이다. 또 그보다 먼 우주로 가기 위한 중간 기착지 역할을 해서 인류에게 한층 새로운 기회를 열어줄지도 모른다.

아주 먼 미래에는 인류가 수억 수십억 년 더 생존할 확률을 높여줄 일종의 보험 역할도 할 수 있을지 모른다. 단기적으로는 지구를 더 잘 돌보는 것에 인류의 생존이 달려 있지만(우주 개척에는 아주, 아주, 오랜 시간이 걸릴 것이다) 전 지구가 재난에 처할 가능성을 완전히 무시할 수 있는 것은 아니다. 소행성이 충돌해 우리가 흔적도 없이 사라질 수도 있고 몇십 억 년 뒤에 태양이 팽창해 그 불길에 지구 표면이 그을려서 대양이 증발하고 대규모 멸종이 발생할 수도 있다. 생존하고 싶다면 집이 하나 이상 있는 편이 나을 것이다.

아이러니하게도 생존 문제는 우리를 위협하는 치명적인 환경에서 살아갈 방법을 알아낼 수 있느냐에 달렸는지도 모른다. 우주에서의 거주 가능성에 대해 이런저런 이야기들이 있지만 기본적으로 달과 화성 모두 우리를 대번에 죽게 만들 수 있는 요소가 무수히 많은 곳이다. 기온은 극단적으로 널을 뛴다. 달은 밤에는 영하 100도 아래로 떨어졌다가 낮에는 영상 100도 위로 올라가기도 한다. (화성은 밤에는 그만큼 기온이 내려가는데 낮 기온은 섭씨 21도 정도의 쾌적한 수준이라고 한다.) 또 달과 화성 모두 자기장이나 안정적인 대기가 없어서 인간 거주자는 태양 표면이 폭발할 때 방출되는 플레어나 우주선(線)에 포함된 위험한 방사선에 그대로 노출될 것이다. 대기압이 없고 산소도 없어서 달과 화성 거주자는 우주복을 입지 않고는 옥외에 서 있을 수도 없다.* 달은 주기적으로 운석의 공격을 받으며, 화성에는 몇 주나 지속되는 거대한 먼지 폭풍이 흔히 일어난다.

그러한 극단적인 환경에서는 아주 많은 건물이 필요할 것이고, 우주에 정착하고 싶다면 우리는 그 모든 악조건을 견디면서 그 내부에 있는 우리를 보호할 수 있는 구조물을 만들어야 한다. 또한 극도로 척박한 환경이라는 말은 우리가 얼마나 큰 우주 도시를 짓든 간에 전체가 거의 전적으로 실내 공간이어야 한다는 말이기도 하다. 서우드는 이렇게 말했다. "달이나 화성의 모든 건축은 본질적으로 실내 건축입니다. 밖은 치명적이니까요."

지구에서 이뤄진 수많은 연구에서 건물이 우리의 건강, 행위, 행복에 영향을 미친다는 사실이 반복적으로 밝혀졌다. 건물은 우리의 수면에, 스트레스에, 식사와 기분에, 신체 역량과 직무 성과에, 면역 반응에, 사회적 상호작용에 영향을 미친다.

오늘날 지구의 도시에서 우리가 하루의 90퍼센트를 실내에서 보내는 것과는 비교도 안 될 만큼 전적으로 실내에서만 지내야 하는 우주에서는, 모든 종류의 디자인 의사결정이 미치는 영향이 훨씬 더 증폭될 것이다. 우주 건축은 '인간의 삶

✱　화성에 공학적으로 대기를 조성해서 인간 친화적인 환경으로 만들 방법을 구상하는 과학자들도 있다. 인위적으로 지구와 비슷한 대기를 만드는 과정을 '테라포밍'(terraforming)이라고 한다. 한 가지 방법은 화성의 빙하 아래에 묶여 있는 이산화탄소 풀어내 화성을 뒤덮게 하는 것이다. 온실가스인 이산화탄소가 두터운 대기를 형성하면 점차 화성의 기온을 올릴 수 있을 것이고, 그다음에 나무를 심어서 산소를 생성할 수 있으리라는 것이다. 이렇게 하면 이론상으로는 기온도 온화하고 산소도 존재하는, 지구와 닮은 행성이 만들어질 수 있다. 하지만 이러한 제안은 아직까지 추측에 가까운 수준이며 논란도 많다. 설령 기술적으로 가능하다 해도 적어도 수 세기는 걸릴 것이다. 그러니 가까운 미래에 화성은 여전히 지금 우리가 보는 모습 그대로일 것이다.[9]

을 지원하는 실내 공간'은 어떠해야 하는지에 대해 우리가 알고 있는 지식을 총동원해 적용해볼 기회를 제공한다. 또한 건강한 실내 생활이 필요로 하는 요소에 대해 새로운 지식과 통찰을 얻을 기회도 제공한다.

우주 건축가들이 이러한 도전에 나서고 있다. 서우드는 "이 분야에서 내가 아는 모든 사람이 인류가 우주에서 잘 살아가기 위해 한 발 더 나아가는 것이 미래에 우리가 가게 될 적합하고 자연스러운 단계라고 진심으로 믿고 있다"고 말했다. 극단적인 환경은 독특한 어려움을 제기할 것이고 건축상의 새로운 해법을 필요로 하겠지만, 사실 가장 큰 도전은 더 익숙한 질문과 관련이 있다. 외계의 전초 기지를 어떻게 하면 내 집처럼 편안한 공간으로 만들 수 있을까?

칼릴리가 직관적으로 알고 있었듯이 우주에서 건물을 짓는 가장 좋은 방법은 그곳에서 발견할 수 있는 자원을 현명하게 사용하는 것이다. 가장 단순한 형태로는, 그곳의 지리적 구조를 그대로 이용하는 방법이 있다. 가령, 달과 화성에는 맹렬한 화산 활동이 있었기 때문에 지하에 용암이 지나가면서 생긴 동굴이 많다. 이론상으로 이러한 지하 용암 동굴은 지표의 위해 요인으로부터 거주자를 보호하는 은신처가 될 수 있다.

하지만 자연적으로 형성된 지형 안에 안전하고 통제된 환경을 만들기는 매우 어려울 것이다. 셔우드는 "용암 동굴에 사는 것은 낭만적으로 들리긴 해도 실용성은 없는 아이디어"라고 말했다. 그보다는 달과 화성에 풍부하게 존재하는 광물과 화합물을 이용해 우리가 살 수 있는 구조물을 새로 짓는 편이 더 쉬울지 모른다. 서던 캘리포니아 대학의 우주 건축가 마두탕가벨루는 이렇게 말했다. "이를테면, 화성에는 철이 많습니다. 따라서 화성의 철을 채굴하고 녹이면 아주 큰 구조물도 지을 수 있을지 모릅니다."

아니면 달과 화성의 전토층을 물에 개어 '달 콘크리트'나 '화성 콘크리트'를 만들 수도 있을 것이다.[10] (달과 화성에는 물이 거의 없으므로 얼음을 녹이거나 전토층에서 수소와 산소를 추출해 물을 합성해야 할 것이다.) 물 대신 황을 쓰는 방법도 생각해볼 수 있다. 물과 달리 황은 달과 화성의 토양에 풍부하다. 황을 추출하고 열을 가해 액체로 만들어서 달의 토양과 섞으면, 짜잔, 물 없이도 달에서 집 짓는 데 쓰기에 손색없는 콘크리트를 만들 수 있을지 모른다. 스탠퍼드 대학의 공학자들은 유전자 조작 박테리아로 만든 단백질과 전토층을 뭉치면 일종의 '바이오 콘크리트'를 만들 수 있으리라는 아이디어도 제시했다.[11]

그다음에 우주 콘크리트를 벽돌 형태로 만들거나 틀에 부어서, 혹은 3D프린터에 넣어 건물을 세울 수 있을 것이다.

2013년에 유럽우주기구는 달의 토양을 흉내낸 토양 물질에 화학 접착제를 섞어서 3D프린트로 제조한 1.5톤짜리 벽돌을 공개했다.[12] 태양열로 돌아가는 3D프린터가 빛을 하나의 초점으로 모아 물에 개지 않은 전토층을 녹여 벽돌을 만들 수 있다면 화학 접착제를 첨가할 필요가 없을지도 모른다. 이 기술은 태양광 소결이라고 불린다. (칼릴리가 제안한 바 있는 거대 거울이나 확대경으로 토양을 녹이자는 아이디어의 현대적인 버전이라고 볼 수 있다.) 2017년에 유럽우주기구 연구자들은 비슷한 과정을 이용해서 녹황색의 단단한 달 벽돌을 불과 몇 시간 만에 만들었다.[13]

3D프린팅이라는 다재다능한 테크놀로지는 우주 건축에 활용될 수 있는 막대한 잠재력을 지녔으며, 활용할 수 있는 방법도 많다. 2015년 NASA는 '3D프린팅 주거지 챌린지'를 시작했다.[14] 여러 해에 걸친 300만 달러 규모의 공모전으로, 새로운 종류의 우주 주거지용 건축 아이디어를 모으는 프로그램이다. 1라운드 우승팀은 우주 이글루라고 불릴 법한 돔 모양의 얼음집을 제안했다.[15] 로봇이 화성에서 채취한 얼음을 가열해서 만든 액체에 단열 젤과 섬유질을 섞은 뒤 돔 형태가 되도록 얇은 고리 모양으로 층층이 부으면, 화성은 밤에 기온이 낮으므로 빠르게 얼어붙어서 단단하고 반투명한 구조물을 형성하게 되리라는 것이다. 또 다른 팀은 3D프린팅으로 현무암 섬

유와 재생 가능한 바이오플라스틱(우주인들이 화성에서 기를 수 있는 식물에서 추출해서 만든다고 한다)을 이용해 커다란 달걀 모양 구조물을 만들 수 있을 것이라고 제안했다.[16]

공기를 주입해 부풀리는 구조물을 제안하는 디자이너들도 있다. 공기 주입식 구조물은 상대적으로 운반하고 세우기가 쉽다. 우주의 목적지에 도착한 다음에 압축 공기로 바람만 넣으면 되기 때문이다. NASA는 공기 주입식 구조물로 된 우주 기지를 1960년대부터 구상해왔다. 가장 야심찬 콘셉트는 트랜스햅이다. 공기를 주입해 만드는 드럼통 모양의 모듈식 구조물로, ISS에서 일하는 우주인들이 주거 공간으로 사용하게 할 용도로 고안되었다.[17] 1990년대 말에는 여러 층으로 된 약 340세제곱미터 규모의 공기 주입식 구조물을 고안하기도 했다. 이곳에는 주방, 개인 방, 운동 도구, 전신 세척실 등이 마련되고, 단열 직물, 폼, 케블러 섬유 등이 겹겹이 벽을 막아 내부를 보호하도록 되어 있었다. 이 프로젝트는 의회가 예산을 없애는 바람에 중단되었지만 공기 주입식 구조물 개념은 여러 프로젝트에서 여전히 활발하게 연구되고 있다. 2016년에 우주인들은 비글로 에어로스페이스가 개발한 공기 주입식 구조물 '비글로 팽창식 생활 모듈'을 ISS에 성공적으로 설치했다.

영구적인 주택으로 변신하는 로켓과 화성 착륙선, 종이 접기하듯 만드는 접히는 집, 전자석 타일이나 형상기억 기능이 있는 스마트 플라스틱을 이용한 스스로 조립되는 구조물, 제자리 회전으로 자체 중력을 발생시키는 우주정거장 등의 아이디어도 있다. 서우드는 "[외계 공간에] 적합한 유형의 실내 건축 디자인은 지구 기준으로 보면 매우 이상해 보일 수 있다"고 말했다.

우주 정착촌을 짓는 데 성공한다면 혁혁한 기술적 성취이긴 하겠지만, 그곳에서의 생활은 고급스러움과는 거리가 멀 것이고 특히 초창기에는 더욱 그럴 것이다. 이제까지의 연구는 매우 빠르게 우리를 죽일 수 있는 환경에서 일단 생존만이라도 할 수 있는 구조물을 효율적이고 경제적으로 짓도록, 최소한의 것에만 초점을 맞춰 이루어졌다. 이러한 구조물은 삭막하고 고립되어 있으며, 우리가 지구에서 잘 알고 사랑하는 것도, 우리를 안락하게 해주는 많은 것도 존재하지 않을 것이다. 물론 층층이 암석과 흙으로 덮인 공간 안에서만 머물면서도 며칠 정도는 견딜 수 있을 것이다. 하지만 탕가벨루는 이 자체가 매우 아이러니한 상황 아니냐고 반문했다. "그 행성을 지배하러 그 먼 데까지 날아가서는 동굴에 틀어박혀 평생을 지내야 하다니 말이에요."*

　　이러한 생활 조건은 우리의 삶의 질에 큰 타격을 줄 것이다. 엄선된 소수의 우주인은 몇 달, 몇 년까지도 견딜 수 있을

지 모르지만, 우리가 진정으로 여러 행성을 오갈 수 있는 종이 되고자 한다면 생존만이 아니라 번성할 수 있는 주거지를 만들어야 한다.

우주의 환경은 이곳과 매우 다르겠지만 우주로 간다고 해도 **우리**는 지금과 그리 다르지 않을 것이므로, 우주에 짓는 건물 역시 인간의 기본 욕구를 충족시켜야 한다. 다행히 우리는 세심한 디자인으로 우리의 신체를 건강하게 하고 정신을 맑게 하고 정서를 북돋울 수 있는 방법에 대해 많은 지식을 쌓아왔다. 우주에 살 만한 공간을 만들려면 근거 기반 디자인 전략 무기고의 아주 깊숙한 곳에 있는 것까지 총동원해야 할 것이다. 우주에 지속가능한 도시를 짓기 위해 일하는 캘리포니아의 회사 '마스 시티 디자인' 창립자 베라 멀리야니는 "[화성에 거주 가능한 공간을] 만드는 법을 알기 위해 우리가 화성인이 되어야 하는 것은 아니"라고 말했다. "우리는 그저 인간이면 됩니다."

✱   모든 사람이 우주 생활을 이렇게 생각하는 것은 아니다. 셔우드는 초창기 우주 정착지가 부유한 모험가들에게 맞춰 지어질 것이라고 생각한다. "초창기에 돈을 지불하고 우주에 가는 고객은 매우 부유한 여행가일 것이다. 우주에서 사치는 꼭 커다란 방을 의미하는 것이 아니라 광대한 경관, 좋은 직물, 세심하게 마감된 가구, 굉장한 음식, 놀라운 서비스 같은 것을 의미할 것이다. 오늘날 지구에서도 고급 여행 상품은 이러한 요소로 구성되어 있다." 그리고 아마 우주에도 돈 많은 여행자를 위한 화려한 숙박시설부터 과학자나 직원을 위한 실용성 위주의 숙박시설까지 다양한 건물이 존재하게 될 것이다.

지구에서 수행된 여러 연구에서 얻을 수 있는 가장 큰 교훈은 자연 채광에 일정하게 노출되는 것이 우리의 후생에 절대적으로 필요하다는 사실이다. 어두운 달 지하 벙커에 며칠이고 몇 달이고 살아야 한다면 기분과 생산성과 건강에 악영향을 미치리라고 장담할 수 있다. 물론 우주 공간에서 방사선이 건강에 큰 위험 요인이긴 하지만, 그렇더라도 생활 공간에 어느 정도의 자연 채광이 들어오게 할 방도를 찾아야 한다. 얼음집 아이디어가 전망 있어 보이는 이유 중 하나도 이와 관련이 있다. 물과 얼음은 단파장의 고에너지 방사선을 일부 흡수해서 인체에 해로운 부분을 어느 정도 막는 동시에 가시광선을 구성하는 더 긴 파장은 통과시킨다. 따라서 이론상으로는 해로운 광선을 막아주면서도 햇빛은 들어오게 할 수 있다.

　　지구의 건물에서 아이디어를 얻을 수도 있다. 고딕 양식의 성당에 들어갔을 때의 느낌을 떠올려보자. 육중한 돌로 지어졌고 외부의 경관은 거의 볼 수 없지만 (종종 창문이 스테인드글라스로 되어 있어 빛을 은은하게 분산시킨다) 위압적으로 느껴지지 않는다. "오히려 영감을 받는 듯하지요. 말로 표현할 수 없는 천상의 무언가와 연결되는 느낌을 줍니다. 이 모든 것이 저 위의 빛과 위로 치솟는 모양의 구조물과 관련이 있습니다. 실내 건축이라고 해서 꼭 동굴 같아야 하는 것은 아닙니다."

또 빛을 고려할 때는 생체리듬을 어느 정도 유지할 방법도 찾아야 한다. 우리의 생체시계는 지구에서 진화했고 24시간 주기에 맞춰져 있다.* 달의 하루 주기와는 매우 달라서 리듬이 크게 교란될 것이다. 달에서는 낮과 밤의 주기가 약 28일이어서 많은 곳이 2주간 죽 햇빛을 받다가 그다음 2주간은 전혀 해가 들지 않는다.**

화성의 하루 주기는 우리와 비슷한 24시간 39분(정확하게는 24시간 39분 35초)이다. 별 차이 없어 보이지만 화성에서 18일을 지내면 지구와 12시간이 차이 났다가 18일 뒤에 다시 지구와 시간이 맞는 사이클이 계속 반복된다. 장기적으로는 신체가 적응할 수도 있겠지만 그렇지 못하다면 우리는 영원히 시차를 겪어야 한다. 어느 쪽이건, 세심하게 빛을 조정해 교란을 최소화할 수 있다. 2016년에 NASA는 형광등이던 ISS의 조명을 프로그램 조정이 가능한 LED 전구로 바꾸었다.[18] 새 전구는 아침에는 힘이 나게 해주는 밝은 푸른빛을, 밤에는 자는 데 적합한 은은한 호박색 빛을 낸다. NASA는 이러한 생체

리듬 조명이 우주인의 수면과 인지 역량 개선에 도움이 되는 지 연구하고 있다.

우주는 또 다른 방식으로도 자연과 우리 사이의 연결을 끊을 것이다. 화성과 달의 풍경은 삭막하고 황량하다. 우주의 집에서 창밖으로 잔디밭이나 부드럽게 흔들리는 버드나무 같은 것은 볼 수 없을 것이다. 지구에서는 복잡한 도시라 해도 밖에 나가면 신선한 공기나 바람, 비, 태양을 피부로 느낄 수 있지만 우주에는 그런 것이 아예 존재하지 않을 것이다.

그래도 우주 거주자들이 지구의 풍경을 계속 접하게 해주는 몇몇 요소를 건축에 도입할 수는 있을 것이다. 소련의 우주 프로그램 당국은 오래전부터 식물이 우주인의 정신건강에 좋다는 것을 알고 있었다.[19] 1971년에 발사된 소련의 첫 우주 정거장 살류트 1호에는 '오아시스'라는 이름의 작은 온실이 있었다. 우주인들은 경건한 어조로 우주에서 식물 가꾸는 일이 주는 효과를 이야기했다. 한 우주인은 이렇게 말했다고 한다. "이것은 우리에게 반려동물이나 마찬가지입니다." 다른 우주인은 한술 더 떴다. "이것은 우리의 사랑입니다." 또 다른 우주인은 눈뜨자마자 제일 먼저 식물이 보이도록 온실 옆에서 잠을 잤다.

소련은 이후의 여러 우주정거장과 우주 미션에도 온실과 정원을 포함했다. ISS의 러시아 쪽 공간에는 벽에 고정된 온실이 있다. 2003년 미국 우주왕복선 컬럼비아 호가 공중에서 폭발해 승선자 전원이 사망하는 사고가 발생한 뒤 러시아 당국자들은 ISS에 있는 러시아 우주인들에게 온실에서 시간을 더 많이 보내라고 조언하면서 그들을 진정시키기 위해 노력했다. ISS에서 생활하는 우주인들과 인터뷰를 한 바 있는 빈 공과대학의 우주 건축가 샌드라 하우플릭-무스버거는 그것이 "명상과 비슷한 효과를 낼 수 있다"고 말했다. "정원을 가꾸면 마음이 자유롭게 돌아다니게 되고 그러면 갑자기 당신은 실제보다 더 많은 공간을 가진 것처럼 느끼게 됩니다."

　지구의 식품 생산 시스템을 조금 옮겨놓거나 지구의 풍경을 우주에 전송함으로써 우주 거주자들이 조금이나마 자연을 접하게 할 수도 있을 것이다. NASA의 '3D프린팅 주거지 챌린지'에 참가한 한 팀(베라 멀리야니가 이끈 팀이었다)은 이끼가 깔린 우주 온실을 제안했다.[20] 우주인들이 이끼 위를 걸으면서 자연을 접하게 한다는 것이다. 여기에 자연 풍경을 담은 사진과 벽화, 자연의 소리를 더하면 우주인들이 숲속을 걷는 것처럼 느낄 수 있는 가상현실을 제공할 수 있을지도 모른다. 실제의 자연을 완벽하게 대체할 수는 없겠지만 비슷한 심리적 안정감을 줄 수 있을 것이다.

　하지만 건축 디자인으로 사실상 가택 연금 상태인 우주 거주자의 스트레스와 지루함을 줄이기까지는 갈 길이 멀다.

아무리 자발적으로 간 사람들이라 해도 초창기의 우주 정착자들은 지구에서라면 감옥 생활이라 할 만한 환경에 묶여 지내야 한다. 날마다, 밤이고 낮이고, 동일한 좁은 실내 공간에서 먹고 자고 일하고 친교를 맺어야 한다. 그들의 집에는 장식이나 유쾌한 감각적 자극을 주는 것도 거의 없을 테고 주변 환경과 일상은 단조롭게 반복될 것이다.

디자이너들은 서로 다른 빛, 색, 패턴, 소재 등을 전략적으로 배치해 절실히 필요한 시각적 다양성을 어느 정도 제공할 수 있을 것이다. 예술을 도입하는 방법도 있다. 2011년에는 두 명의 행동과학자가 빛을 사용해서 인공 무지개를 만들고, 명상 정원을 짓고, 거대한 꽃 모양의 태양광 패널을 짓는다는 아이디어를 제안하기도 했다.[21]

우주인들은 친교를 맺는 사회 생활의 여지도 제한되어 있다. 초창기 우주인과 우주 정착민들은 익숙한 사회적 네트워크에서 떨어져 나와서 낯선 사람과 좁은 공간에서 밀접하게 접촉하며 생활해야 하는 상황에 내던져질 것이다. 날마다, 언제나, 늘, 똑같은 사람들과 함께 살고 일하고, 여기에서 빠져나갈 수 있는 길은 없다. 탕가벨루의 설명처럼, "잠깐 나가서 산책을 하며 기분전환하고 다시 돌아오는 것"이 불가능하다.

우주 프로그램 당국은 서로 마음이 잘 맞는 팀을 구성하기 위해 많은 투자를 하지만 사람들 사이에 갈등이 생기는 것은 불가피하다. 한 우주인이 말하기를 "두 사람을 가로세로 5, 6미터 공간에 함께 넣어 두고 두 달간 지내라고 하면 살인에 필요한 모든 조건이 충족된다."[22] 우주에서 살인이 일어난 적은 없지만, 다른 고립된 공간에서는 잔혹한 신체 공격이 벌어진 사례가 있다. (한 소련 과학자는 겨울에 남극 연구 기지에 밀폐되어 있는 동안 체스를 두다가 화가 나서 상대방을 도끼로 살해했다고 한다.)

우주 공간의 거주 조건을 복제한 환경에서 수행된 여러 연구에서 사람들 사이의 상호작용과 관련해 발생하는 문제들이 숱하게 드러난 바 있다. 하우플릭-무스버거는 자발적인 참가자를 모집해 화성의 거주 환경을 구현한 곳에 밀폐된 상태로 지내게 하는 실험을 했다. 실제 장소는 하와이의 화산 근처에 지은 2층짜리 지오데식 돔으로 된 집이었다. '하와이 우주 탐사 기록 및 시뮬레이션' 프로젝트의 일환으로 마련된 곳으로, 2013년에 화성 탐사 미션 시뮬레이션용으로 운영되기 시작했다.

2015년 8월 성인 6명(여성 3명, 남성 3명)으로 구성된 팀이 1년간 머물기로 하고 그곳에 들어갔다.[23] 1년 동안 이들은 실제로 화성에 살고 있는 것처럼 행동해야 했다. 엄격한 규칙대로 일상 생활을 했고 먹을 것을 스스로 준비했으며 자신의 장비를 알아서 유지보수했고 몇몇 과학 실험을 수행했다. 돔

바깥으로 나올 때는 반드시 특수 우주복을 입어야 했고 외부와 소통할 때는 40분의 시간 지연을 참아야 했다. 1년 동안 돔 밖의 사람들과는 대면 접촉을 전혀 할 수 없었다.

긴장이 첨예하게 고조되었고 팀은 금세 분열되었다. "전체 멤버가 관여하는 활동은 다들 억지로 참여하거나 웬만하면 피하려 했다. 매우 초창기부터 관계가 분열되었기 때문이다. 돔에서 함께 사는 시간이 이어질수록 이는 점점 악화되었다."[24] 하우플릭-무스버거와 동료 연구자들은 이렇게 기록했다. 다 함께 하는 식사 자리는 매우 불편한 자리가 되었고 사람들은 정기적으로 마련된 '영화의 밤'에 참석하지 않기 시작했다. 그들 자신이 만든 프로그램이었는데도 말이다. 미션이 진행될수록 사람들은 프라이버시를 더 절실히 원하게 되었고 어떤 이들은 개인 방에 몇 시간씩 틀어박히기 시작했다. 하지만 개인 방에 있을 때조차 방음이 되지 않아서 진정으로 사람들에게서 벗어나기란 불가능했다. "프라이버시는 물리적인 공간의 분리만을 의미하는 것이 아니라 청각과 후각에서의 프라이버시도 중요한 것으로 보입니다." 하우플릭-무스버거는 이렇게 설명했다. 건물의 내부 구조는 더욱이 도움이 되지 않았다. 침실, 식당, 부엌, 운동실 등이 모두 커다란 공용 공간에서 잘 들여다보여서, 한 참가자의 말을 빌리면 "꼼짝없이 관찰당하고 있다는 느낌을 불러일으켰다."

규모가 작은 거주지에서도 모든 거주자에게 진정한 개인 공간을 적어도 하나는 반드시 확보해주어야 한다. 또한 건축가들은 지구에서 사용되는 보편 디자인 전략 중 몇 가지를 가져다가 우주에 각기 다른 정도의 사회적 상호작용을 위한 공간들을 구성할 수도 있을 것이다. 어떤 공간은 개인적이고 차분한 상태로, 어떤 공간은 공적이고 활발한 상태로 이용하게 하는 것이다. 개인 방과 침실 외에도 정원의 특정한 구역을 각자 알아서 관리하도록 하는 식으로 작은 영역을 개인의 공간으로 삼게 할 수도 있다.

정착지의 규모가 커지면 디자이너들은 더 큰 집단이 모일 수 있는 공동체 공간도 지어야 할 것이다. "공동체를 지원하는 건축은 훈련받은 소수의 전문 우주인을 지원하는 건축과 다릅니다." 셔우드가 말했다. "마을 광장이나 극장 같은 기능을 할 곳을 달에 어떻게 만들 수 있을까요?"

셔우드는 지구에서 빌려올 수 있는 아이디어 중 하나로 쇼핑몰을 꼽았다. 쇼핑몰은 실내 공간이고 기후 조건이 통제되어 있지만 중심이 되는 큰 길에는 플라자, 분수, 나무 등이 있어서 사람들이 돌아다니면서 어울릴 수 있다. 또 운동 시설, 오락실, 영화관 같은 놀이 공간도 있다. 이러한 공간은 우주 정착민의 정신건강을 유지하고 후생을 높이는 데 중요한 요소로 쓰일 수 있다.

달과 화성에서는 스포츠를 하는 데도 독특한 난점이 있다. 중력이 매우 약하기 때문이다. 달 중력은 지구 중력의 6분의 1밖에 안 된다. 화성의 중력은 지구 중력의 8분의 3에 불과하다. 약한 중력은 축구공의 궤적에만 영향을 미치는 것이 아니라 건강에도 심각한 위험 요인이 된다. 지구의 강한 중력이 성가시게 느껴질지도 모르지만(유리잔을 떨어뜨렸거나 자전거에서 넘어졌다면 정말 그럴 것이다) 우리의 신체는 끊임없이 중력에 맞서면서 단련된다. 우주인이 중력이 전혀 없는 ISS에서 오랜 시간을 보내고 나면 골격과 근육이 약해진다. 셔우드는 "우주에 몇 개월을 주둔하려면 매일 두 시간은 반드시 운동을 해야 한다"고 말했다. 그렇게 해도 지구에 돌아온 다음에 신체 역량을 회복하는 데 수개월이 걸린다.

달이나 화성은 ISS처럼 완전한 무중력 상태는 아니지만 우리 신체에 무중력 상태에서 지낼 때와 비슷한 손상을 줄 가능성이 크고 장기적으로는 더욱 그럴 것이다. 그렇다면, 계단을 많이 배치하고 쾌적한 실내 산책로를 두는 등 활동 친화적 디자인을 도입하면 우주 러닝머신에서 뛰어야 하는 시간을 줄일 수 있을 것이다.*

★ 약한 중력은 운동으로 쉽게 해결할 수 없는 문제도 유발한다. 예를 들어, 강한 중력이 없으면 신체 안의 액체들이 가슴이나 머리 등 위쪽으로 올라온다. 이는 심혈관계에 악영향을 주고 안구를 납작하게 만들어 시각을 왜곡할 수 있다.

또한 우리는 지속가능성과 회복력에 대한 지식도 총동원해야 할 것이다. 달과 화성은 지구에서 너무 멀기 때문에 그곳의 정착민들은 실패와 충격과 재앙을 자체적으로 견뎌야 한다. 자원이 희소할 것이므로 우주의 건물은 엄청나게 효율적이어야 한다. 이를 위해, 우리가 배출하는 배설물도 포함해서 가능한 모든 것을 재활용하고 재사용해야 한다.

정말로 화성에 이사를 가지는 않는다 해도 이러한 조건을 모두 만족시키는 건축 구조와 시스템을 개발하는 것은 지구에 사는 우리에게 이득을 줄 수 있다. NASA는 이미 태양전지와 폐수 재활용 시스템을 포함해 우리가 사용하는 건물의 기능을 높이는 기술을 개발하고 있다.[25] 태양전지의 성능도 점점 좋아지고 있다. 마찬가지로, 우주 건축물을 위해 개발한 몇몇 물질(황을 사용한 콘크리트나 바이오 콘크리트 등)이 전통적인 건설 자재보다 더 지속가능할 수 있다. 그러한 물질을 지구에서 활용한다면 탄소발자국을 줄이고 기후변화를 늦출 수 있을 것이다.

지구가 거주 불가능한 곳이 되어 우리가 다른 행성으로 가야 할 경우를 생각해보는 것은 지구가 거주 불가능한 곳이 되는 것 자체를 막는 데 도움을 준다. 우주 정착지를 계획하는 과정은 상처 입고 붐비는 현재의 지구에서 우리가 사려 깊고 책임감 있게 사는 방법을 알려준다. 또 지구의 여건이 악화되어 점점 더 적대적이 될 환경에서 우리가 어떻게 지속적으로 살아갈 공간을 지을 수 있을지도 알려준다. 이는 나름의 방식으로 우리의 '천명을 반전'시킬 수 있는 길을 보여줄 것이다. 죽음을 물리치려 했던 아라카와와 긴즈가 상상한 대로는 아니겠지만, 우리의 종(種)이 미래에도 오래 생존하는 데 도움이 될 것이다.

또한 극단적인 외계의 환경에서 살아나갈 수 있는 방법을 배우는 것은 이곳 지구의 건물에 적합한 디자인을 구상하는 데도 도움이 된다. 2017년 스웨덴의 소매유통업체 이케아가 그 가능성을 탐색하기 시작했다.[26] 이케아는 디자이너 몇 명을 유타주에서 화성 환경을 흉내 낸 곳에 살게 해보았다. 그곳에서 디자이너들은 비좁은 우주정거장에서 사는 생활이 어떤 것이며 우주인이 편안하게 지내려면 무엇이 필요할지 알게 되었다. 이 경험으로 이케아 디자이너들은 매우 좁은 아파트에 사는 지구인을 위해 공기청정기, 테라리엄[작은 유리병 안에서 식물을 재배하는 것] 등 가볍고 간단한 제품군을 선보였다. (보도에 따르면 이 팀은 공기 정화 기능이 있는 직물도 개발하고 있다.)

우주에서 우리는 백지상태로 시작하게 될 것이다. 멀리야니는 이것이 "다음 세대가 어떤 종류의 삶을 원할지, 어떤 종류의 집과 환경을 원할지 상상해볼 수 있는 기회"라고 말했다.

우리가 정말로 짓고 싶은 건물과 마을과 도시는 어떤 것인가? 우리는 그것이 어떤 모습이기를 바라는가? 그것이 어떻게 기능하기를 바라는가? 우리는 지구에서의 삶 중 무엇을 두고 가고 무엇을 가져가고 싶은가?

이상적인 달 나라와 화성 사회를 상상할 때, 우리는 이곳 지구에 우리가 지어놓은 것들이 이상적인 모습에 얼마나 부합하는지 질문해야 한다. 경로를 바꾸기에 지금도 너무 늦지는 않았다. 우리에게는 더 행복하고 건강한 세상을 지을 수 있는 도구와 기술이 있다. 그 세상이 익숙한 지구의 땅에 지어지든 어딘가 먼 곳에 지어지든 말이다.

들어가는 글

1 "Reversible Destiny Lofts MITAKA — In Memory of Helen Keller,"
   Reversible Destiny Foundation, 2019년 4월 25일에 접속함.
   www.reversibledestiny.org/architecture/reversible-destiny-lofts-
   mitaka. "Reversible Destiny Lofts MITAKA," 2019년 4월 25일에 접속함.
   www.rdloftsmitaka.com/. Stephen Hepworth, 나와의 인터뷰. 2018년
   10월 17일. Miwako Tezuka, 나와의 인터뷰. 2018년 10월 17일. S. T. Luk,
   나와의 인터뷰. 2018년 10월 17일.

2 Shusaku Arakawa and Madeline H. Gins, *Mechanism of Meaning* (New
   York: Harry N. Abrams, 1979), 서문.

3 Fred A. Bernstein, "A House Not for Mere Mortals," *The New
   York Times*, 2008년 4월 3일. www.nytimes.com/2008/04/03/
   garden/03destiny.html.

4 Madeline Gins and Shusaku Arakawa, *Architectural Body* (Tuscaloosa:
   University of Alabama Press, 2002), xv.

5 Gins and Arakawa, *Architectural Body*, xvi.

6 "Site of Reversible Destiny — YORO," Reversible Destiny Foundation,
   2019년 4월 25일에 접속함. www.reversibledestiny.org/architecture/site-
   of-reversible-destiny-yoro. Hepworth, 인터뷰, 2018년 10월 17일. Luk,
   인터뷰, 2018년 10월 17일.

7 "Bioscleave House (Lifespan Extending Villa)," Reversible Destiny

Foundation, 2019년 4월 25일에 접속함. www.reversibledestiny.org/
architecture/bioscleave-house-lifespan-extending-villa. Hepworth,
인터뷰, 2018년 10월 17일. Luk, 인터뷰, 2018년 10월 17일.

8 Tezuka, 인터뷰, 2018년 10월 17일.

9 The Solomon R. Guggenheim Foundation, *Reversible Destiny —
Arakawa/Gins* (New York: Guggenheim Museum Publications, 1997),
239.

10 Fred A. Bernstein, "Arakawa, Whose Art Tried to Halt Aging, Dies at 73,"
The New York Times, 2010년 5월 20일. www.nytimes.com/2010/05/20/
arts/design/20arakawa.html. Margalit Fox, "Madeline Arakawa Gins,
Visionary Architect, Is Dead at 72," *The New York Times*, 2015년 1월 12일.
www.nytimes.com/2014/01/13/arts/design/madeline-arakawa-gins-
visionary-architect-dies-at-72.html.

11 "Reversible Destiny Lofts/for2people," Airbnb, 2019년 4월 25일,
www.airbnb.com/rooms/4606903?guests=1&adults=1.

12 '집콕 족'(indoorsy)이라는 근사한 표현은 코미디언 짐 개피건(Jim
Gaffigan)에게 들은 것이다.

13 Neil E. Klepeis et al., "The National Human Activity Pattern Survey
(NHAPS): A Resource for Assessing Exposure to Environmental
Pollutants," *Journal of Exposure Science and Environmental
Epidemiology* 11 (2011): 231–52. World Health Organization, *Combined
or Multiple Exposure to Health Stressors in Indoor Built Environments*
(Copenhagen: WHO Regional Office for Europe, 2014).

14 Laura J. Martin et al., "Evolution of the Indoor Biome," *Trends in Ecology
and Evolution* 30 (2015): 223–32.

15 United Nations Environment Programme, *Towards a Zero-Emission,
Efficient, and Resilient Buildings and Construction Sector: Global Status
Report 2017* (2017), 13.

16 Ariadne Labs and MASS Design Group, *The Impact of Design on Clinical
Care in Childbirth* (2017), https://massdesigngroup.org/work/research/
impact-design-clinical-care-childbirth. Neel Shah, 나와의 인터뷰,
2016년 12월 21일.

17 Nino Wessolowski et al., "The Effect of Variable Light on the Fidgetiness
and Social Behavior of Pupils in School," *Journal of Environmental
Psychology* 39 (2014): 101–108.

18   Joseph G. Allen et al., "Associations of Cognitive Function Scores with Carbon Dioxide, Ventilation, and Volatile Organic Compound Exposures in Office Workers: A Controlled Exposure Study of Green and Conventional Office Environments," *Environmental Health Perspectives* 124 (2016): 805-12.

19   Ian R. Drennan et al., "Out-of-Hospital Cardiac Arrest in High-Rise Buildings: Delays to Patient Care and Effect on Survival," *CMAJ* 188 (2016): 413-19.

20   Sheldon Cohen et al., "Apartment Noise, Auditory Discrimination, and Reading Ability in Children," *Journal of Experimental Social Psychology* 9 (1973): 407-22.

21   Brianna T. M. McMillan and Jenny R. Saffran, "Learning in Complex Environments: The Effects of Background Speech on Early Word Learning," *Child Development* 87 (2016): 1841-55. Kristine Grohne Riley and Karla K. McGregor, "Noise Hampers Children's Expressive Word Learning," *Language, Speech, and Hearing Services in Schools* 43 (2012): 325-37.

22   강화환경이 주는 편익에 대해서는 많은 논문이 나와 있다. 내게 유용했던 몇 편을 여기에 소개한다. Mark P. Mattson et al., "Suppression of Brain Aging and Neurodegenerative Disorders by Dietary Restriction and Environmental Enrichment: Molecular Mechanisms," *Mechanisms of Ageing and Development* 122 (2001): 757-78. Jess Nithianantharajah and Anthony J. Hannan, "Enriched Environments, Experience-Dependent Plasticity and Disorders of the Nervous System," *Nature Reviews Neuroscience* 7 (2006): 697-709. Jennifer C. Bennett et al., "Long-Term Continuous, but Not Daily, Environmental Enrichment Reduces Spatial Memory Decline in Aged Male Mice," *Neurobiology of Learning and Memory* 85 (2006): 139-52. N. Benaroya-Milshtein et al., "Environmental Enrichment in Mice Decreases Anxiety, Attenuates Stress Responses and Enhances Natural Killer Cell Activity," *European Journal of Neuroscience* 20 (2004): 1341-47. Lei Cao et al., "Environmental and Genetic Activation of a Brain-Adipocyte BDNF/Leptin Axis Causes Cancer Remission and Inhibition," *Cell* 142 (2010): 52-64. Agnieszka Z. Burzynska and Laura H. Malinin, "Enriched Environments for Healthy Aging: Qualities of Seniors Housing Designs

Promoting Brain and Cognitive Health," *Seniors Housing and Care Journal* 25 (2017): 15-37.

23   Burzynska and Malinin, "Enriched Environments," 20.

24   Laura Malinin, 나와의 인터뷰, 2018년 11월 19일.

25   이 실험에 대한 정보는 다음을 참고하라. Lynda M. D'Alessio, "The Impact of Neonatal ICU Single Family Rooms on Select Developmental Outcomes"(논문, Rhode Island College School of Nursing, 2011), https://digitalcommons.ric.edu/etd/204/. Barry M. Lester et al., "Single-Family Room Care and Neurobehavioral and Medical Outcomes in Preterm Infants," *Pediatrics* 134 (2014): 754-60.

26   Gemma Brown, "NICU Noise and the Preterm Infant," *Neonatal Network* 28 (2009): 165-73. Elisha M. Wachman and Amir Lahav, "The Effects of Noise on Preterm Infants in the NICU," *Archives of Disease in Childhood: Fetal and Neonatal* 96 (2011): F305-309.

27   Lester et al., "Single-Family Room Care," 754-60. Barry M. Lester et al., "18-Month Follow-Up of Infants Cared For in a Single-Family Room Neonatal Intensive Care Unit," *Journal of Pediatrics* 177 (2016): 84-89.

1 실내 정글

1   Ron Sender, Shai Fuchs, and Ron Milo, "Revised Estimates for the Number of Human and Bacteria Cells in the Body," *PLOS Biology* 14 (2016): e1002533.

2   Noah Fierer, 나와의 인터뷰, 2016년 9월 21일.

3   피어러의 배경과 경력은 2017년 1월 18일에 그를 만나 직접 들은 내용을 토대로 서술했다.

4   Gilberto E. Flores et al., "Microbial Biogeography of Public Restroom Surfaces," *PLOS ONE* 6 (2011): e28132.

5   Gilberto E. Flores et al., "Diversity, Distribution and Sources of Bacteria in Residential Kitchens," *Environmental Microbiology* 15 (2013): 588-96.

6   이 연구의 방법론과 결과는 다음을 바탕으로 서술했다. Robert R. Dunn et al., "Home Life: Factors Structuring the Bacterial Diversity Found Within and Between Homes," *PLOS ONE* 8 (2013): e64133. Noah Fierer, 나와의

인터뷰, 2015년 9월 30일. Rob Dunn, 나와의 인터뷰, 2015년 9월 29일.

7   이 연구의 방법론과 결과는 다음을 바탕으로 서술했다. Albert Barberán et al.,
        "The Ecology of Microscopic Life in Household Dust," *Proceedings of the
        Royal Society B 282* (2015): 20151139. Fierer, 인터뷰, 2015년 9월 30일.
        Dunn, 인터뷰, 2015년 9월 29일.

8   Noah Fierer, 내게 보낸 이메일, 2015년 10월 5일.

9   Dunn, *Never Home Alone* (New York: Basic Books, 2018): 104.

10   Noah Fierer et al., "Forensic Identification Using Skin Bacterial
        Communities," *PNAS* 107 (2010): 6477-81. Eric A. Franzosa et al.,
        "Identifying Personal Microbiomes Using Metagenomic Codes," *PNAS*
        112 (2015): E2930-38.

11   Simon Lax et al., "Longitudinal Analysis of Microbial Interaction
        between Humans and the Indoor Environment," *Science* 345 (2014):
        1048-52. Jack Gilbert, 나와의 인터뷰, 2016년 9월 22일.

12   성별에 따른 미생물 군집의 차이는 다음을 바탕으로 서술했다. Barberán et
        al., "The Ecology of Microscopic Life." Fierer, 인터뷰, 2015년 9월 30일.
        Dunn, 인터뷰, 2015년 9월 29일.

13   J. C. Luongo et al., "Microbial Analyses of Airborne Dust Collected from
        Dormitory Rooms Predict the Sex of Occupants," *Indoor Air* 27 (2017):
        338-44.

14   반려동물이 집 안의 미생물에 미치는 영향은 다음을 바탕으로 서술했다.
        Barberán et al., "The Ecology of Microscopic Life." Fierer, 인터뷰,
        2015년 9월 30일. Dunn, 인터뷰, 2015년 9월 29일.

15   가정 내에 존재하는 균류의 패턴은 다음의 내용을 바탕으로 서술했다.
        Barberán et al., "The Ecology of Microscopic Life." Fierer, 인터뷰,
        2015년 9월 30일. Dunn, 인터뷰, 2015년 9월 29일.

16   Neal S. Grantham et al., "Fungi Identify the Geographic Origin of Dust
        Samples," *PLOS ONE* 10 (2015): e0122605.

17   Barberán et al., "The Ecology of Microscopic Life." Dunn, *Never Home
        Alone*, 102-107. Dunn, 인터뷰, 2015년 9월 29일.

18   P. Zalar et al., "Dishwashers: A Man-Made Ecological Niche
        Accommodating Human Opportunistic Fungal Pathogens," *Fungal
        Biology* 115 (2011): 997-1007. Maximilian Mora et al., "Resilient
        Microorganisms in Dust Samples of the International Space Station:
        Survival of the Adaptation Specialists," *Microbiome* 4 (2016): 65.

Charles E. Robertson et al., "Culture-Independent Analysis of Aerosol Microbiology in a Metropolitan Subway System," *Applied and Environmental Microbiology* 79 (2013): 3485-93.

19   이 연구의 방법론과 결과는 다음을 바탕으로 서술했다. Steven W. Kembel et al., "Architectural Design Drives the Biogeography of Indoor Bacterial Communities," *PLOS ONE* 9 (2014): e87093.

20   Ashkaan K. Fahimipour et al., "Daylight Exposure Modulates Bacterial Communities Associated with Household Dust," *Microbiome* 6 (2018): 175.

21   Kembel et al., "Architectural Design Drives." Steve W. Kembel et al., "Architectural Design Influences the Diversity and Structure of the Built Environment Microbiome," *The ISME Journal* 6 (2012): 1469-79.

22   Jean F. Ruiz-Calderon et al., "Walls Talk: Microbial Biogeography of Homes Spanning Urbanization," *Science Advances* 2 (2016): e1501061.

23   J. B. Emerson et al., "High Temporal Variability in Airborne Bacterial Diversity and Abundance Inside Single-Family Residences," *Indoor Air* 27 (2017): 576-86.

24   Joanne E. Sordillo et al., "Home Characteristics as Predictors of Bacterial and Fungal Microbial Biomarkers in House Dust," *Environmental Health Perspectives* 119 (2011): 189-95.

25   Flores et al., "Diversity, Distribution." Dunn et al., "Home Life." P. Rusin, P. Orosz-Coughlin, and C. Gerba, "Reduction of Faecal Coliform, Coliform and Heterotrophic Plate Count Bacteria in the Household Kitchen and Bathroom by Disinfection with Hypochlorite Cleaners," *Journal of Applied Microbiology* 85 (1998): 819-28. A. Medrano-Félix et al., "Impact of Prescribed Cleaning and Disinfectant Use on Microbial Contamination in the Home," *Journal of Applied Microbiology* 110 (2011): 463-71.

26   이 연구의 방법론과 결과는 다음을 바탕으로 서술했다. Mary Jane Epps et al., "Too Big to Be Noticed: Cryptic Invasion of Asian Camel Crickets in North American Houses," *PeerJ* 2 (2014): e523. Dunn, *Never Home Alone*, 120-27. Rob Dunn, 나와의 인터뷰, 2018년 2월 14일.

27   이 연구의 방법론과 결과는 다음을 바탕으로 서술했다. Matthew A. Bertone et al., "Arthropods of the Great Indoors: Characterizing Diversity Inside Urban and Suburban Homes," *PeerJ* 19 (2016): e1582. Dunn, *Never*

Home Alone, 128–37. Dunn, 인터뷰, 2018년 2월 14일.

28   Anne A. Madden et al., "The Diversity of Arthropods in Homes Across the United States as Determined by Environmental DNA Analyses," *Molecular Ecology* 25 (2016): 6214–24. Fierer, 인터뷰, 2016년 9월 21일. Dunn, 인터뷰, 2018년 2월 14일.

29   Martin et al., "Evolution of the Indoor Biome."

30   Niichiro Abe and Nobuo Hamada, "Molecular Characterization and Surfactant Utilization of Scolecobasidium Isolates from Detergent-Rich Indoor Environments," *Biocontrol Science* 16 (2011): 139–47.

31   Karyna Rosario et al., "Diversity of DNA and RNA Viruses in Indoor Air as Assessed via Metagenomic Sequencing," *Environmental Science and Technology* 52 (2018): 1014–27.

32   Martin et al., "Evolution of the Indoor Biome."

33   Ayako Wada-Katsumata, Jules Silverman, and Coby Schal, "Changes in Taste Neurons Support the Emergence of an Adaptive Behavior in Cockroaches," *Science* 340 (2013): 972–75.

34   Martin et al., "Evolution of the Indoor Biome."

35   Martin et al., "Evolution of the Indoor Biome."

36   Barberán et al., "The Ecology of Microscopic Life."

37   Snehal N. Shah et al., "Housing Quality and Mental Health: The Association Between Pest Infestation and Depressive Symptoms Among Public Housing Residents," *Journal of Urban Health* 95 (2018): 691–702.

38   Dunn, *Never Home Alone*, 294.

39   Dunn, *Never Home Alone*, 172.

40   Joseph M. Craine et al., "Molecular Analysis of Environmental Plant DNA in House Dust Across the United States," *Aerobiologia* 33 (2017): 71–86.

41   Marina Vance, "Homes Harbor Airborne Chemicals" (언론 브리핑. AAAS Annual Meeting, Washington, DC, February 17, 2019).

42   Michael S. Waring, "Bio-walls and Indoor Houseplants: Facts and Fictions" (발표. Microbiomes of the Built Environment: From Research to Application, Meeting #3, Irvine, CA, October 17–18, 2016), ttp://nas-sites.org/builtmicrobiome/files/2016/07/Michael-Waring-FOR-POSTING.pdf.

43   "Pillows: A Hot Bed of Fungal Spores," *EurekAlert!*, 2005년 10월 14일.

www.eurekalert.org/pubreleases/2005-10/uom-p-a101305.php.

44   Barberán et al., "The Ecology of Microscopic Life."

45   '위생 가설'은 다음에서 처음 제기되었다. D. P. Strachan, "Hay Fever, Hygiene, and Household Size," *BMJ* 299 (1989): 1259–60. 다음 논문에서는 '옛 친구 가설'이라는 표현이 사용되었다. Graham A. Rook, "Regulation of the Immune System by Biodiversity from the Natural Environment: An Ecosystem Service Essential to Health," *PNAS* 110 (2013): 18360–67.

46   Kei E. Fujimura et al., "Man's Best Friend? The Effect of Pet Ownership on House Dust Microbial Communities," *Journal of Allergy and Clinical Immunology* 126 (2010): 410–12. Dennis R. Ownby et al., "Exposure to Dogs and Cats in the First Year of Life and Risk of Allergic Sensitization at 6 to 7 Years of Age," *JAMA* 288 (2002): 963–72. Tove Fall et al., "Early Exposure to Dogs and Farm Animals and the Risk of Childhood Asthma," *JAMA Pediatrics* 169 (2015): e153219.

47   Fall et al., "Early Exposure to Dogs." Erika von Mutius and Donata Vercelli, "Farm Living: Effects on Childhood Asthma and Allergies," *Nature Reviews Immunology* 10 (2010): 861–68.

48   아만파와 후터파의 차이점과 유사점은 다음을 바탕으로 서술했다. Michelle M. Stein et al., "Innate Immunity and Asthma Risk in Amish and Hutterite Farm Children," *New England Journal of Medicine* 375 (2016): 411–21.

49   이 연구의 방법론과 결과는 다음을 바탕으로 서술했다. Stein et al., "Innate Immunity."

50   Barbara Tress et al., "Bacterial Microbiome of the Nose of Healthy Dogs and Dogs with Nasal Disease," *PLOS ONE* 12 (2017): e0176736. Claudia Schabereiter-Gurtner et al., "Phylogenetic Diversity of Bacteria Associated with Paleolithic Paintings and Surrounding Rock Walls in Two Spanish Caves (Llonín and La Garma)," *FEMS Microbiology Ecology* 47 (2004): 235–47.

51   Matthew J. Gebert et al., "Ecological Analyses of Mycobacteria in Showerhead Biofilms and Their Relevance to Human Health," *mBio* 9 (2018): e01614–18. Fierer, 인터뷰, 2016년 9월 21일.

52   Gebert et al., "Ecological Analyses of Mycobacteria." Noah Fierer, 나와의 전화 인터뷰, 2017년 11월 13일.

53   Gebert et al., "Ecological Analyses of Mycobacteria."

54 National Academies of Sciences, Engineering, and Medicine, *Microbiomes of the Built Environment: A Research Agenda for Indoor Microbiology, Human Health, and Buildings* (Washington, DC: National Academies Press, 2017), 109.

55 B. Andersen et al., "Pre-contamination of New Gypsum Wallboard with Potentially Harmful Fungal Species," *Indoor Air* 27 (2017): 6-12. Dunn, *Never Home Alone*, 110-13에서도 논의된다.

56 National Academies, *Microbiomes of the Built Environment*, 152-55.

57 National Academies, *Microbiomes of the Built Environment*, 101. Jing Qian, Jordan Peccia, and Andrea R. Ferro, "Walking-Induced Particle Resuspension in Indoor Environments," *Atmospheric Environment* 89 (2014): 464-81. Denina Hospodsky et al., "Human Occupancy as a Source of Indoor Airborne Bacteria," *PLOS ONE* 7 (2012): e34867.

58 Erica M. Hartmann et al., "Antimicrobial Chemicals Are Associated with Elevated Antibiotic Resistance Genes in the Indoor Dust Microbiome," *Environmental Science and Technology* 50 (2016): 9807-15. Ashkaan K. Fahimipour et al., "Antimicrobial Chemicals Associate with Microbial Function and Antibiotic Resistance Indoors," *mSystems* 3 (2018): e00200-18.

59 "Homebiotic," 2019년 4월 30일에 접속함. www.homebiotic.com/.

60 National Academies, *Microbiomes of the Built Environment*, 161.

2 자기만의 병실

1 Simon Lax et al., "Bacterial Colonization and Succession in a Newly Opened Hospital," *Science Translational Medicine* 9 (2017): eaah6500.

2 Carolyn Farquharson and Karen Baguley, "Responding to the Severe Acute Respiratory Syndrome (SARS) Outbreak: Lessons Learned in a Toronto Emergency Department," *Journal of Emergency Nursing* 29 (2003): 222-28.

3 M. K. Shaughnessy et al., "Evaluation of Hospital Room Assignment and Acquisition of Clostridium difficile Infection," *Infection Control and Hospital Epidemiology* 32 (2011): 201-206.

4 World Health Organization, "Health Care-Associated Infections: FACT

SHEET," 2019년 8월 2일에 접속함. www.who.int/gpsc/countrywork/burdenhcai/en/.

5   이 병동의 디자인과 그것의 결과는 다음을 토대로 서술했다. Torsten Holmdahl and Peter Lanbeck, "Design for the Post-Antibiotic Era: Experiences from a New Building for Infectious Diseases in Malmö, Sweden," *HERD* 6 (2013): 27–52. Torsten Holmdahl, "Hospital Design and Room Decontamination for a Post-Antibiotic Era and an Era of Emerging Infectious Diseases" (박사학위 논문. Lund University, 2017). Torsten Holmdahl, 나와의 인터뷰, 2019년 1월 22일.

6   Dana Y. Teltsch et al., "Infection Acquisition Following Intensive Care Unit Room Privatization," *JAMA Internal Medicine* 171 (2011): 32–38.

7   Roger S. Ulrich et al., "A Review of the Research Literature on Evidence-Based Healthcare Design," *HERD* 1 (2008): 61–125.

8   Ulrich et al., "A Review of the Research."

9   병원의 역사는 다음을 토대로 서술했다. Guenter B. Risse, *Mending Bodies, Saving Souls: A History of Hospitals* (New York: Oxford University Press, 1999). Sethina Watson, "The Origins of the English Hospital," *Transactions of the Royal Historical Society* 16 (2006): 75–94. Nick Black, "Rise and Demise of the Hospital: A Reappraisal of Nursing," *BMJ* 331 (2005): 1394–96. Jeanne Susan Kisacky, "Restructuring Isolation: Hospital Architecture, Medicine, and Disease Prevention," *Bulletin of the History of Medicine* 79 (2005): 1–49. Tom Gormley, "The History of Hospitals and Wards," *Healthcare Design* 10 (2010): 50–54. Barbra Mann Wall, "History of Hospitals," University of Pennsylvania School of Nursing, 2019년 4월 28일에 접속함. www.nursing.upenn.edu/nhhc/nurses-institutions-caring/history-of-hospitals/.

10 크림 전쟁 당시 플로렌스 나이팅게일이 한 일은 다음을 토대로 서술했다. Christopher J. Gill and Gillian C. Gill, "Nightingale in Scutari: Her Legacy Reexamined," *Clinical Infectious Diseases* 40 (2005): 1799–1805. Warren Winkelstein Jr., "Florence Nightingale: Founder of Modern Nursing and Hospital Epidemiology," *Epidemiology* 20 (2009): 311. Maya Aravind and Kevin C. Chung, "Evidence-Based Medicine and Hospital Reform: Tracing Origins Back to Florence Nightingale," *Plastic and Reconstructive Surgery* 125 (2010): 403–409. Craig Zimring and Jennifer DuBose, "Healthy Health Care Settings." 다음에 수록됨.

Making Healthy Places, ed. Andrew L. Dannenberg, Howard Frumkin, and Richard J. Jackson (Washington, DC: Island Press, 2011): 205.

11 Florence Nightingale, *Notes on Hospitals* (London: John W. Parker, 1859).

12 Nightingale, *Notes on Hospitals*, 16.

13 Nightingale, *Notes on Hospitals*, 19.

14 Nightingale, *Notes on Hospitals*. Aravind and Chung, "Evidence-Based Medicine."

15 파빌리온 양식은 다음을 토대로 서술했다. Nightingale, *Notes on Hospitals*. Anthony King, "Hospital Planning: Revised Thoughts on the Origin of the Pavilion Principle in England," *Medical History* 10 (1966): 360–73. G. C. Cook, "Henry Currey FRIBA (1820–1900): Leading Victorian Hospital Architect, and Early Exponent of the 'Pavilion Principle,'" *Postgraduate Medical Journal* 78 (2002): 352–59. Cynthia Imogen Hammond, "Reforming Architecture, Defending Empire: Florence Nightingale and the Pavilion Hospital." 다음에 수록됨. *Un/Healthy Interiors: Contestations at the Intersection of Public Health and Private Space*, ed. Aran S. MacKinnon and Jonathan D. Ablard (Studies in the Social Sciences, University of West Georgia, 2005): 1-24. Zimring and DuBose, "Healthy Health Care Settings," 205.

16 20세기 병원 디자인의 변천은 다음을 토대로 서술했다. C. Robert Horsburgh, "Healing by Design," *The New England Journal of Medicine* 333 (1995): 735–40. Angela Burke, "Towards a New Hospital Architecture: An Exploration of the Relationship Between Hospital Space and Technology" (박사학위 논문. University of East London, 2014). Zimring and DuBose, "Healthy Health Care Settings," 205-206.

17 *Wash in Health Care Facilities: Global Baseline Report 2019* (Geneva: WHO and UNICEF, 2019).

18 이 연구의 방법론과 결과는 다음을 토대로 서술했다. Roger S. Ulrich, "Scenery and the Shopping Trip: The Roadside Environment as a Factor in Route Choice" (박사학위 논문. University of Michigan, 1974).

19 이 연구의 방법론과 결과는 다음을 토대로 서술했다. Roger S. Ulrich, "Visual Landscapes and Psychological Well-Being," *Landscape Research* 4 (1979): 17-23.

20 울리히의 어린 시절 경험은 2016년 12월 14일에 그에게 직접 들은 내용을

토대로 서술했다.

21 이 연구의 방법론과 결과는 다음을 토대로 서술했다. Roger S. Ulrich, "View Through a Window May Influence Recovery from Surgery," *Science* 224 (1984): 420-21.

22 Ann Sloan Devlin, 나와의 인터뷰, 2018년 5월 10일. Dak Kopec, *Environmental Psychology for Design* (New York: Fairchild Publications, 2006): 211-12. Horsburgh, "Healing by Design."

23 Devlin, 인터뷰, 2018년 5월 10일. Zimring and DuBose, "Healthy Health Care Settings," 206. Aravind and Chung, "Evidence-Based Medicine."

24 Roger S. Ulrich, "Effects of Interior Design on Wellness: Theory and Recent Scientific Research," *Journal of Health Care Interior Design* 3 (1991): 104. Ulrich, "A Review of the Research Literature," 129.

25 Gregory B. Diette et al., "Distraction Therapy with Nature Sights and Sounds Reduces Pain During Flexible Bronchoscopy," *Chest* 123 (2003): 941-48. A. C. Miller, L. C. Hickman, and G. K. Lemasters, "A Distraction Technique for Control of Burn Pain," *The Journal of Burn Care and Rehabilitation* 13 (1992): 576-80.

26 Seong-Hyun Park and Richard H. Mattson, "Effects of Flowering and Foliage Plants in Hospital Rooms on Patients Recovering from Abdominal Surgery," *HortTechnology* 18 (2008): 563-68. Seong-Hyun Park and Richard H. Mattson, "Ornamental Indoor Plants in Hospital Rooms Enhanced Health Outcomes of Patients Recovering from Surgery," *The Journal of Alternative and Complementary Medicine* 15 (2009): 975-80.

27 Ulrich, "A Review of the Research Literature." Ulrich, "Effects of Interior Design." Ulrich, 나와의 인터뷰, 2016년 12월 14일.

28 Q. Li et al., "Visiting a Forest, but Not a City, Increases Human Natural Killer Activity and Expression of Anti-cancer Proteins," *International Journal of Immunopathology and Pharmacology* 21 (2008): 117-27.

29 Jeffrey Walch et al., "The Effect of Sunlight on Postoperative Analgesic Medication Use: A Prospective Study of Patients Undergoing Spinal Surgery," *Psychosomatic Medicine* 67 (2005): 156-63. Kathleen M. Beauchemin and Peter Hays, "Sunny Hospital Rooms Expedite Recovery from Severe and Refractory Depressions," *Journal of Affective Disorders* 40 (1996): 49-51. Kathleen M. Beauchemin and Peter Hays,

"Dying in the Dark: Sunshine, Gender and Outcomes in Myocardial Infarction," *Journal of the Royal Society of Medicine* 91 (1998): 352–54.

30 환자에게 자연 채광이 미치는 효과는 다음을 참고하라. Ulrich, "A Review of the Research Literature."

31 Ulrich, "A Review of the Research Literature."

32 Roger Ulrich et al., *The Role of the Physical Environment in the Hospital of the 21st Century: A Once-in-a-Lifetime Opportunity* (Concord, CA: Center for Health Design, 2004).

33 이 연구의 방법론과 결과는 다음을 토대로 서술했다. Ulrich, 인터뷰, 2016년 12월 14일. Inger Hagerman et al., "Influence of Intensive Coronary Care Acoustics on the Quality of Care and Physiological State of Patients," *International Journal of Cardiology* 98 (2005): 267–70. V. Blomkvist et al., "Acoustics and Psychosocial Environment in Intensive Coronary Care," *Occupational and Environmental Medicine* 62 (2005): e1. Roger Ulrich, 나에게 보낸 이메일, 2019년 4월 30일.

34 개인 병실의 이점을 잘 일별한 리뷰 논문으로는 다음을 참고하라. Ulrich et al., The Role of the Physical Environment. Habib Chaudhury, Atiya Mahmood, and Maria Valente, "Advantages and Disadvantages of Single-Versus Multiple-Occupancy Rooms in Acute Care Environments: A Review and Analysis of the Literature," *Environment and Behavior* 37 (2005): 760–86.

35 David Barlas et al., "Comparison of the Auditory and Visual Privacy of Emergency Department Treatment Areas with Curtains Versus Those with Solid Walls," *Annals of Emergency Medicine* 38 (2001): 135–39.

36 Ann L. Hendrich, Joy Fay, and Amy K. Sorrells, "Effects of Acuity-Adaptable Rooms on Flow of Patients and Delivery of Care," *American Journal of Critical Care* 13 (2004): 35–45.

37 페이블 병원에 대해서는 다음을 토대로 서술했다. Leonard L. Berry et al., "The Business Case for Better Buildings," *Frontiers of Health Services Management* 21 (2004): 3–24. Derek Parker, 나와의 인터뷰, 2017년 2월 23일.

38 더블린 감리교 병원에 대해서는 다음을 토대로 서술했다. Cheryl Herbert, "Case Study: Dublin Methodist Hospital," *The Hastings Center Report* 41 (2011): 23–24. Cheryl Herbert, 나와의 인터뷰, 2017년 3월 8일.

39 Herbert, "Case Study," 24.

40 *Guidelines for Design and Construction of Health Care Facilities* (American Institute of Architects/Facilities Guidelines Institute, 2006).

41 수술실에서 벌어지는 활동과 수술실 디자인은 다음을 토대로 서술했다. Burke, "Towards a New Hospital Architecture." Anjali Joseph et al., "Safety, Performance, and Satisfaction Outcomes in the Operating Room: A Literature Review," *HERD* 11 (2018): 137–50. Anjali Joseph, 나와의 인터뷰, 2016년 9월 26일. Anjali Joseph, 나와의 인터뷰, 2018년 9월 25일. David Allison, 나와의 인터뷰, 2018년 9월 26일.

42 *WHO Guidelines for Safe Surgery 2009* (Geneva: World Health Organization, 2009), 2.

43 *The four-year project: Realizing Improved Patient Care through Human-Centered Design in the Operating Room*, vol. 1 (Clemson Center for Health Facilities Design and Testing, 2016), 1–3, https://issuu.com/clemsonchfdt/docs/ripchd.or_volume_1. Joseph, 인터뷰, 2016년 9월 26일.

44 Anjali Joseph et al., "Minor Flow Disruptions, Traffic-Related Factors and Their Effect on Major Flow Disruptions in the Operating Room," *BMJ Quality and Safety* 28 (2019): 276–83. Sara Bayramzadeh et al., "The Impact of Operating Room Layout on Circulating Nurse's Work Patterns and Flow Disruptions: A Behavioral Mapping Study," *HERD* 11 (2018): 124–38.

45 Joseph et al., "Minor Flow Disruptions." Douglas A. Wiegmann et al., "Disruptions in Surgical Flow and Their Relationship to Surgical Errors: An Exploratory Investigation," *Surgery* 142 (2007): 658–65.

46 이 연구에서 발견된 '흐름 교란'의 상세한 내용은 다음을 참고하라. Joseph et al., "Minor Flow Disruptions." Bayramzadeh et al., "The Impact of Operating Room Layout." David M. Neyens et al., "Using a Systems Approach to Evaluate a Circulating Nurse's Work Patterns and Workflow Disruptions," *Applied Ergonomics*, 2018년 3월 30일, 종이 출판 이전에 다음에 게시됨. https://linkinghub.elsevier.com/retrieve/pii/S0003-6870(18)30078-4. *Realizing Improved Patient Care Through Human-Centered Design in the Operating Room*, vol. 2 (Clemson Center for Health Facilities Design and Testing, 2017), 81, https://issuu.com/clemsonchfdt/docs/ripchd.orvolume2. Sara Bayramzadeh, "Study Findings" (발표. RIPCHD.OR Learning Lab Workshop, Charleston, SC,

January 25, 2018). Kevin Taaffe, "Study Findings" (발표. RIPCHD.OR Learning Lab Workshop, Charleston, SC, January 25, 2018).

47   Kevin Taaffe et al., "The Influence of Traffic, Area Location, and Other Factors on Operating Room Microbial Load," *Infection Control and Hospital Epidemiology* 39 (2018): 391-97.

48   David Allison, "Study Findings" (발표. RIPCHD.OR Learning Lab Workshop, Charleston, SC, January 25, 2018). *Realizing Improved Patient Care*, vol. 2, 34-35.

49   그들이 사용한 컴퓨터 모델과 이를 통해 발견한 결과는 다음을 토대로 서술했다. Amin Khoshkenar et al., "Simulation-Based Design and Traffic Flow Improvements in the Operating Room," *Proceedings of the 2017 Winter Simulation Conference* (2017): 2975-83. *Realizing Improved Patient Care*, vol. 2, 82-83. Kevin Taaffe, 나와의 인터뷰, 2018년 8월 14일. Allison, 인터뷰, 2018년 9월 26일.

50   수술대의 위치를 왜, 어떻게 조정했는지는 다음을 토대로 서술했다. Allison, 인터뷰, 2018년 9월 26일. Taaffe, 인터뷰, 2018년 8월 14일. *Realizing Improved Patient Care*, vol. 2, 36-49.

51   이들이 시도한 수술실 구조 변경의 특징은 다음을 토대로 서술했다. *Realizing Improved Patient Care*, vol. 2, 36-49. Allison, "Study Findings." Allison, 인터뷰, 2018년 9월 26일. Joseph, 인터뷰, 2016년 9월 26일. Anjali Joseph, 나와의 인터뷰, 2018년 9월 25일.

52   David Allison. 나에게 보낸 이메일. 2019년 3월 24일.

53   Joseph, 인터뷰, 2018년 9월 25일.

54   Joseph, 인터뷰, 2018년 9월 25일.

55   Joseph, 인터뷰, 2018년 9월 25일.

56   Bon Ku, 나와의 인터뷰, 2017년 11월 2일.

3 계단의 힘

1   19세기 뉴욕의 감염병은 다음을 토대로 서술했다. New York City Department of Health and Mental Hygiene, Protecting Public Health in *New York City: 200 Years of Leadership* (New York: Bureau of Communications, DOHMH, 2005), 4-10. Citizens' Association of New York, *Report of the Council of Hygiene and Public Health of the Citizens' Association of New*

York upon the Sanitary Condition of the City (New York: D. Appleton and Company, 1865). Richard Plunz, A History of Housing in New York City (New York: Columbia University Press, 2016), 2-3.

2 Citizens' Association, Report of the Council of Hygiene, x-xi.

3 New York City Department of Health and Mental Hygiene, Protecting Public Health, 10.

4 당시 뉴욕의 불결함은 다음을 토대로 서술했다. Citizens' Association, Report of the Council of Hygiene. Department of Health and Mental Hygiene, Protecting Public Health, 7-10. Plunz, A History of Housing, 2-3, 13-16, 50-55.

5 Citizens' Association, Report of the Council of Hygiene, xi.

6 New York City Department of Health and Mental Hygiene, Protecting Public Health, 12-15.

7 "History," New York City Department of Sanitation, 2018년 2월 8일에 접속함. www1.nyc.gov/assets/dsny/about/inside-dsny/history.shtml.

8 Plunz, A History of Housing, 22-49. City of New York, Active Design Guidelines: Promoting Physical Activity and Health in Design (2010), 13.

9 Carl-Johan Neiderud, "How Urbanization Affects the Epidemiology of Emerging Infectious Diseases," Infection Ecology and Epidemiology 5 (2015): 10.3402/iee.v5.27060. Mauricio L. Barreto et al., "Effect of City-wide Sanitation Programme on Reduction in Rate of Childhood Diarrhoea in Northeast Brazil: Assessment by Two Cohort Studies," Lancet 370 (2007): 1622-28.

10 New York City Department of Health and Mental Hygiene, Preventing Non-communicable Diseases and Injuries: Innovative Solutions from New York City (New York: New York City Department of Health and Mental Hygiene, 2011), 6-7. Thomas R. Frieden et al., "Adult Tobacco Use Levels After Intensive Tobacco Control Measures: New York City, 2002-2003," American Journal of Public Health 95 (2005): 1016-23.

11 New York City Department of Health and Mental Hygiene, Preventing Non-communicable Diseases, 6.

12 New York City Department of Health and Mental Hygiene, Preventing Non-communicable Diseases, 6. Emily N. Ussery et al., "Joint Prevalence of Sitting Time and Leisure-Time Physical Activity among US Adults, 2015-2016," JAMA 320 (2018): 2036-38.

13   New York City Department of Health and Mental Hygiene, *Preventing Non-communicable Diseases*, 6. U.S. Department of Health and Human Services and U.S. Department of Agriculture, *2015–2020 Dietary Guidelines for Americans* (2015), 38–39.

14   NCD Risk Factor Collaboration, "Trends in Adult Body-Mass Index in 200 Countries from 1975 to 2014: A Pooled Analysis of 1698 Population-Based Measurement Studies with 19.2 Million Participants," *Lancet* 387 (2016): 1377–96.

15   Gretchen Van Wye, "Obesity and Diabetes in NYC, 2002 and 2004," *Preventing Chronic Disease* 5 (2008): A48.

16   New York City Department of Health and Mental Hygiene, *Preventing Non-communicable Diseases*, 9–12.

17   Jonathan B. Wallach and Mariano J. Rey, "A Socioeconomic Analysis of Obesity and Diabetes," *Preventing Chronic Disease* 6 (2009): A108. Jennifer L. Black et al., "Neighborhoods and Obesity in New York City," Health and Place (2010): 489–99. New York City Department of Health and Mental Hygiene, "Diabetes in New York City," *Epi Data Brief* 26 (2013), www1.nyc.gov/site/doh/data/data-sets/epi-data-briefs-and-data-tables.page. New York City Department of Health and Mental Hygiene, "Hypertension in New York City: Disparities in Prevalence," *Epi Data Brief* 82 (2016), www1.nyc.gov/site/doh/data/data-sets/epi-data-briefs-and-data-tables.page.

18   Paul M. Kelly, "Obesity Prevention in a City State: Lessons from New York City during the Bloomberg Administration," *Frontiers in Public Health* 4 (2016): 60. Margaret Leggat et al., "Pushing Produce: The New York City Green Carts Initiative," *Journal of Urban Health* 89 (2012): 937–38.

19   Melecia Wright et al., "Impact of a Municipal Policy Restricting Trans Fatty Acid Use in New York City Restaurants on Serum Trans Fatty Acid Levels in Adults," *American Journal of Public Health* 4 (2019): 634–36. Eric J. Brandt et al., "Hospital Admissions for Myocardial Infarction and Stroke Before and After the Trans-Fatty Acid Restrictions in New York," *JAMA Cardiology* 2 (2017): 627–34. Maya K. Vadiveloo, L. Beth Dixon, and Brian Elbel, "Consumer Purchasing Patterns in Response to Calorie Labeling Legislation in New York City," *International Journal of*

Behavioral Nutrition and Physical Activity 8 (2011): 51.

20   Reid Ewing, "Relationship Between Urban Sprawl and Physical Activity, Obesity, and Morbidity," *American Journal of Health Promotion* 18 (2003): 47-57.

21   Brian E. Saelens, James F. Sallis, and Lawrence D. Frank, "Environmental Correlates of Walking and Cycling: Findings from the Transportation, Urban Design, and Planning Literatures," *Annals of Behavioral Medicine* 25 (2003): 80-91. Brian E. Saelens and Susan L. Handy, "Built Environment Correlates of Walking: A Review," *Medicine and Science in Sports and Exercise* 40 (2008): S550-66.

22   Bahman P. Tabaei et al., "Associations of Residential Socioeconomic, Food, and Built Environments with Glycemic Control in Persons with Diabetes in New York City from 2007-2013," *American Journal of Epidemiology* 187 (2018): 736-45. Chinmoy Sarkar, Chris Webster, and John Gallacher, "Neighbourhood Walkability and Incidence of Hypertension: Findings from the Study of 429,334 UK Biobank Participants," *International Journal of Hygiene and Environmental Health* 221 (2018): 458-68.

23   Andrew Rundle et al., "The Urban Built Environment and Obesity in New York City: A Multilevel Analysis," *American Journal of Health Promotion* 21 (2007): 326-34.

24   Latetia V. Moore et al., "Availability of Recreational Resources in Minority and Low Socioeconomic Status Areas," *American Journal of Preventive Medicine* 34 (2008): 16-22. Paul A. Estabrooks, Rebecca E. Lee, and Nancy C. Gyurcsik, "Resources for Physical Activity Participation: Does Availability and Accessibility Differ by Neighborhood Socioeconomic Status?" *Annals of Behavioral Medicine* 25 (2003): 100-104. Simon D. S. Fraser and Karen Lock, "Cycling for Transport and Public Health: A Systematic Review of the Effect of the Environment on Cycling," *European Journal of Public Health* 21 (2011): 738-43. Deborah A. Cohen, "Contribution of Public Parks to Physical Activity," *American Journal of Public Health* 97 (2007): 509-14.

25   H. D. Sesso et al., "Physical Activity and Cardiovascular Disease Risk in Middle-Aged and Older Women," *American Journal of Epidemiology* 150 (1999): 408-16. Ralph S. Paffenbarger et al., "The Association of

Changes in Physical-Activity Level and Other Lifestyle Characteristics with Mortality Among Men," *New England Journal of Medicine* 328 (1993): 538-45.

26   David Burney, 나와의 인터뷰, 2018년 2월 19일. American Institute of Architects New York Chapter, *Fit-City: Promoting Physical Activity Through Design* (New York: AIA New York, 2006), www.aiany.org/wp-content/uploads/2017/10/FitCity1PublicationFinal162.pdf.

27   City of New York, *Active Design Guidelines*.

28   City of New York, *Active Design Guidelines*, 70-77. Gayle Nicoll, "Spatial Measures Associated with Stair Use," *American Journal of Health Promotion* 21 (2007): 346-52. Ryan R. Ruff et al., "Associations Between Building Design, Point-of-Decision Stair Prompts, and Stair Use in Urban Worksites," *Preventive Medicine* 60 (2014): 60-64. David R. Bassett et al., "Architectural Design and Physical Activity: An Observational Study of Staircase and Elevator Use in Different Buildings," *Journal of Physical Activity and Health* 10 (2013): 556-62.

29   City of New York, *Active Design Guidelines*, 78-79. Ruff et al., "Associations Between Building Design." Marc Nocon et al., "Increasing Physical Activity with Point-of-Choice Prompts: A Systematic Review," *Scandinavian Journal of Public Health* 38 (2010): 633-38. Kerri N. Boutelle et al., "Using Signs, Artwork, and Music to Promote Stair Use in a Public Building," *American Journal of Public Health* 91 (2001): 2004-2006. Karen K. Lee et al., "Promoting Routine Stair Use," *American Journal of Preventive Medicine* 42 (2012): 136-41. Nicole Angelique Kerr et al., "Increasing Stair Use in a Worksite through Environmental Changes," *American Journal of Health Promotion* 18 (2004): 312-15.

30   Philippe Meyer et al., "Stairs Instead of Elevators at the Workplace: Cardioprotective Effects of a Pragmatic Intervention," *European Journal of Preventive Cardiology* 17 (2010): 569-75.

31   Office of the Mayor, "Mayor Bloomberg Announces First Ever Center for Active Design to Promote Physical Activity and Health in Buildings and Public Spaces Through Building Code and Design Standard Changes," 보도자료. 2013년 7월 17일. www1.nyc.gov/office-of-the-mayor/news/250-13/mayor-bloomberg-first-ever-center-active-design-

promote-physical-activity-and.

32 이 동네와 아버 하우스에 대해서는 다음을 토대로 서술했다. Elizabeth Garland et al., "Active Design in Affordable Housing: A Public Health Nudge," *Preventive Medicine Reports* 10 (2018): 9–14. Elizabeth Garland et al., "One Step at a Time Towards Better Health: Active Design in Affordable Housing," *Environmental Justice* 7 (2014): 166–71. "Blue Sea Development Company," Center for Active Design. 2019년 5월 8일에 접속함. https://centerforactivedesign.org/awards/blueseadevelopmentcompany.

33 Garland et al., "One Step at a Time."

34 Garland et al., "Active Design in Affordable Housing."

35 Transtria LLC, *Evaluation of Active Living by Design: Learning from 25 Community Partnerships* (Robert Wood Johnson Foundation, 2012), www.transtria.com/pdfs/ALbD/Crosssite_assessment.pdf.

36 "BlueCross BlueShield of Tennessee," Center for Active Design, 2019년 5월 8일에 접속함. https://centerforactivedesign.org/bluecrossblueshield. "Google," Center for Active Design, 2019년 5월 8일에 접속함. https://awards.centerforactivedesign.org/winners/google.

37 Jeri Brittin et al., "Physical Activity Design Guidelines for School Architecture," *PLOS ONE* 10 (2015): e0132597.

38 Nicholas Gorman et al., "Designer Schools: The Role of School Space and Architecture in Obesity Prevention," *Obesity* 15 (2007): 2521–30.

39 Pennie Allen, 나와의 인터뷰, 2017년 9월 5일. Pennie Allen, 나와의 인터뷰. 2018년 4월 17일.

40 "Buckingham County, Virginia," Division of Geology and Mineral Resources, 2019년 5월 8일에 접속함. www.dmme.virginia.gov/dgmr/buckingham.shtml.

41 "Buckingham County, VA," Census Reporter, 2019년 5월 8일에 접속함. https://censusreporter.org/profiles/05000US51029-buckingham-county-va/.

42 Leah Frerichs et al., "Children's Discourse of Liked, Healthy, and Unhealthy Foods," *Journal of the Academy of Nutrition and Dietetics* 116 (2016): 1323–31.

43 Allen, 인터뷰, 2017년 9월 5일.

44   Allen, 인터뷰, 2017년 4월 17일. Terry Huang and Matthew Trowbridge, "Insights 3 — Healthy by Design: Architecture's New Terrain; The Dining Commons: Promoting Healthy and Active FoodSmart™ Kids," 4, http://wemoveschoolsforward.com/wp-content/uploads/2017/05/BuckinghamInsightsCaseStudy.pdf.

45   새 학교의 특징과 프로그램 등은 2017년 3월 29일에 학교를 방문해 취재한 내용과 VMDO 웹사이트("We Move Schools Forward," http://wemoveschoolsforward.com/publications/), 그리고 다음을 토대로 서술했다. Dina Sorensen, 나와의 인터뷰, 2016년 10월 25일. Dina Sorensen, 나와의 인터뷰, 2017년 3월 29. Dina Sorensen, "Evidence-Based Design: Lessons from Virginia" (발표. FitKids Symposium: Designing Spaces for Play, New York, NY, October 19, 2017). Dina Sorensen, 나와의 인터뷰, 2018년 1월 31일. Kelly Callahan, 나와의 인터뷰, 2017년 3월 29일. Terry Huang, 나와의 인터뷰, 2016년 9월 23일. Terry Huang, 나와의 인터뷰, 2018년 2월 26일. Matt Trowbridge, 나와의 인터뷰, 2017년 2월 3일. Pennie Allen, 나와의 인터뷰, 2017년 9월 5일. Pennie Allen, 나와의 인터뷰, 2018년 4월 7일. Leah Frerichs, "Architecture and Design for Healthy Eating in Schools" (박사학위 논문. University of Nebraska, 2014). Leah Frerichs et al., "The Role of School Design in Shaping Healthy Eating–Related Attitudes, Practices, and Behaviors Among School Staff," *The Journal of School Health* 86 (2016): 11–22. Jeri Brittin, "School Design to Promote Physical Activity" (박사학위 논문. University of Nebraska, 2015).

46   Sorensen, "Evidence-Based Design."

47   Aviroop Biswas et al., "Sedentary Time and Its Association with Risk for Disease Incidence, Mortality, and Hospitalization in Adults: A Systematic Review and Meta-analysis," *Annals of Internal Medicine* 162 (2015): 123–32.

48   J. N. Morris et al., "Coronary Heart Disease and Physical Activity of Work," Lancet 262, no. 6795 (1953): 1053–57. J. N. Morris et al., "Coronary Heart Disease and Physical Activity of Work," *Lancet* 262, no. 6796 (1953): 1111–20.

49   Keith M. Diaz, "Patterns of Sedentary Behavior and Mortality in U.S. Middle-Aged and Older Adults: A National Cohort Study," *Annals of Internal Medicine* 167 (2017): 465–75.

50 Nipun Shrestha et al., "Workplace interventions for reducing
    sitting at work," *Cochrane Database of Systematic Reviews* 6 (2018):
    CD010912. Mark E. Benden et al., "The Impact of Stand-Biased Desks
    in Classrooms on Calorie Expenditure in Children," *American Journal of
    Public Health* 101 (2011): 1433–36. Jamilia J. Blake, Mark E. Benden,
    and Monica L. Wendel, "Using Stand/Sit Workstations in Classrooms:
    Lessons Learned from a Pilot Study in Texas," *Journal of Public Health
    Management and Practice* 18 (2012): 412–15.

51 Dina Sorensen, "Using Design to Promote Healthy Eating in Schools"
    (발표, FitCity 10, New York, NY, May 11, 2015).

52 이와 관련된 연구들을 일별한 논문으로는 다음을 참고하라. Frerichs,
    "Architecture and Design," 32–38.

53 Keiko Goto et al., "Do Environmental Interventions Impact Elementary
    School Students' Lunchtime Milk Selection?" *Applied Economic
    Perspectives and Policy* 35 (2013): 360–76.

54 Esther Jansen, Sandra Mulkens, and Anita Jansen, "Making Fruit
    More Visually Appealing Increases Consumption," *Appetite* 54 (2010):
    599–602. Gregory J. Privitera and Heather E. Creary, "Proximity and
    Visibility of Fruits and Vegetables Influence Intake in a Kitchen Setting
    Among College Students," *Environment and Behavior* 45 (2013): 876–
    86. 다음의 내용을 언급해둘 필요가 있을 것 같다. 오랫동안 학교 구내식당에서
    넛지 전략을 사용하는 것과 관련해 가장 저명한 전문가는 코넬 대학의 브라이언
    완싱크(Brian Wansink)였다. 하지만 저널에 게재된 그의 논문들에서 많은
    오류와 불일치가 발견되어 현재 상당수가 게재 철회되었다. 2018년에 코넬
    대학 교수위원회는 완싱크의 연구 수행 과정에 대한 조사를 마치고 그 결과를
    발표했다. 교수위원회에 따르면 "완싱크 교수는 연구 데이터를 잘못 보고했고,
    문제가 있는 통계 기법을 사용했으며, 연구 결과를 적절히 기록 및 보존하지
    못했고, 저자 표기를 부적절하게 하는 등 학문 수행에서 잘못된 행위를
    했다."(교무 담당 부총장 명의로 발표된 이 보고서의 내용은 다음에서 볼 수
    있다. Cornell University, "Statement of Cornell University Provost
    Michael I. Kotlikoff," 보도자료, 2018년 9월 20일. https://statements.co
    rnell.edu/2018/20180920-statement-provost-michael-kotlikoff.cfm).
    그렇더라도 아이들이 더 건강에 좋은 음식을 선택하도록 작은 자극을 통해
    유도한다는 넛지 전략의 개념 자체는 잘못된 것이 아니다. 다른 수많은
    연구자들이 이에 대해 많은 실증근거를 제시했으며, 나는 이 장을 완싱크의

연구가 아닌 다른 연구자들의 연구를 토대로 서술했다.

55   Rush University Medical Center, "Time Delays in Vending Machines Prompt Healthier Snack Choices," 보도자료. 2017년 3월 30일. www.rush.edu/news/press-releases/time-delays-vending-machines-prompt-healthier-snack-choices. Bradley M. Appelhans et al., "Leveraging Delay Discounting for Health: Can Time Delays Influence Food Choice?" *Appetite* 126 (2018): 16–25.

56   Nanette Stroebele and John M. De Castro, "Effect of Ambience on Food Intake and Food Choice," *Nutrition* 20 (2004): 821–38.

57   Frerichs, "Architecture and Design."

58   Frerichs, "Architecture and Design," 113, 118–19. Allen, 인터뷰, 2017년 9월 5일.

59   Frerichs et al., "The Role of School Design."

60   직원들의 반발은 다음을 토대로 서술했다. Sorensen, 인터뷰, 2017년 3월 29일. Allen, 인터뷰 2017년 9월 5일. Huang, 인터뷰, 2018년 2월 26일. Frerichs, "Architecture and Design," 61–62, 65–67.

61   Frerichs, "Architecture and Design," 82–101.

62   이 연구 결과는 다소 복잡하고 세밀한 해석을 필요로 한다. 대체로 아이들이 커가면서 더 많이 앉아 있게 된다고 알려져 있고, 황의 연구팀이 관찰한 아이들도 그랬다. 하지만 통계 분석을 더 정교화해서 다른 학교들과 비교한 결과, 새 학교에서는 앉아 있는 시간의 증가가 "희석되는" 것으로 나타났다. 즉 이곳의 5학년 아이들은 다른 학교에 다녔더라면 그랬을 정도에 비해 앉아서 보내는 시간이 적었다. 따라서 새 학교가 다른 학교에 비해 신체 활동을 더 많이 촉진했다고 볼 수 있다. 황의 연구에 대한 이 책 본문의 설명은 다음을 토대로 서술했다. Jeri Brittin, "Impacts of Active School Design on School-Time Sedentary Behavior and Physical Activity: A Pilot Natural Experiment," *PLOS ONE* 12 (2017): e0189236. Terry Huang, 나와의 인터뷰, 2016년 9월 23일. Terry Huang, 나와의 인터뷰, 2018년 2월 26일.

63   학교 건축에 활동 친화적 디자인을 도입하려 한 여러 시도는 다음을 참고하라. The Partnership for a Healthier New York City, Active Design Toolkit for Schools (2015), https://centerforactivedesign.org/dl/schools.pdf.

64   이러한 연구를 일별한 보고서로는 질병통제예방센터의 다음 보고서를 참고하라. 사실관계에 대한 많은 정보도 담고 있다. "Health and Academics," Centers for Disease Control, 2019년 6월 5일에 접속함. www.cdc.gov/healthyschools/healthandacademics/index.htm.

4 사무실 증후군 치료제

1 '웰 리빙 연구소'와 이곳에서 진행한 파일럿 연구는 2016년 6월 20~22일에
   그곳을 방문해 취재한 내용과 2016년 1월 21일 브렌트 바우어와의
   인터뷰, 그리고 다음을 토대로 서술했다. Anja Jamrozik et al., "A Novel
   Methodology to Realistically Monitor Office Occupant Reactions
   and Environmental Conditions Using a Living Lab," *Building and
   Environment* 130 (2018): 190-99.

2 Helena Jahncke et al., "Open-Plan Office Noise: Cognitive Performance
   and Restoration," *Journal of Environmental Psychology* 31 (2011):
   373-82.

3 T. L. Buchanan et al., "Illumination and Errors in Dispensing," *American
   Journal of Hospital Pharmacy* 48 (1991): 2137-45.

4 Li Zan, Zhiwei Lian, and Li Pan, "The Effects of Air Temperature on
   Office Workers' Well-Being, Workload and Productivity-Evaluated with
   Subjective Ratings," *Applied Ergonomics* 42 (2010): 29-36.

5 Joseph G. Allen et al., "Associations of Cognitive Function Scores
   with Carbon Dioxide, Ventilation, and Volatile Organic Compound
   Exposures in Office Workers: A Controlled Exposure Study of Green and
   Conventional Office Environments," *Environmental Health Perspectives*
   124 (2016): 805-12.

6 W. J. Fisk, "The Ventilation Problem in Schools: Literature Review,"
   Indoor Air 6 (2017): 1039-51. "Ventilation with Outdoor Air," *Indoor Air
   Quality Scientific Findings Resource Bank*, Lawrence Berkeley National
   Laboratory, 2019년 6월 6일에 접속함. https://iaqscience.lbl.gov/
   topic/ventilation-outdoor-air. "Supporting Information," Indoor Air
   Quality Scientific Findings Resource Bank, Lawrence Berkeley National
   Laboratory, 2019년 6월 6일에 접속함. https://iaqscience.lbl.gov/vent-
   info. Christopher Ingraham, "Why Crowded Meetings and Conference
   Rooms Make You So, So Tired," *The Washington Post*, June 6, 2019. Pan
   Chaoyang, "Impaired Decision Making in Conference Rooms," GIGAbase
   (블로그), 2016년 10월 27일. http://blog.gigabase.org/en/contents/132.

7 Delos Living LLC, *The Well Building Standard* (New York: Delos Living
   LLC, 2014).

8 Dana Pilai, 나와의 인터뷰, 2016년 6월 21일. Dana Pilai, 나와의 인터뷰,

2016년 8월 11일. Richard Macary, 나와의 인터뷰, 2016년 6월 21일.

9   Weiwei Liu, Weidi Zhong, and Pawel Wargocki, "Performance, Acute Health Symptoms and Physiological Responses During Exposure to High Air Temperature and Carbon Dioxide Concentration," *Building and Environment* 114 (2017): 96-105.

10   이 파일럿 연구는 2016년에 그곳을 방문해 취재한 내용과 다음을 토대로 서술했다. Jamrozik et al., "A Novel Methodology." Brent Bauer, 나와의 인터뷰, 2018년 10월 31일. Carolina Campanella and Anja Jamrozik, 나와의 인터뷰, 2018년 6월 6일. Anja Jamrozik, 나와의 인터뷰, 2018년 10월 23일.

11   Alfred Anderson, 나와의 인터뷰, 2016년 6월 21일.

12   Dale Tiller et al., "Combined Effects of Noise and Temperature on Human Comfort and Performance," *ASHRAE Transactions* 116 (2010): 522-40.

13   '싱크 인 아웃' 앱에 대해서는 다음을 토대로 서술했다. Campanella and Jamrozik, 인터뷰, 2018년 6월 6일. Jamrozik, 인터뷰, 2018년 10월 23일.

14   두 조명에 대한 연구 결과는 다음을 토대로 서술했다. Campanella and Jamrozik, 인터뷰, 2018년 6월 6일, Jamrozik, 인터뷰, 2018년 10월 23일. Anja Jamrozik et al., "Access to Daylight and View in an Office Improves Cognitive Performance and Satisfaction and Reduces Eyestrain: A Controlled Crossover Study," *Building and Environment* 165 (2019): 106379.

15   W. U. Weitbrecht et al., "Effect of Light Color Temperature on Human Concentration and Creativity," *Fortschritte der Neurologie-Psychiatrie* 83 (2015): 344-48.

16   Boris Kingma and Wouter van Marken Lichtenbelt, "Energy Consumption in Buildings and Female Thermal Demand," *Nature Climate Change* 5 (2015): 1054-56.

17   Tom Y. Chang and Agne Kajackaite, "Battle for the Thermostat: Gender and the Effect of Temperature on Cognitive Performance," *PLOS ONE* 14 (2019): e0216362.

18   G. Belojevic, B. Jakovljevic, and V. Slepcevic, "Noise and Mental Performance: Personality Attributes and Noise Sensitivity," *Noise and Health* 6 (2003): 77-89. F. S. Morgenstern, R. J. Hodgson, and L. Law, "Work Efficiency and Personality: A Comparison of Introverted

and Extraverted Subjects Exposed to Conditions of Distraction and Distortion of Stimulus in a Learning Task," *Ergonomics* 17 (1974): 211–20. Adrian Furnham and Anna Bradley, "Music While You Work: The Differential Distraction of Background Music on the Cognitive Test Performance of Introverts and Extraverts," *Applied Cognitive Psychology* 11 (1997): 445–55.

19 Shane Goldmacher, "Cuomo vs. Nixon Debate? It's Already Heated (Literally)," *The New York Times*, 2018년 8월 28일, www.nytimes.com/2018/08/28/nyregion/cuomo-nixon-debate-demands-ny.html.

20 J. H. Pejtersen et al., "Sickness Absence Associated with Shared and Open-Plan Offices: A National Cross Sectional Questionnaire Survey," *Scandinavian Journal of Work, Environment and Health* 37 (2011): 376–82.

21 Christhina Candido et al., "Designing Activity-Based Workspaces: Satisfaction, Productivity and Physical Activity," *Building Research and Information* 47 (2019): 275–89. Lina Engelen et al., "Is Activity-Based Working Impacting Health, Work Performance and Perceptions? A Systematic Review," *Building Research and Information* 47 (2019): 468–79.

22 자연이 주는 인지적 이득에 대해서는 많은 논문과 자료가 나와 있다. 예를 들어 다음을 참고하라. "Physiological and Cognitive Performance of Exposure to Biophilic Indoor Environment," *Building and Environment* 132 (2018): 255–62. Andrea Faber Taylor and Frances E. Kuo, "Children with Attention Deficits Concentrate Better After Walk in the Park," *Journal of Attention Disorders* 12 (2009): 402–409. Marc G. Berman, John Jonides, and Stephen Kaplan, "The Cognitive Benefits of Interacting with Nature," *Psychological Science* 19 (2008): 1207–12. Virginia I. Lohr et al., "Interior Plants May Improve Worker Productivity and Reduce Stress in a Windowless Environment," *Journal of Environmental Horticulture* 14 (1996): 97–100. Carolyn M. Tennessen and Bernadine Cimprich, "Views to Nature: Effects on Attention," *Journal of Environmental Psychology* 15 (1995): 77–85.

23 Chih-Da Wu et al., "Linking Student Performance in Massachusetts Elementary Schools with the 'Greenness' of School Surroundings

Using Remote Sensing," *PLOS ONE* 9 (2014): e108548. Dongying Li and William C. Sullivan, "Impact of Views to School Landscapes on Recovery from Stress and Mental Fatigue," *Landscape and Urban Planning* 148 (2016): 149–58. Agnes E. van den Berg et al., "Green Walls for a Restorative Classroom Environment: A Controlled Evaluation Study," *Environment and Behavior* 49 (2017): 791–813.

24 Stephen Kaplan, "The Restorative Benefits of Nature: Toward an Integrative Framework," *Journal of Environmental Psychology* 15 (1995): 169–82.

25 So Young Lee and Jay L. Brand, "Effects of Control over Office Workspace on Perceptions of the Work Environment and Work Outcomes," *Journal of Environmental Psychology* 25 (2005): 323–33. Minyoung Kwon et al., "Personal Control and Environmental User Satisfaction in Office Buildings: Results of Case Studies in the Netherlands," *Building and Environment* 149 (2019): 428–35.

26 Bauer, 인터뷰, 2018년 10월 31일. Delos, "Delos™ to Open a Well Living Lab in Beijing, China," 보도자료, 2017년 2월 22일. https://delos.com/press-releases/delos-open-well-living-lab-beijing-china.

27 Bauer, 인터뷰, 2018년 10월 31일.

28 사회상호작용 측정 배지에 대해서는 다음을 토대로 서술했다. Tanzeem Choudhury and Alex Pentland, "Sensing and Modeling Human Networks Using the Sociometer." 다음에 수록됨. *Proceedings of the Seventh IEEE International Symposium on Wearable Computers* (Los Alamitos, CA: IEEE, 2003): 216–22. Taemie Kim et al., "Sociometric Badges: Using Sensor Technology to Capture New Forms of Collaboration," *Journal of Organizational Behavior* 33 (2012): 412–27. Ethan S. Bernstein and Stephen Turban, "The Impact of the 'Open' Workspace on Human Collaboration," *Philosophical Transactions of the Royal Society B: Biological Sciences* 373 (2018): 20170239. Ben Waber, 나와의 인터뷰, 2019년 2월 27일. Ethan Bernstein, 나와의 인터뷰, 2018년 10월 31일.

29 Lynn Wu et al., "Mining Face-to-Face Interaction Networks Using Sociometric Badges: Predicting Productivity in an IT Configuration Task," *Proceedings of the International Conference on Information Systems* (2008). Lynn Wu et al., "Mining Face-to-Face Interaction

Networks Using Sociometric Badges," Humanyze, 2019년 5월 10일에 접속함. www.humanyze.com/mining-face-to-face-interaction-networks-using-sociometric-badges-predicting-productivity-in-an-it-configuration-task/.

30   이 은행의 사례는 다음을 토대로 서술했다. Waber, 인터뷰, 2019년 2월 27일. "A European Bank Improves Performance Gaps Between Branches," Humanyze, 2019년 5월 10일에 접속함. www.humanyze.com/case-studies-european-bank/.

31   Waber, 인터뷰, 2019년 2월 27일. "A European Bank," Humanyze.

32   Waber, 인터뷰, 2019년 2월 27일. Ben Waber, "Data from the Lunchroom Could Inform the Boardroom," The re:Work Blog, February 24, 2016, https://rework.withgoogle.com/blog/data-from-the-lunchroom-could-inform-the-boardroom/.

33   개방 구조 사무실의 영향에 대해 상충하는 연구 결과들이 다음에 일별되어 있다. Bernstein and Turban, "The Impact of the 'Open' Workspace."

34   이 연구의 방법론과 결과는 다음을 토대로 서술했다. Bernstein and Turban, "The Impact of the 'Open' Workspace." Bernstein, 인터뷰, 2018년 10월 31일.

35   WeWork and HR&A Advisors, Global Impact Report 2019 (2019), 8.

36   위워크를 둘러싼 여러 비판과 논란은 많은 언론에 게재된 바 있다. 예를 들어 다음을 참고하라. Eliot Brown, "WeWork: A $20 Billion Startup Fueled by Silicon Valley Pixie Dust," The Wall Street Journal, 2017년 10월 19일. www.wsj.com/articles/wework-a-20-billion-startup-fueled-by-silicon-valley-pixie-dust-1508424483. Gaby Del Valle, "A WeWork Employee Says She Was Fired After Reporting Sexual Assault. The Company Says Her Claims Are Meritless," Vox, 2018년 10월 12일. www.vox.com/the-goods/2018/10/12/17969190/wework-lawsuit-sexual-assaultharassment-retaliation. Andrew Ross Sorkin, "WeWork's Rise: How a Sublet Start-up Is Taking Over," The New York Times, 2018년 10월 13일. www.nytimes.com/2018/11/13/business/dealbook/wework-office-space-real-estate.html. Matthew Yglesias, "The Controversy Over WeWork's $47 Billion Valuation and Impending IPO, Explained," Vox, 2019년 5월 24일. www.vox.com/2019/5/24/18630126/wework-valuation-ipo-business-model-we-company. Eliot Brown, "WeWork's CEO Makes Millions as Landlord to WeWork," The Wall Street

Journal 2019년 1월 16일. www.wsj.com/articles/weworks-ceo-makes-millions-as-landlord-to-wework-11547640000. Reeves Wiedeman, "The I in We," *New York*, 2019년 6월 10일. http://nymag.com/intelligencer/2019/06/wework-adam-neumann.html. Eliot Brown, "Former WeWork Executives Allege Gender, Age Discrimination," *The Wall Street Journal*, 2019년 6월 20일. www.wsj.com/articles/former-wework-executives-allege-gender-age-discrimination-11561082242.

37   Peter Eavis and Michael J. de la Merced, "WeWork I.P.O. Is Withdrawn as Investors Grow Wary," *The New York Times*, 2019년 9월 20일. www.nytimes.com/2019/09/30/business/wework-ipo.html.

38   Daniel Davis, 나에게 보낸 이메일, 2018년 10월 30일.

39   Daniel Davis, 나와의 인터뷰, 2017년 9월 20일. Daniel Davis, "Here's How WeWork Learns from Member Feedback," WeWork, 2016년 3월 24일, www.wework.com/newsroom/posts/spatial-analytics.

40   Daniel Davis, 나와의 인터뷰, 2018년 10월 2일. Daniel Davis, 나와의 이메일, 2018년 10월 30일.

41   Davis, 인터뷰, 2017년 9월 20일. Davis, 인터뷰, 2018년 10월 2일. Carlo Bailey et al., "This Room Is Too Dark and the Shape Is Too Long: Quantifying Architectural Design to Predict Successful Spaces." 다음에 수록됨. *Humanizing Digital Reality*, ed. Klaas De Rycke et al. (Springer Singapore, 2017), 337-48.

42   Davis, 인터뷰, 2017년 9월 20일. Davis, 인터뷰, 2018년 10월 2일. Davis, 이메일, 2018년 10월 30일.

43   위워크의 사무실 디자인 자동화 시도는 다음을 토대로 서술했다. Davis, 인터뷰, 2018년 10월 2일. Carl Anderson et al., "Augmented Space Planning: Using Procedural Generation to Automate Desk Layouts," *International Journal of Architectural Computing* 16 (2018): 164-77. Nicole Phelan, Daniel Davis, and Carl Anderson, "Evaluating Architectural Layouts with Neural Networks," *2017 Proceedings of the Symposium on Simulation for Architecture and Urban Design* (2017): 67-73. Nicole Phelan, "Designing Offices with Machine Learning," *WeWork*, November 9, 2016, www.wework.com/newsroom/posts/designing-with-machine-learning. Mark Sullivan, "This Algorithm Might Design Your Next Office," WeWork, July 31, 2018, www.wework.com/newsroom/posts/this-algorithm-might-design-your-next-office.

44   일터에서의 감시 기술과 그것의 문제점을 일별한 논문으로는 다음을 참고하라. Ifeoma Ajunwa, Kate Crawford, and Jason Schultz, "Limitless Worker Surveillance," *California Law Review* 105 (2017): 735–76.

45   Jonathan Evan Cohn, Ultrasonic Bracelet and Receiver for Detecting Position in 2D Plane, U.S. Patent 9,881,276, 2016년 3월 28일 출원, 2018년 1월 30일 공개.

46   Tom Simonite, "This Call May Be Monitored for Tone and Emotion," *Wired*, 2018년 3월 19일. www.wired.com/story/this-call-may-be-monitored-for-tone-and-emotion/.

47   Arias v. Intermex Wire Transfer, LLC, et al., No. 1:15-CV-01101, (Cal. Super. Ct., Bakersfield Co., May 5, 2015).

48   골디락에 대해서는 다음을 토대로 서술했다. Marc Syp, 나와의 인터뷰, 2017년 8월 25일. Mama Syp, 나와의 인터뷰, 2018년 11월 5일.

49   컴피에 대해서는 다음을 토대로 서술했다. "Product," Comfy, 2019년 5월 10일에 접속함. www.comfyapp.com/product/. "What We Learned About the Workplace Experience Using Comfy @ Comfy HQ," Comfy, 2018년 5월 4일, www.comfyapp.com/blog/what-we-learned-workplace-experience-comfy-hq/. "Keeping Employees Productive Through Thermal Comfort," Smart Buildings Center, www.smartbuildingscenter.org/sbcwp/wp-content/uploads/2015/09/SBCCaseStudyComfylowres.pdf.

50   "Local Warming," MIT Senseable City Lab, 2019년 5월 10일에 접속함. http://senseable.mit.edu/local-warming/. "Local Warming," MIT Senseable City Lab, 2019년 5월 10일에 접속함. http://senseable.mit.edu/localwarming2014/.

5 풀 스펙트럼

1   린지 이튼의 연설 동영상을 다음에서 볼 수 있다. Lindsey Eaton, "My Most Memorable Speeches," *Delve into the Power of Inclusion* (블로그), 2015년 3월 29일. https://inclusionstarters2014.blogspot.com/2015/03/my-most-memorable-speeches.html.

2   고등학교 졸업 이후 이튼의 상황과 이튼이 바랐던 바들에 대해서는 다음을 토대로 서술했다. Lindsey and Doug Eaton, 나와의 인터뷰, 2018년 5월

11일. Doug Eaton, 나에게 보낸 이메일, 2019년 3월 25일. Eaton, Delve into the Power of Inclusion (블로그), https://inclusionstarters201 4.blogspot.com/. Lindsey Eaton, "Gaining Independence," 연설, SARRC Annual Community Breakfast, 2017년 4월 28일, Phoenix, AZ, www.youtube.com/watch?v=WJFZ4jZAPcQ.

3   Anne M. Roux et al., *National Autism Indicators Report: Transition into Young Adulthood* (Philadelphia: Life Course Outcomes Research Program, A. J. Drexel Autism Institute, Drexel University, 2015).

4   American Standards Association, *Making Buildings and Facilities Accessible to, and Usable by, the Physically Handicapped*, ASA A117.1-1961 (Chicago: National Society for Crippled Children and Adults, 1961).

5   Americans with Disabilities Act of 1990, Pub. L. 101-336.

6   National Council on Disability, *The Impact of the Americans with Disabilities Act: Assessing the Progress toward Achieving the Goals of the ADA* (Washington, DC: National Council on Disability, 2007).

7   National Council on Disability, *The Impact of the Americans with Disabilities Act*. Victoria Gillen, "Access for All! Neuro-architecture and Equal Enjoyment of Public Facilities," *Disability Studies Quarterly* 35 (2015). P. Hall and R. Imrie, "Architectural Practices and Disabling Design in the Built Environment," *Environment and Planning B* 26 (1999): 409-25.

8   Kunal Khanade et al., "Investigating Architectural and Space Design Considerations for Post-traumatic-Stress Disorder (PTSD) Patients," *Proceedings of the Human Factors and Ergonomics Society Annual Meeting* 62 (2018): 1722-26.

9   Olmstead v. L.C., 527 U.S. 581 (1999).

10   D. Felce et al., "Outcomes and Costs of Community Living: Semi-independent Living and Fully Staffed Group Homes," *American Journal of Mental Retardation* 113 (2008): 87-101. J. Howe, R. H. Horner, and J. S. Newton, "Comparison of Supported Living and Traditional Residential Services in the State of Oregon," *Mental Retardation* 36 (1998): 1-11. L. Hansson et al., "Living Situation, Subjective Quality of Life and Social Network Among Individuals with Schizophrenia Living in Community Settings," *Acta Psychiatrica Scandinavica* 106 (2002):

343–50. Roger J. Stancliffe and Sian Keane, "Outcomes and Costs of Community Living: A Matched Comparison of Group Homes and Semi-independent Living," *Journal of Intellectual and Developmental Disability* 25 (2000): 281–305. S. N. Burchard et al., "An Examination of Lifestyle and Adjustment in Three Community Residential Alternatives," *Research in Developmental Disabilities* 12 (1991): 127–42. M. L. Wehmeyer and N. Bolding, "Self-Determination Across Living and Working Environments: A Matched-Samples Study of Adults with Mental Retardation," *Mental Retardation* 37 (1999): 353–63.

11   Molly Follette Story, James L. Mueller, and Ronald L. Mace, *The Universal Design File: Designing for People of All Ages and Abilities* (North Carolina State University, Center for Universal Design, 1998), 6–7. "Disability and Health," World Health Organization, 2018년 1월 16일, www.who.int/news-room/fact-sheets/detail/disability-and-health.

12   Catherine A. Okoro et al., "Prevalence of Disabilities and Health Care Access by Disability Status and Type Among Adults — United States, 2016," *Morbidity and Mortality Weekly Report* 67 (2018): 882–87.

13   Coleen A. Boyle et al., "Trends in the Prevalence of Developmental Disabilities in US Children, 1997–2008," *Pediatrics* 127 (2011): 1034–42.

14   이곳의 신축 건물 디자인은 다음을 토대로 서술했다. John Haymaker and Rachel Rose, 나와의 인터뷰, 2018년 6월 22일. Eve Edelstein, 나와의 인터뷰, 2018년 8월 8일. UC Health, "Groundbreaking at UC Health Celebrates Future Home of Neurosciences," 보도자료. 2017년 5월 23일. https://uchealth.com/articles/groundbreaking-at-uc-health-celebrates-future-home-of-neurosciences/. "UC Gardner Neuroscience Institute Narrated Fly-Through Video," UC Foundation, 2017년 6월 22일, 동영상. www.youtube.com/watch?v=qAlcw3lc2Gs. "Transforming Complex Care: Designing the New UC Gardner Neuroscience Institute," UC Health, 2017년 5월 24일. 동영상. www.youtube.com/watch?v=LSnMNlXwFpM&feature=youtu.be. "First Look: University of Cincinnati Gardner Neuroscience Institute," *Healthcare Design*, October 3, 2017, www.healthcaredesignmagazine.com/projects/first-look-university-cincinnati-gardner-neuroscience-institute/.

15   데프스페이스에 대한 더 많은 정보는 다음을 참고하라. "DeafSpace,"
      Gallaudet University, 2019년 5월 13일에 접속함. www.gallaudet.edu/
      campus-design-and-planning/deafspace. Hansel Bauman, "A New
      Architecture for a More Livable and Sustainable World," TEDx Talks,
      2016년 6월 15일, 동영상.
      www.youtube.com/watch?v=nBBdQnni9Go. Amanda Kolson Hurley,
      "How Gallaudet University's Architects Are Redefining Deaf Space,"
      Curbed, 2016년 3월 2일. www.curbed.com/2016/3/2/11140210/
      gallaudet-deafspace-washington-dc. Amanda Kolson
      Hurley, "Gallaudet University's Brilliant, Surprising
      Architecture for the Deaf," *Washingtonian*, 2016년 1월 13일,
      www.washingtonian.com/2016/01/13/gallaudet-universitys-brilliant-
      surprising-architecture-for-the-deaf/. Sarah Holder, "How to Design a
      Better City for Deaf People," *CityLab*, March 4, 2019, www.citylab.com/
      design/2019/03/deafspace-design-disability-architecture-hard-of-
      hearing-dc/582613/.

16   "Sensory Inclusive App," KultureCity, 2019년 5월 13일에 접속함.
      www.kulturecity.org/sensory-inclusive-app/. Eillie Anzilotti,
      "A New 'Yelp for Sensory Needs' Helps People with Autism
      Find Inclusive Spaces," *Fast Company*, 2018년 4월 2일,
      www.fastcompany.com/40551113/a-new-yelp-for-sensory-needs-
      helps-people-with-autism-find-inclusive-spaces.

17   매트 레스닉에 대해서는 다음을 토대로 서술했다. Denise Resnik, 나와의
      인터뷰, 2017년 10월 23일. Denise Resnik, 나와의 인터뷰, 2018년 4월 26일.
      Denise Resnik, 나와의 인터뷰, 2018년 10월 26일.

18   SARRC에 대해서는 다음을 토대로 서술했다. Resnik, 인터뷰, 2017년 10월
      23일. Resnik, 인터뷰, 2018년 4월 26일. Resnik, 인터뷰, 2018년 10월 26일.
      "Southwest Autism Research and Resource Center," SARRC, 2019년
      5월 13일에 접속함. www.autismcenter.org/. "A New Vision for Life with
      Autism," First Place, 2018년 6월 8일., www.firstplaceaz.orgblog/a-new-
      vision-for-life-with-autism/.

19   Paul T. Shattuck et al., "Services for Adults with an Autism Spectrum
      Disorder," *Canadian Journal of Psychiatry* 57 (2012): 284–91.

20   Sherry Ahrentzen and Kimberly Steele, *Advancing Full Spectrum
      Housing: Designing for Adults with Autism Spectrum Disorders* (Arizona

State University, 2009).

21 퍼스트 플레이스 계획 과정은 다음을 토대로 서술했다. Resnik, 인터뷰, 2017년 10월 23일. Resnik, 인터뷰, 2018년 4월 26일. Resnik, 인터뷰, 2018년 10월 26일. Denise Resnik, 나에게 보낸 이메일, 2018년 11월 26일. Mike Duffy, "Building Design Strategy and Design Goals/Guidelines" (발표. First Place Global Leadership Institute Symposium, Phoenix, AZ, April 27, 2019).

22 Shireen M. Kanakri et al., "An Observational Study of Classroom Acoustical Design and Repetitive Behaviors in Children with Autism," *Environment and Behavior* 49 (2016): 847-73.

23 Shireen Kanakri, 나와의 인터뷰, 2017년 11월 15일.

24 Kanakri, 인터뷰, 2017년 11월 15일.

25 Gesine Marquardt, "Wayfinding for People with Dementia: A Review of the Role of Architectural Design," *HERD* 4 (2011): 75-90.

26 Habib Chaudhury et al., "The Influence of the Physical Environment on Residents with Dementia in Long Term Care," *The Gerontologist* 58 (2018): e325-e337.

27 퍼스트 플레이스에 대한 세부 정보는 2018년 4월 26일에 그곳을 방문해 취재한 내용과 다음을 토대로 서술했다. Resnik, 인터뷰, 2017년 10월 23일. Resnik, 인터뷰, 2018년 4월 26일. Resnik, 인터뷰, 2018년 10월 26일. Duffy, "Building Design Strategy." Mike Duffy, 나와의 인터뷰, 2018년 4월 26일. "Floor Plans and Pricing Options," First Place, 2019년 5월 13일에 접속함. www.firstplaceaz.org/apartments/floor-plans-pricing/. "Connected Community," First Place, 2019년 5월 13일에 접속함. www.firstplaceaz.org/apartments/connected-community/. "Qualifying Criteria," First Place, 2019년 5월 13일에 접속함. www.firstplaceaz.org/apartments/qualifying-criteria/.

28 Sharon A. Cermak et al., "Sensory Adapted Dental Environments to Enhance Oral Care for Children with Autism Spectrum Disorders: A Randomized Controlled Pilot Study," *Journal of Autism and Developmental Disorders* 45 (2015): 2876-88.

29 Sam Crane, 나와의 인터뷰, 2018년 12월 20일.

30 Autistic Self Advocacy Network, *ASAN's Invitational Summit on Supported Decision-Making and Transition into the Community: Summary, Conclusions, Recommendations* (ASAN, 2018), https://

autisticadvocacy.org/policy/briefs/summit/.

31　린지 이튼의 이사와 적응 과정은 다음을 토대로 서술했다. Lindsey and Doug Eaton, 나와의 인터뷰, 2018년 11월 11일. Lindsey Eaton, 나에게 보낸 이메일, 2019년 3월 30일. Lindsey Eaton, "First Place−Phoenix, A Place to Forever Call Home," *Delve into the Power of Inclusion* (블로그), 2018년 10월 8일, https://inclusionstarters2014.blogspot.com/2018/10/first-place-phoenix-place-to-forever.html.

32　로렌 하이머딩거의 이사와 적응 과정은 다음을 토대로 서술했다. Lauren Heimerdinger, 나와의 인터뷰, 2018년 5월 19일. Lauren Heimerdinger, 나와의 인터뷰, 2019년 11월 29일.

33　Resnik, 인터뷰, 2018년 10월 26일. Denise Resnik, "New Life Chapters Tie Together Bingo, Besties and the Beatles," First Place, 2018년 12월 13일, www.firstplaceaz.org/blog/new-life-chapters-tie-together-bingo-besties-and-the-beatles/.

34　Resnik, 인터뷰, 2018년 10월 26일.

6　철창을 허물고

1　데이비스의 어린 시절과 초기 범죄 이력은 다음을 토대로 서술했다. Anthony Davis, 나에게 보낸 편지, 2018년 4월 22일. Anthony Davis, 나에게 보낸 편지, 2018년 9월 16일.

2　이 설명은 데이비스 본인이 나와의 전화 인터뷰(2018년 7월 3일)에서 묘사한 바를 토대로 서술했다.

3　데이비스의 감옥 생활 전반, 그리고 독방 생활에 대한 묘사는 여러 차례 전화와 서신을 통해 들은 그의 설명을 토대로 서술했다. 데이비스가 독방에 처음 갔을 때의 상황은 다음을 토대로 서술했다. Anthony Davis, 나와의 인터뷰, 2018년 7월 2일. Davis, 편지, 2018년 4월 22일.

4　E. Fuller Torrey et al., *More Mentally Ill Persons Are in Jails and Prisons Than Hospitals: A Survey of the States* (Treatment Advocacy Center and National Sheriffs' Association, 2010).

5　Danielle Kaeble and Mary Cowhig, *Correctional Populations in the United States, 2016* (U.S. Department of Justice, Bureau of Justice Statistics, 2018), www.bjs.gov/content/pub/pdf/cpus16.pdf.

6　감옥의 초기 역사와 감옥 디자인은 대체로 다음을 토대로 서술했다. Richard

E. Wener, *The Environmental Psychology of Prisons and Jails*, 복간본. (Cambridge, UK: Cambridge University Press, 2014), 12-42.

7   Penal Reform International, *Global Prison Trends 2015* (London: PRI, 2015.

8   이 인용은 다음에 나온다. Wener, *Environmental Psychology*, 33-34.

9   이스턴 스테이트의 역사, 설계, 그곳이 미친 심리적 영향은 다음을 토대로 서술했다. Wener, *Environmental Psychology*, 23-29, 38. Peter Scharff Smith, "The Effects of Solitary Confinement on Prison Inmates: A Brief History and Review of the Literature," *Crime and Justice* 34 (2006): 441-528. Stuart Grassian, "Psychiatric Effects of Solitary Confinement," *Washington University Journal of Law and Policy* 22 (2006): 325-83.

10   Francis C. Gray, *Prison Discipline in America* (Boston: Little, Brown, 1847), 181.

11   오번 모델은 다음을 토대로 서술했다. Wener, *Environmental Psychology*, 29-33, 38-40. Gordon S. Bates, *The Connecticut Prison Association and the Search for Reformatory Justice* (Middletown, CT: Wesleyan University Press, 2017), 63-66.

12   이 살인 사건은 다음을 토대로 서술했다. United States v. Fountain, 768 F.2d 790 (7000 Cir. 1985). "Merle E. Clutts," Federal Bureau of Prisons, 2019년 5월 14일에 접속함. www.bop.gov/about/history/heroclutts.jsp?i=17. "Robert L. Hoffman," Federal Bureau of Prisons, 2019년 5월 14일에 접속함. www.bop.gov/about/history/herohoffmann.jsp?i=18.

13   매리언 감옥의 역사는 다음에 일별되어 있다. David A. Ward and Thomas G. Werlich, "Alcatraz and Marion: Evaluating Super-maximum Custody," *Punishment and Society* 5 (2003): 53-75. Stephen C. Richards, "USP Marion: The First Federal Supermax," *The Prison Journal* 88 (2008): 6-22.

14   이 봉쇄 조치와 그 결과는 다음을 토대로 서술했다. Ward and Werlich, "Alcatraz and Marion." Richards, "USP Marion." Fay Dowker and Glenn Good, *From Alcatraz to Marion to Florence: Control Unit Prisons in the United States* (Committee to End the Marion Lockdown, 1972). Dennis Cunningham and Jan Susler, *A Public Report About Violent Mass Assault Against Prisoners and Continuing Illegal Punishment and Torture of the Prison Population at the U.S. Penitentiary at Marion, Illinois* (Marion

Prisoners' Rights Project, 1983). *Capsule Summary of the Marion Lockdown* (Committee to End the Marion Lockdown, 1983). E. R. Shipp, "Killings Tighten Rule at Tough Prison," *The New York Times*, 1984년 1월 20일. www.nytimes.com/1984/01/20/us/killings-tighten-rule-at-tough-prison.html. *"An Uneasy Calm…": The U.S. Penitentiary at Marion* (John Howard Association, 1986).

15 *"An Uneasy Calm,"* 16.

16 미국에서 슈퍼맥스 감방과 독방이 급증한 것과 관련한 상세한 정보는 다음을 참고하라. Ward and Werlich, "Alcatraz and Marion." Richards, "USP Marion." Russ Immarigeon, "The Marionization of American Prisons," *National Prison Project Journal* 7 (1992): 1-5. Smith, "The Effects of Solitary Confinement," 443.

17 Angela Browne, Alissa Cambier, and Suzanne Agha, "Prisons Within Prisons: The Use of Segregation in the United States," *Federal Sentencing Reporter* 24 (2011): 46-49.

18 Sarah Baumgartel et al., "Time-in-Cell: The ASCA-Liman 2014 National Survey of Administrative Segregation in Prison," Yale Law School, *Public Law Research Paper* No. 552 (2015), https://papers.ssrn.com/sol3/papers.cfm?abstractid=2655627.

19 Sam Roberts, "Thomas Silverstein, Killer and Most Isolated Inmate, Dies at 67," *The New York Times*, 2019년 5월 21일. www.nytimes.com/2019/05/21/obituaries/thomas-silverstein-dead.html.

20 데이비스의 독방 경험은 다음을 토대로 서술했다. Anthony Davis, 나에게 보낸 편지, 2018년 4월 1일. David, 편지, 2018년 4월 22일. Davis, 인터뷰, 2018년 7월 2일. Davis, 인터뷰, 2018년 7월 3일.

21 Aviva Stahl, "Concern over 'Political' Use of Solitary Confinement in European Prisons," *The Guardian*, 2016년 5월 2일. www.theguardian.com/world/2016/may/02/solitary-confinement-european-prisons-terror-threat

22 Craig Haney, "Mental Health Issues in Long-Term Solitary and 'Supermax' Confinement," *Crime and Delinquency* 49 (2003): 124-56.

23 Smith, "The Effects of Solitary Confinement."

24 Fatos Kaba, "Solitary Confinement and Risk of Self-Harm Among Jail Inmates," *American Journal of Public Health* 104 (2014): 442-47.

25   Woodburn Heron, "The Pathology of Boredom," *Scientific American*, January 1957, 52–56.

26   해리스의 독방 경험은 다음을 토대로 서술했다. Francis Harris, 나에게 보낸 이메일, 2018년 5월 5일. Francis Harris, 나에게 보낸 이메일, 2018년 7월 30일. Francis Harris, 나에게 보낸 이메일, 2018년 8월 13일. Francis Harris, 나에게 보낸 이메일, 2018년 10월 2일. Francis Harris, 나에게 보낸 이메일, 2018년 11월 9일. Francis Harris, 나에게 보낸 이메일, 2019년 3월 23일.

27   엘러드의 연구는 다음을 토대로 서술했다. Colin Ellard, "A New Agenda for Urban Psychology: Out of the Laboratory and Onto the Streets," *Journal of Urban Design and Mental Health* 2 (2017), www.urbandesignmentalhealth.com/journal2-ellard.html. Colin Ellard, 나와의 인터뷰, 2017년 3월 6일.

28   Colleen Merrifield and James Danckert, "Characterizing the Psychophysiological Signature of Boredom," *Experimental Brain Research* 232 (2014): 481–91.

29   외로움과 고립이 인간 및 여타 동물에게 미치는 영향에 대해 많은 연구가 나와 있다. 일부를 소개하면 다음과 같다. Julianne Holt-Lunstad et al., "Loneliness and Social Isolation as Risk Factors for Mortality: A Meta-analytic Review," *Perspectives of Psychological Science* 10 (2015): 227–37. John T. Cacioppo et al., "The Neuroendocrinology of Social Isolation," *Annual Review of Psychology* 66 (2015): 733–67. Louise C. Hawkley and John T. Cacioppo, "Loneliness Matters: A Theoretical and Empirical Review of Consequences and Mechanisms," *Annals of Behavioral Medicine* 40 (2010): 218–27.

30   Anthony Davis, "Voices from Solitary: At War with My Own Self," *Solitary Watch*, September 30, 2014, https://solitarywatch.org/2014/09/30/voices-from-solitary-at-war-with-my-own-self/.

31   '세계 수감 인구 목록'에 따른 것이다. 2018년 9월 현재 세계적으로 1074만 수감자가 있고 그중 210만 명 이상이 미국에 수감되어 있다. Roy Walmsley, *World Prison Population*, 12th ed. (London: Institute for Criminal Policy Research, 2018), 2.

32   할덴 교도소와 노르웨이 교정국은 최근 할덴 교도소와 이곳의 철학을 담은 잡지를 펴냈다. *Halden Prison: Punishment That Works — Change That Lasts!* (Halden fengsel: 2019), https://issuu.com/omdocs/docs/magasinhaldenprisonissu. 할덴을 소개한 기사도 많다. 일부만 소개하면

다음과 같다. Jessica Benko, "The Radical Humaneness of Norway's Halden Prison," *The New York Times Magazine*, 2015년 3월 26일. www.nytimes.com/2015/03/29/magazine/the-radical-humaneness-of-norways-halden-prison.html. Amelia Gentleman, "Inside Halden, the Most Humane Prison in the World," *The Guardian*, 2012년 5월 18일. www.theguardian.com/society/2012/may/18/halden-most-humane-prison-in-world. William Lee Adams, "Sentenced to Serving the Good Life in Norway," *Time*, 2010년 7월 10일. http://content.time.com/time/magazine/article/0,9171,2000920,00.html.

33 라스 콜리나스의 디자인과 운영은 2018년 3월 6일에 그곳을 방문해 취재한 내용과 다음을 토대로 서술했다. James Krueger, 나와의 인터뷰, 2018년 3월 6일. James Krueger, Vern Almon, Steve Carter, 나와의 인터뷰, 2017년 2월 28일. Steve Carter, 나와의 인터뷰, 2018년 4월 13일. Christine Brown-Taylor, 나와의 인터뷰, 2018년 4월 12일. Christine Brown-Taylor, 나에게 보낸 이메일, 2018년 9월 4일.

34 Nalini M. Nadkarni et al., "Impacts of Nature Imagery on People in Severely Nature-Deprived Environments," *Frontiers in Ecology and the Environment* 15 (2017): 395–403. Jay Farbstein, Melissa Farling, and Richard Wener, *Effects of a Simulated Nature View on Cognitive and Psycho-physiological Responses of Correctional Officers in a Jail Intake Area* (2009).

35 직접 감독의 역사와 장점은 다음을 토대로 서술했다. Wener, *Environmental Psychology*, 46–107. Richard Wener, 나와의 인터뷰, 2017년 6월 21일.

36 Karin A. Beijersbergen et al., "A Social Building? Prison Architecture and Staff-Prisoner Relationships," *Crime and Delinquency* 62 (2014): 843–74.

37 이 평가에 대해서는 미출판 보고서와 다음 인터뷰를 토대로 서술했다. Carter, 인터뷰, 2018년 4월 13일.

38 Brown-Taylor, 나와의 인터뷰, 2018년 4월 12일.

39 2016년의 한 설문 조사에서 미국인의 18퍼센트는 감옥의 목적이 처벌이라고 생각하는 것으로 나타났다. RTI International, "Majority of Americans Believe Role of Jails Should Not Be to Punish," 보도자료, 2017년 3월 17일. www.rti.org/news/majority-americans-believe-role-jails-should-not-be-punish.

40 Michael Gartland and Laura Italiano, "The Mayor Wants Jails That

Feel Like a Retreat in Tulum," *New York Post*, 2017년 6월 22일. https://nypost.com/2017/06/22/nyc-basically-wants-to-replace-rikers-with-a-daycare/.

41   "Prisoners and Prisoner Re-entry," U.S. Department of Justice, 2017년 5월 15일에 접속함. www.justice.gov/archive/fbci/progmenureentry.html.

42   Francis Pitts, 나와의 인터뷰, 2018년 7월 24일. Francis Pitts, "Design of Mental Health Facilities: A Primer" (발표, AIA Conference on Architecture, New York, NY, June 22, 2018).

43   Lorraine E. Maxwell and Suzanne L. Schechtman, "The Role of Objective and Perceived School Building Quality in Student Academic Outcomes and Self-Perception," *Children, Youth and Environments* 22 (2012): 23–51.

44   *Assembly Civic Design Guidelines* (Center for Active Design, 2018), 31.

45   Eugenia C. South et al., "Effect of Greening Vacant Land on Mental Health of Community-Dwelling Adults: A Cluster Randomized Trial," *JAMA Network Open* 1 (2018): e180298.

46   *Assembly Civic Design Guidelines*, 40.

47   Charles C. Branas et al., "A Difference-in-Differences Analysis of Health, Safety, and Greening Vacant Urban Space," *American Journal of Epidemiology* 174 (2011): 1296–1306. Charles C. Branas et al., "Citywide Cluster Randomized Trial to Restore Blighted Vacant Land and Its Effects on Violence, Crime, and Fear," *PNAS* 115 (2018): 2946–51.

48   Kevin Bennett, Tyler Gualtieri, and Becky Kazmierczyk, "Undoing Solitary Urban Design: A Review of Risk Factors and Mental Health Outcomes Associated with Living in Social Isolation," *Journal of Urban Design and Mental Health* 4 (2018), www.urbandesignmentalhealth.com/journal-4---solitary-urban-design.html.

49   조사 결과는 다음에서 상세하게 볼 수 있다. *Connections and Engagement: A Survey of Metro Vancouver* (Vancouver Foundation, 2012). *Connections and Engagement Closer Look: The Effect of Apartment Living on Neighbourliness* (Vancouver Foundation, 2012), www.vancouverfoundation.ca/about-us/publications/connections-

and-engagement-reports/connections-engagement-closer-look-effect.

50　　Robert Sommer and Hugo Ross, "Social Interaction on a Geriatrics Ward," *International Journal of Social Psychiatry* 4 (1958): 128–33. Robert F. Peterson et al., "The Effects of Furniture Arrangement on the Behavior of Geriatric Patients," *Behavior Therapy* 8 (1977): 464–67.

51　　Daniel A. Cox and Ryan Streeter, *The Importance of Place: Neighborhood Amenities as a Source of Social Connection and Trust* (American Enterprise Institute: 2019), www.aei.org/wp-content/uploads/2019/05/The-Importance-of-Place.pdf.

52　　Andrew J. Hoisington et al., "Ten Questions Concerning the Built Environment and Mental Health," *Building and Environment* 155 (2019): 58–69.

53　　Rebecca Bentley et al., "Association Between Housing Affordability and Mental Health: A Longitudinal Analysis of a Nationally Representative Household Survey in Australia," *American Journal of Epidemiology* 174 (2011): 753–60.

7 말하고 듣고 기록하는 벽

1　　"Smart Home: United States," Statista, 2019년 5월 16일에 접속함. www.statista.com/outlook/279/109/smart-home/united-states. "Smart Home: Worldwide," Statista, 2019년 5월 16일에 접속함. www.statista.com/outlook/279/100/smart-home/worldwide.

2　　Brian Derek DeBusschere and Jeffrey L. Rogers, Assessing Cardiovascular Function Using an Optical Sensor, U.S. Patent 9,848,780, 2015년 4월 8일 출원, 2017년 12월 26일 공개.

3　　Huafeng Jin and Shuo Wang, "Voice-Based Determination of Physical and Emotional Characteristics of Users," U.S. Patent 10,096,319, 2017년 3월 13일 제출, 2018년 10월 9일 발간.

4　　*World Population Prospects 2019: Highlights* (New York: United Nations, 2019).

5　　Pamela S. Manion and Marilyn J. Rantz, "Relocation Stress Syndrome: A Comprehensive Plan for Long-Term Care Admissions," *Geriatric Nursing* 16 (1995): 108–12. Sonya Brownie, Louise Horstmanshof, and Rob Garbutt, "Factors That Impact Residents' Transition and Psychological Adjustment to Long-Term Aged Care: A Systematic Literature Review," *International Journal of Nursing Studies* 51 (2014): 1654-66.

6   Marilyn Rantz and Kathleen Egan, "Reducing Death from Translocation Syndrome," *American Journal of Nursing* 87 (1987): 1351-53.

7   Marilyn J. Rantz et al., "TigerPlace, A State Academic-Private Project to Revolutionize Traditional Long-Term Care," *Journal of Housing for the Elderly* 22 (2008): 66-85. Marilyn J. Rantz et al., "A Technology and Nursing Collaboration to Help Older Adults Age in Place," *Nursing Outlook* 53 (2005): 40-45. Joanne Binette and Kerri Vasold, *2018 Home and Community Preferences: A National Survey of Adults Age 18-Plus* (Washington, DC: AARP Research, 2018). Linda Barrett, *Home and Community Preferences of the 45+ Population* (Washington, DC: AARP Research, 2015).

8   타이거플레이스의 설립은 다음을 토대로 서술했다. Rantz et al., "TigerPlace." Karen Marek and Marilyn Rantz, "Aging in Place: A New Model for Long-Term Care," *Nursing Administration Quarterly* 24 (2000): 1-11. Marilyn Rantz, 나와의 인터뷰, 2018년 5월 15일. Marilyn Rantz, 나와의 인터뷰, 2019년 2월 13일.

9   "Older Adult Falls," Centers for Disease Control and Prevention, 2017년 5월 16일에 접속함, www.cdc.gov/homendrecreationalsafety/falls/adultfalls.html. Jane Fleming and Carol Brayne, "Inability to Get Up After Falling, Subsequent Time on Floor, and Summoning Help: Prospective Cohort Study in People over 90," *BMJ* 337 (2008): a2227.

10 G. Demiris et al., "Older Adults' Attitudes Towards and Perceptions of 'Smarthome' Technologies: A Pilot Study," *Medical Informatics and the Internet in Medicine* 29 (2004): 87-94.

11 낙상 감지 시스템 개발은 다음을 토대로 서술했다. Marjorie Skubic, 나와의 인터뷰, 2018년 5월 11일. Marjorie Skubic, 나와의 인터뷰, 2018년 6월 14일. Marjorie Skubic, 나와의 인터뷰, 2019년 1월 9일. Erik Stone and Marjorie Skubic, "Fall Detection in Homes of Older Adults Using the Microsoft Kinect," *IEEE Journal of Biomedical and Health Informatics* 19 (2015): 290-301. Marilyn J. Rantz et al., "Falls, Technology, and Stunt Actors: New Approaches to Fall Detection and Fall Risk Assessment," *Journal of*

Nursing Care Quality 23 (2008): 195-201.

12   타이거플레이스에 대한 묘사는 2018년 6월 14일에 그곳을 방문해 취재한
      내용과 다음을 토대로 서술했다. Rantz, 인터뷰, 2018년 5월 15일. Rantz,
      인터뷰, 2019년 2월 13일. Kari Lane, 나와의 인터뷰, 2018년 5월 16일. Kari
      Lane, 나와의 인터뷰, 2018년 6월 14일. Rantz et al., "TigerPlace."

13   Marilyn J. Rantz et al., "Sensor Technology to Support Aging in Place,"
      Journal of the American Medical Directors Association 14 (2013):
      386-91.

14   Marilyn Rantz et al., "The Continued Success of Registered Nurse Care
      Coordination in a State Evaluation of Aging in Place in Senior Housing,"
      Nursing Outlook 62 (2014): 237-46.

15   이 연구의 방법론과 결과는 다음을 토대로 서술했다. Erik Stone and Marjorie
      Skubic, "Testing Real-Time In-Home Fall Alerts with Embedded Depth
      Video Hyperlink." 다음에 수록됨. *Smart Homes and Health Telematics:
      12th International Conference, ICOST 2014*, ed. Cathy Bodine et al.
      (Switzerland: Springer International, 2015), 41-48.

16   Marilyn Rantz et al., "Automated In-Home Fall Risk Assessment and
      Detection Sensor System for Elders," *Gerontologist* 55 (2015): S78-S87.

17   Lorraine J. Phillips et al., "Using Embedded Sensors in Independent
      Living to Predict Gait Changes and Falls," *Western Journal of Nursing
      Research* 39 (2017): 78-94.

18   질병 감지 시스템과 그것의 효과는 다음을 토대로 서술했다. Skubic, 인터뷰,
      2018년 5월 11일. Skubic, 인터뷰, 2018년 6월 14일. Skubic, 인터뷰,
      2019년 1월 9일. Lane, 인터뷰, 2018년 5월 16일. Lane, 인터뷰, 2018년 6월
      14일. Rantz, 인터뷰, 2018년 5월 15일. Phillips et al., "Using Embedded
      Sensors." Marilyn J. Rantz, "Automated Technology to Speed
      Recognition of Signs of Illness in Older Adults," *Journal of Gerontological
      Nursing* 38 (2012): 18-23. Marilyn Rantz et al., "Using Technology to
      Enhance Aging in Place," in *Smart Homes and Health Telematics: 6th
      International Conference, ICOST 2008*, ed. Sumi Helal et al. (Germany:
      Springer, 2008), 169-76. Marilyn Rantz et al., "Improving Nurse Care
      Coordination with Technology," Computers, Informatics, *Nursing* 28
      (2010): 325-32. Marilyn Rantz et al., "Enhanced Registered Nurse Care
      Coordination with Sensor Technology: Impact on Length of Stay and
      Cost in Aging in Place Housing," *Nursing Outlook* 63 (2015): 650-55.

19   Marilyn Rantz et al., "Enhanced Registered Nurse Care Coordination."

20   George Chronis, 나와의 인터뷰, 2018년 5월 24일. George Chronis, 나에게 보낸 이메일, 2019년 1월 18일.

21   스쿠빅의 아버지와 그의 질병은 스쿠빅과의 인터뷰(2018년 5월 11일)를 토대로 서술했다.

22   노인들이 이 테크놀로지에 대해 갖는 태도는 다음을 토대로 서술했다. Lane, 인터뷰, 2018년 6월 14일. G. Demiris et al., "Older Adults' Attitudes Towards and Perceptions of 'Smarthome' Technologies: A Pilot Study," *Medical Informatics and the Internet in Medicine* 29 (2004): 87–94. George Demiris et al., "Senior Residents' Perceived Need of and Preferences for 'Smart Home' Sensor Technologies," *International Journal of Technology in Health Care* 24 (2008): 120–24. Karen Courtney et al., "Needing Smart Home Technologies: The Perspectives of Older Adults in Continuing Care Retirement Communities," *Journal of Innovation in Health Informatics* 16 (2008): 195–201. E. Robinson et al., "Creating a Tailored, In-Home, Sensor System to Facilitate Healthy Aging: The Consumer Perspective," *Innovation in Aging* 2 (2018): 912.

23   Toshiyo Tamura et al., "E-Healthcare at an Experimental Welfare Techno House in Japan," *The Open Medical Informatics Journal* 1 (2007): 1–7.

24   Fadel Adib et al., "Smart Homes That Monitor Breathing and Heart Rate," *Proceedings of the 33rd Annual ACM Conference on Human Factors in Computing Systems* (2015): 837–46.

25   Anthony P. Glascock and David M. Kutzik, "An Evidentiary Study of the Uses of Automated Behavioral Monitoring." 다음에 수록됨. *21st International Conference on Advanced Information Networking and Applications Workshops* (Los Alamitos, CA: IEEE, 2007): 858–62. "The Impact of Behavioral Monitoring Technology on the Provision of Health Care in the Home," *Journal of Universal Computer Science* 12 (2006): 59–79.

26   Eren Demir et al., "Smart Home Assistant for Ambient Assisted Living of Elderly People with Dementia," *Procedia Computer Science* 113 (2017): 609–14.

27   Minh Pham et al., "Delivering Home Healthcare Through a Cloud-Based Smart Home Environment (CoSHE)," *Future Generation Computer*

Systems 81 (2018): 129–40. Ha Manh Do et al., "RiSH: A Robot-Integrated Smart Home for Elderly Care," *Robotics and Autonomous Systems* 101 (2018): 74–92.

28   Roger Bemelmans et al., "Socially Assistive Robots in Elderly Care: A Systematic Review into Effects and Effectiveness," *Journal of American Medical Directors Association* 13 (2012): 114–210. e1. Elaine Mordoch et al., "Use of Social Commitment Robots in the Care of Elderly People with Dementia: A Literature Review," *Maturitas* 74 (2013): 14–20. Malcolm Foster, "Aging Japan: Robots May Have Role in Future of Elder Care," *Reuters*, 2018년 3월 27일. www.reuters.com/article/us-japan-ageing-robots-widerimage/aging-japan-robots-may-have-role-in-future-of-elder-care-idUSKBN1H33AB. Daniel Hurst, "Japan Lays Groundwork for Boom in Robot Carers," *The Guardian*, 2018년 2월 5일. www.theguardian.com/world/2018/feb/06/japan-robots-will-care-for-80-of-elderly-by-2020.

29   Kristina M. Martinez et al., "VA SmartHome for Veterans with TBI: Implementation in Community Settings." 다음에 수록됨. *Smart Homes and Health Telematics: 12th International Conference, ICOST 2014,* ed. Cathy Bodine et al. (Switzerland: Springer International, 2015), 110–18.

30   콜리스트라의 아이디어와 시스템은 2018년 3월 27일 캔자스주 로렌스를 방문해 취재한 내용과 다음을 토대로 서술했다. Joe Colistra, 나와의 인터뷰, 2017년 9월 14일. Joe Colistra, 나와의 인터뷰, 2018년 3월 27일. Joe Colistra, "The Evolving Architecture of Smart Cities." 다음에 수록됨. *2018 IEEE International Smart Cities Conference* (Los Alamitos, CA: IEEE, 2018).

31   Kashmir Hill, "This Sex Toy Tells the Manufacturer Every Time You Use It," *Splinter*, 2016년 8월 9일. https://splinternews.com/this-sex-toy-tells-the-manufacturer-every-time-you-use-1793861000. Camila Domonoske, "Vibrator Maker to Pay Millions Over Claims It Secretly Tracked Use," *NPR*, 2017년 3월 14일. www.npr.org/sections/thetwo-way/2017/03/14/520123490/vibrator-maker-to-pay-millions-over-claims-it-secretly-tracked-use.

32   Sapna Maheshwari, "This Thermometer Tells Your Temperature, Then Tells Firms Where to Advertise," *The New York Times*, 2018년 10월 23일.

www.nytimes.com/2018/10/23/business/media/fever-advertisements-medicine-clorox.html.

33 Marshall Allen, "You Snooze, You Lose: Insurers Make the Old Adage Literally True," *ProPublica*, 2018년 11월 21일. www.propublica.org/article/you-snooze-you-lose-insurers-make-the-old-adage-literally-true.

34 Kit Huckvale, John Torous, and Mark E. Larsen, "Assessment of the Data Sharing and Privacy Practices of Smartphone Apps for Depression and Smoking Cessation," *JAMA Network Open* 2 (2019): e192542.

35 Kevin G. Volpp et al., "Effect of Electronic Reminders, Financial Incentives, and Social Support on Outcomes After Myocardial Infarction: The HeartStrong Randomized Clinical Trial," *JAMA Internal Medicine* 177 (2017): 1093–1101.

36 Joy Buolamwini and Timnit Gebru, "Gender Shades: Intersectional Accuracy Disparities in Commercial Gender Classification," *Proceedings of Machine Learning Research* 81 (2018): 1–15.

37 Skubic, 인터뷰, 2019년 1월 9일.

38 Yeol Choi, Yeon-Hwa Kwon, and Jeongseob Kim, "The Effect of the Social Networks of the Elderly on Housing Choice in Korea," *Habitat International* 74 (2018): 1–8.

39 Juan Carlos Augusto, 나와의 인터뷰, 2018년 12월 14일.

40 Juan Carlos Augusto, 나와의 인터뷰, 2017년 9월 26일. Simon Jones, Sukhvinder Hara, and Juan Carlos Augusto, "eFRIEND: an Ethical Framework for Intelligent Environments Development," *Ethics and Information Technology* 17 (2015): 11–25.

41 엑소빌딩에 대한 부분은 2017년 12월 1일 슈나델바흐의 연구소를 방문해 취재한 내용과 다음을 토대로 서술했다. Holger Schnädelbach, 나와의 인터뷰, 2016년 11월 21일. Holger Schnädelbach, 나와의 인터뷰, 2017년 12월 1일. Holger Schnädelbach, Kevin Glover, and Ainojie Alexander Irune, "ExoBuilding: Breathing Life into Architecture." 다음에 수록됨. *NordiCHI 2010: Proceedings of the* 6*th Nordic Conference on Human-Computer Interaction* (New York: ACM Press, 2010), 442–51. Holger Schnädelbach et al., "ExoBuilding: Physiologically Driven Adaptive Architecture," *ACM Transactions on Computer-Human Interaction* 19 (2012). Stuart Moran et al., "ExoPranayama: A Biofeedback-Driven

Actuated Environment for Supporting Yoga Breathing Practices," *Personal and Ubiquitous Computing* 20 (2016): 261–75.

42　Antonio Fernández-Caballero et al., "Smart Environment Architecture for Emotion Detection and Regulation," *Journal of Biomedical Informatics* 64 (2016): 55–73.

8 물 위에 뜨는 집

1　Centre for Research on the Epidemiology of Disasters (CRED) and United Nations Office for Disaster Risk Reduction (UNDRR), *The Human Cost of Weather Related Disasters: 1995–2015* (Brussels: CRED, UNDRR, 2015), 13.

2　기후변화가 유발할 여러 영향이 다음에 일별되어 있다. D. R. Reidmiller et al., eds., *Impacts, Risks, and Adaptation in the United States: Fourth National Climate Assessment, vol. II* (Washington, DC: U.S. Global Change Research Program, 2018). V. Masson-Delmotte et al., eds., *Global Warming of 1.5°C* (Intergovernmental Panel on Climate Change, 2018). U.S. Environmental Protection Agency, *Climate Change Indicators in the United States, 2016*, 4th ed. (EPA, 2016).

3　Eric S. Blake and David A. Zelinsky, *National Hurricane Center Tropical Cyclone Report: Hurricane Harvey*, report no. AL092017 (National Oceanic and Atmospheric Administration and National Weather Service, May 9, 2018), www.nhc.noaa.gov/data/tcr/AL092017Harvey.pdf.

4　UNICEF, "16 Million Children Affected by Massive Flooding in South Asia, with Millions More at Risk," 보도자료, 2017년 9월 2일. www.unicef.org/infobycountry/media100719.html.

5　United Nations Office for the Coordination of Humanitarian Affairs, *West and Central Africa: 2017 Flood Impact* (October 18, 2017), https://reliefweb.int/report/niger/west-and-centralafrica-2017-flood-impact-18-oct-2017.

6　Sarah F. Kew et al., "The Exceptional Summer Heat Wave in Southern Europe 2017," *Bulletin of the American Meteorological Society* 100 (2019): S49–S53. Chunlüe Zhou et al., "Attribution of a Record-Breaking Heatwave Event in Summer 2017 over the Yangtze River Delta,"

Bulletin of the American Meteorological Society 100 (2019): S97–S103.

7   "California Statewide Fire Summary, Monday, October 30, 2017," CAL FIRE, http://calfire.ca.gov/communications/communicationsStatewide FireSummary.

8   Emily Goldmann and Sandro Galea, "Mental Health Consequences of Disasters," *Annual Review of Public Health* 35 (2014): 169–83.

9   잉글리시의 배경과 '물에 뜨는 집 프로젝트' 설립 이야기는 다음을 토대로 서술했다. Elizabeth English, 나와의 인터뷰, 2017년 8월 2일. Elizabeth English, 나와의 인터뷰, 2017년 8월 15일. Elizabeth English, 나와의 인터뷰, 2018년 8월 8일.

10   Richard D. Knabb, Jamie R. Rhome, and Daniel P. Brown, *Tropical Cyclone Report: Hurricane Katrina*, rev. ed. (National Oceanic and Atmospheric Administration, September 14, 2011), www.nhc.noaa.gov/data/tcr/AL122005Katrina.pdf. U.S. Department of Housing and Urban Development, *Current Housing Unit Damage Estimates: Hurricanes Katrina, Rita, and Wilma* (2006), www.huduser.gov/publications/pdf/GulfCoastHsngdmgest.pdf. Elizabeth Fussell, "The Long Term Recovery of New Orleans' Population After Hurricane Katrina," *The American Behavioral Scientist* 59 (2015): 1231–45. Brian Wolshon, "Evacuation Planning and Engineering for Hurricane Katrina," *The Bridge* 36 (2006): 27–34. Jean-Marc Zaninetti and Craig E. Colten, "Shrinking New Orleans: Post-Katrina Population Adjustments," *Urban Geography* 33 (2012): 675–99.

11   Natasha Klink, "Amphibious Amazon: Traditional Approaches to Amphibiation in Peru" (발표. ICAADE 2017, Waterloo, Canada, June 26, 2017).

12   Elizabeth Victoria Fenuta, "Amphibious Architectures: The Buoyant Foundation Project in Post-Katrina New Orleans (석사학위 논문, University of Waterloo, 2010년), 167–91.

13   라쿠시 올드 강 부분에 대해서는 다음을 토대로 서술했다. Fenuta, "Amphibious Architectures," 160–66. English, 인터뷰, 2017년 8월 2일. "Forty Years of Amphibious Housing in Old River Landing, Louisiana" (발표. ICAADE 2017, Waterloo, Canada, June 26, 2017).

14   Buddy Blalock, "Forty Years of Amphibious Housing in Old River Landing, Louisiana" (원격 발표. ICAADE 2017, Waterloo, Canada, June

26, 2017).

15 Blalock, "Forty Years."

16 잉글리시의 해법과 그것의 장점은 다음을 토대로 서술했다. English, 인터뷰, 2017년 8월 2일. English, 인터뷰, 2017년 8월 15일. Fenuta, "Amphibious Architectures." Elizabeth English, Natasha Klink, and Scott Turner, "Thriving with Water: Developments in Amphibious Architecture in North America," *E3S Web of Conferences* 7 (2016): 13009.

17 *World Economic and Social Survey 2016: Climate Change Resilience — An Opportunity for Reducing Inequalities* (United Nations Economic and Social Council, 2016).

18 Jesse M. Keenan, Thomas Hill, and Anurag Gumber, "Climate Gentrification: From Theory to Empiricism in Miami-Dade County, Florida," *Environmental Research Letters* 13 (2018): 054001.

19 *World Economic and Social Survey*, 5, 36, 43, 88. Craig E. Colten, "Vulnerability and Place: Flat Land and Uneven Risk in New Orleans," *American Anthropologist* 108 (2006): 731–34. Michel Masozera, Melissa Bailey, and Charles Kerchner, "Distribution of Impacts of Natural Disasters Across Income Groups: A Case Study of New Orleans," *Ecological Economics* 63 (2007): 299–306.

20 아일 드 진 찰스와 그곳에서 잉글리시가 한 일은 다음을 토대로 서술했다. "Isle de Jean Charles," Isle de Jean Charles, Louisiana, 2019년 5월 24일에 접속함. www.isledejeancharles.com/. "Ghost Trees and Legends," Isle de Jean Charles, Louisiana (블로그), 2017년 6월 7일. www.isledejeancharles.com/new-blog/2017/6/6/ghost-trees-and-legends. "Tribal Resettlement," Isle de Jean Charles, Louisiana, 2019년 5월 24일에 접속함. www.isledejeancharles.com/our-resettlement/. The Isle de Jean Charles Biloxi-Chitimacha-Choctaw Tribe and Tribal Council, "The Isle de Jean Charles Tribal Resettlement: A Tribal-Driven, Whole Community Process," 보도자료. 2019년 1월 15일. www.isledejeancharles.com/s/IDJC-Press-release-1-18-19.pdf. English, Klink, and Turner, "Thriving with Water." English, 인터뷰, 2018년 8월 8일.

21 Noah S. Diffenbaugh and Marshall Burke, "Global Warming Has Increased Global Economic Inequality," *PNAS* 116 (2019): 9808–13.

22 English, Klink, and Turner, "Thriving with Water." English, 인터뷰,

2017년 8월 2일. "Projects," Buoyant Foundation Project, 2019년 5월 24일에 접속함. http://buoyantfoundation.org/work/projects/.

23   English, 인터뷰, 2017년 8월 15일. English, 인터뷰, 2018년 8월 8일. Elizabeth English, 나에게 보낸 이메일, 2019년 5월 1일. "Amphibious Retrofitting in the Mekong River Delta, Vietnam," Buoyant Foundation Project, 2019년 5월 24일에 접속함. http://buoyantfoundation.org/amphibious-retrofits-in-the-mekong-river-delta/. "Flood Resilient Homes in Vietnam and Bangladesh," Global Resilience Project, 2018년 8월 27일, 동영상, www.youtube.com/watch?v=ATYoUF9XI-A.

24   "Projects," Waterstudio, 2019년 5월 30일에 접속함. www.waterstudio.nl/projects/.

25   Ben Guarino, "As Seas Rise, the U.N. Explores a Bold Plan: Floating Cities," *The Washington Post*, 2019년 4월 5일. www.washingtonpost.com/science/2019/04/05/seas-rise-un-explores-bold-plan-floating-cities/. "Oceanix," Oceanix, 2019년 5월 24일에 접속함. https://oceanix.org/.

26   Fenuta, "Amphibious Architectures," 138–52. English, 인터뷰, 2017년 8월 2일. English, 인터뷰, 2017년 8월 15일.

27   Fenuta, "Amphibious Architectures," 138–39. English, 인터뷰, 2017년 8월 2일.

28   FEMA Press Office, 나에게 보낸 이메일, 2017년 8월 17일.

29   English, 인터뷰, 2017년 8월 2일. English, 인터뷰, 2018년 8월 8일.

30   "CORE: Disaster Resilient Design," Q4 Architects, 2019년 5월 24일에 접속함. http://q4architects.com/projects/core-disaster-resilient-design/. Emily Badger, "An Ingenious Home Built to Battle Tornadoes," *CityLab*, 2013년 10월 3일, www.citylab.com/equity/2013/10/ingenius-home-built-battle-tornadoes/7105/.

31   "Features and Options," Deltec, 2019년 5월 24일에 접속함. www.deltechomes.com/features-options/. "This Hurricane-Proof Home Can Withstand Powerful Storms, Thanks to Its Aerodynamic Design," *The Verge*, 2017년 11월 8일. www.theverge.com/2017/11/8/16619006/deltec-hurricane-proof-house-harvey-irma-maria-home-of-the-future.

32   "40 Buildings Fell During Earthquake Due to Corruption, Organization Charges," *Mexico News Daily*, 2018년 9월 11일. https://

mexiconewsdaily.com/news/buildings-fell-during-earthquake-due-to-corruption/. Martha Pskowski, "Mexico City's Architects of Destruction," *CityLab*, 2018년 9월 19일, www.citylab.com/environment/2018/09/mexico-city-earthquake-damage-building-codes/570679/.

33   2011 Buildings Energy Data Book (U.S. Department of Energy, 2012), 1–27. Alex Wilson and Jessica Boehland, "Small Is Beautiful: U.S. House Size, Resource Use, and the Environment," *Journal of Industrial Ecology* 9 (2005): 277–87.

34   *Towards a Zero-Emission, Efficient, and Resilient Buildings and Construction Sector: Global Status Report 2017* (United Nations Environment and International Energy Agency, 2017), 14.

35   불릿 센터에 대한 묘사는 다음을 토대로 서술했다. "Building Features," Bullitt Center, 2019년 5월 24일에 접속함. www.bullittcenter.org/building/building-features/. "Living Building Challenge," Bullitt Center, 2019년 5월 24일에 접속함. www.bullittcenter.org/vision/living-building-challenge/. Bullitt Center, "Bullitt Center Earns Living Building Certification," 보도자료, 2015년 4월 1일. www.bullittcenter.org/2015/04/01/bullitt-center-earns-living-building-certification/. Bullitt Center, "Bullitt Center: A Project of the Bullitt Foundation," 보도자료, 2013년 11월. www.bullittcenter.org/field/media/media-kit/.

36   "Projects," Powerhouse, 2019년 5월 24일에 접속함. www.powerhouse.no/en/projects/. Tracey Lindeman, "Norway's Energy-Positive Building Spree Is Here," *CityLab*, 2018년 12월 13일, www.citylab.com/environment/2018/12/norway-energy-positive-building-powerhouse-snohetta/577918/.

37   Charlotte Matthews, "Creating a Pathway to Climate Positive Communities, *Medium*, https://medium.com/sidewalk-toronto/creating-a-pathway-to-climate-positive-communities-32b67c85d528. *Quayside Site Plan*, draft (Sidewalk Toronto, November 29, 2018), https://sidewalktoronto.ca/wp-content/uploads/2018/11/18.11.29_QuaysideDraftSite-Plan.pdf. *Sustainability* (Sidewalk Labs, 2019), https://sidewalktoronto.ca/wp-content/uploads/2019/01/DRPSustainability.pdf.

38   Sandra Piesik, ed., *Habitat: Vernacular Architecture for a Changing*

Planet (New York: Harry N. Abrams, 2017).

39 Wen-bao Luo, "Seismic Problems of Cave Dwellings on China's Loess
    Plateau," *Tunnelling and Underground Space Technology* 2 (1987):
    203–208. Gideon Golany, *Chinese Earth-Sheltered Dwellings: Indigenous
    Lessons for Modern Urban Design* (Honolulu: University of Hawaii
    Press, 1992), 138.

40 네이더 칼릴리의 생애와 업적은 2018년 3월 3일 칼어스를 방문해 취재한
    내용과 다음을 토대로 서술했다. Sheefteh Khalili, 나와의 인터뷰, 2018년
    1월 8일. Sheeefteh Kahlili, 나에게 보낸 이메일, 2019년 4월 10일. Nader
    Khalili, *Racing Alone*, 4th ed. (Hesperia, CA: Cal-Earth Press, 2003).
    Sandbag Shelter Prototypes (Aga Khan Award for Architecture, 2004),
    www.akdn.org/architecture/project/sandbag-shelters. "Our Founder,"
    CalEarth, 2019년 5월 25일에 접속함. www.calearth.org/our-founder.
    "SuperAdobe: Powerful Simplicity," CalEarth, 2019년 5월 25일에 접속함.
    www.calearth.org/intro-superadobe.

41 Khalili, *Racing Alone*, 48.

42 *Adequate Housing as a Component of the Right to an Adequate Standard
    of Living*, A/71/310 (New York: United Nations, 2016), 11/24, https://
    digitallibrary.un.org/record/840297.

43 *Report of the Special Rapporteur on Adequate Housing as a Component
    of the Right to an Adequate Standard of Living, Miloon Kothari*,
    E/CN.4/2005/48 (United Nations Commission on Human Rights, 2005),
    2.

44 Madhu Thangavelu, "Lunar and Terrestrial Sustainable Building
    Technology in the New Millennium: An Interview with Architect Nader
    Khalili," *Building Standards* (2000): 44–47.

45 슈퍼어도비에 대한 묘사는 2018년 3월 3일 칼어스를 방문해 취재한 내용과
    다음을 토대로 서술했다. Khalili, 인터뷰, 2018년 1월 8일. *Sandbag
    Shelter Prototypes*. "SuperAdobe: Powerful Simplicity," CalEarth.
    "At CalEarth," CalEarth, 2019년 5월 25일에 접속함. www.calearth.org/
    superadobe-structures-calearth.

46 Khalili, *Racing Alone*, 28.

47 Tom Harp and John Regner, "Sandbag/Superadobe/Superblock: A
    Code Official Perspective," *Building Standards* (1998): 28.

48 Ebrahim Nader Khalili, "Earthquake Resistant Building Structure

Employing Sandbags," U.S. Patent 5,934,027, 1998년 2월 19일 출원, 1999년 8월 10일 공개.

49   *Sandbag Shelter Prototypes*, 20–24.

50   *Sandbag Shelter Prototypes*, 22.

51   International Organization for Migration, "Five Years After 2010 Earthquake, Thousands of Haitians Remain Displaced," 보도자료, 2015년 1월 9일. www.iom.int/news/five-years-after-2010-earthquake-thousands-haitians-remain-displaced.

52   "SuperAdobe Worldwide," CalEarth, 2019년 5월 26일에 접속함. www.calearth.org/alumni-projects2.

53   Khalili, 인터뷰, 2018년 1월 8일. CalEarth, "Superadobe/Earthbag Orphanage Withstands Nepal Earthquake," 보도자료, 2015년 5월 5일. www.calearth.org/blog/2016/6/23/for-immediate-release-may-5-2015-superadobeearthbag-orphanage-withstands-nepal-earthquake.

54   Sheefteh Khalili, 나에게 보낸 이메일, 2019년 5월 10일.

55   Khalili, 인터뷰, 2018년 1월 8일. "Fire Update #3: December 31, 2017," The Ojai Foundation, 2017년 12월 31일, https://ojaifoundation.org/news-and-updates/thomasfireupdate03/.

56   Khalili, 인터뷰, 2018년 1월 8일. Khalili, 이메일, 2019년 4월 10일. "Help Save CalEarth: Details and Timeline," CalEarth, 2019년 5월 26일에 접속함. www.calearth.org/timeline. "CalEarth has BIG News to Share!" CalEarth (블로그), 2019년 2월 5일. www.calearth.org/blog/2019/2/5/calearth-has-big-news-to-share.

57   Khalili, 인터뷰, 2018년 1월 8일.

58   "Superior Features of Dome House," Japan Dome House, 2019년 5월 26일에 접속함. www.i-domehouse.com/page02.html. "Proven and Certified Reliable Performance," Japan Dome House, 2019년 5월 26일에 접속함. www.i-domehouse.com/page03.html. "Japan's Earthquake-Resistant Dome Houses," Reuters, 2017년 11월 6일. www.reuters.com/news/picture/japans-earthquake-resistant-dome-houses-idUSRTS1IP2W.

59   Alex Wilson, "Resilient Tiny House Shelters for the Homeless," April 4, 2018, www.resilientdesign.org/resilient-tiny-house-shelters-for-the-homeless/.

60   ICON, "New Story and ICON Unveil the First Permitted 3D-Printed

Home," 보도자료. 2018년 3월 15일. www.iconbuild.com/updates/this-house-can-be-3d-printed-for-cheap. "Frequently Asked Questions," *ICON*, 2019년 5월 26일에 접속함. www.iconbuild.com/about/faq.

61 Ad van Wijk and Iris van Wijk, *3D Printing with Biomaterials: Towards a Sustainable and Circular Economy* (Amsterdam: IOS Press, 2015). "Biomaterials for Additive Manufacturing," Oak Ridge National Laboratory (블로그), 2018년 3월 23일. www.ornl.gov/blog/eesd-review/biomaterials-additive-manufacturing. Patricia Leigh Brown, "The Lewis and Clark of the Digital Building Frontier," *The New York Times*, 2019년 3월 15일. www.nytimes.com/2019/03/15/arts/design/3d-printing-building-design.html.

9 화성에 집을 짓는다면

1 Thangavelu, "Lunar and Terrestrial."
2 E. Nader Khalili, "Magma, Ceramic, and Fused Adobe Structures Generated In Situ." 다음에 수록됨. *Lunar Bases and Space Activities of the 21st Century*, ed. W. W. Mendell (Lunar and Planetary Institute, 1985), 399–403.
3 Khalili, "Magma, Ceramic, and Fused."
4 Thangavelu, "Lunar and Terrestrial."
5 Khalili, 인터뷰, 2018년 1월 8일. E. Nader Khalili, "Lunar Structures Generated and Shielded with On-Site Materials," *Journal of Aerospace Engineering* 2 (1989): 119–29.
6 Khalili, "Magma, Ceramic, and Fused," 402.
7 셔우드의 배경과 경력은 다음을 토대로 서술했다. Brent Sherwood, 나와의 인터뷰, 2017년 9월 15일.
8 "Blue Moon," Blue Origin, www.blueorigin.com/blue-moon, 2019년 7월 17일에 접속함.
9 A. J. Berliner and C. P. McKay, "The Terraforming Timeline" (논문. Planetary Science Vision 2050 Workshop, Washington, DC, February 27–March 1, 2017).
10 Houssam A. Toutanji, Steve Evans, and Richard N. Grugel, "Performance of Lunar Sulfur Concrete in Lunar Environments,"

Construction and Building Materials 29 (2012): 444–48. Violeta Gracia and Ignasi Casanova, "Sulfur Concrete: A Viable Alternative for Lunar Construction," *Space* 98 (1998): 585–91.

11   Edmund L. Andrews, "A New Technique Could Help Turn Mars or Moon Rocks into Concrete," *Stanford Engineering Magazine*, 2017년 5월 2일, https://engineering.stanford.edu/magazine/article/new-technique-could-help-turn-mars-or-moon-rocks-concrete.

12   "Building a Lunar Base with 3D Printing," European Space Agency, 2013년 1월 31일, www.esa.int/Our_Activities/SpaceEngineeringTechnology/Buildingalunarbase_with3Dprinting.

13   "Printing Bricks from Moondust Using the Sun's Heat," European Space Agency, 2017년 5월 3일, www.esa.int/OurActivities/SpaceEngineeringTechnology/PrintingbricksfrommoondustusingtheSunsheat.

14   "3D-Printed Habitat Challenge," NASA, 2019년 5월 26일에 접속함. www.nasa.gov/directorates/spacetech/centennialchallenges/3DPHabp1.html. "NASA's Centennial Challenges: 3D-Printed Habitat Challenge," NASA, 2019년 5월 26일에 접속함. www.nasa.gov/directorates/spacetech/centennialchallenges/3DPHab/about.html.

15   "Mars Ice House," Mars Ice House, 2019년 5월 26일에 접속함. www.marsicehouse.com/.

16   "Marsha," AI SpaceFactory, 2019년 5월 26일에 접속함. www.aispacefactory.com/marsha. "AI Space Factory-MARSHA-Our Vertical Martian Future -Part One," AI Space Factory, 2018년 7월 23일. 동영상. www.youtube.com/watch?v=XnrVV0w2jrE.

17   트랜스햅에 대한 부분은 다음을 토대로 서술했다. "TransHab Concept," NASA, accessed May 26, 2019, https://spaceflight.nasa.gov/history/station/transhab/. "TransHab Concept," NASA, 2019년 5월 26일에 접속함. https://spaceflight.nasa.gov/history/station/transhab/transhablevels.html.

18   "The Power of Light," NASA, 2019년 5월 26일에 접속함. https://science.nasa.gov/news-articles/the-power-of-light. "Testing Solid State Lighting Countermeasures to Improve Circadian Adaptation, Sleep, and Performance During High Fidelity Analog and Flight Studies for the International Space Station," NASA, 2019년 5월 26일에 접속함.

www.nasa.gov/missionpages/station/research/experiments/explorer/
Investigation.html?#id =2013.

19 Sandra Häuplik-Meusburger et al., "Greenhouses and Their
Humanizing Synergies," *Acta Astronautica* 96 (2014): 138–50.

20 "Alpha," Mars City Design, 2019년 5월 26일에 접속함.
www.marscitydesign.com/alpha.

21 Ayako Ono and Irene Lia Schlacht, "Space Art: Aesthetics Design as
Psychological Support," *Personal and Ubiquitous Computing* 15 (2011):
511–18.

22 인용 부분은 다음에 나온다. Angel Marie Seguin, "Engaging Space:
Extraterrestrial Architecture and the Human Psyche," *Acta Astronautica*
56 (2005): 980–95.

23 이 미션에 대해서는 다음을 토대로 서술했다. Sandra Häuplik-Meusburger,
Kim Binsted, and Tristan Bassingthwaighte, "Habitability Studies and
Full Scale Simulation Research: Preliminary Themes Following HISEAS
Mission IV," 다음에서 발표된 논문. 47th International Conference on
Environmental Systems, Charleston, SC, July 2017. Sandra Häuplik-
Meusburger, 나와의 인터뷰, 2019년 4월 10일.

24 Häuplik-Meusburger, Binsted, and Bassingthwaighte, "Habitability
Studies."

25 "High-Efficiency Solar Cell," NASA, 2019년 5월 26일에 접속함.
https://technology.nasa.gov/patent/LEW-TOPS-50. "Living Blue,"
NASA, 2019년 5월 26일에 접속함. www.nasa.gov/ames/facilities/
sustainabilitybase/livingblue.

26 "The IKEA Journey into Space Just Started," IKEA, 2017년 9월 6일,
http://ikea.today/ikea-journey-space-just-started/. IKEA, "RUMTID,"
보도자료, 2018년 6월 7일. https://newsroom.inter.ikea.com/
events/rumtid/s/a22b73d8-fd5d-47c4-981e-03d06e3db9cc.
Jeremy White, "IKEA Designers Are Living in a Mars Simulator to Get
Inspiration for Future Collections. Really," *Wired UK*, 2017년 6월 8일,
www.wired.co.uk/article/ikea-and-mars. Katharine Schwab, "What
Ikea's Designers Learned from Living in a Simulated Mars Habitat,"
Fast Company, 2017년 6월 20일, www.fastcompany.com/90130253/
what-ikeas-designers-learned-from-living-inside-a-mars-
simulation. Aileen Kwun, "See the Collection Ikea Designed for Tiny

Apartments — by Studying Mars," *Fast Company*, 2018년 6월 14일, www.fastcompany.com/90175873/ikeas-latest-collection-involved-living-in-a-mars-simulator.

감사의 글

이 책은 매우 쓰기 어려웠고 생각보다 훨씬 시간이 오래 걸렸다. 그 여정에서 아주 많은 도움을 받는 행운을 누릴 수 있었다. 세상에서 가장 참을성 있는 에이전트인 애비게일 쿤스가 없었더라면 나는 이 일을 하지 못했을 것이다. 애비게일은 내가 난관을 헤쳐 나가도록 도와주었고 늘 내 편에 있어 주었다. 편집자 어맨다 문은 이 아이디어에 대해 첫날부터 열정을 보여주었고 두서없고 장황한 초고가 일관성을 갖춘 이야기가 되도록 해주었다. 다시 어맨다와 일하게 되어 즐거웠다. 콜린 디커먼은 거의 완성된 원고를 읽고 새로운 시각에서 도움을 주었으며 내가 끝까지 달릴 수 있게 해주었다. 그와 FSG의 모든 이들이 쏟아준 노고에 감사를 전한다. 이들은 더없이 훌륭한 출판 파트너였다.

많은 친구와 가족이 초고와 수정본을 읽고 귀한 조언을 해주었다. 나를 많은 실수에서 구해준 게리 앤시스, 블레인 보먼, 제시카 파인스타인, 브라이언 하, 멜라니 로프터스, 캐럴라인 메이어, 벤 플로츠, 미셸 시픽스, 닉 서머스, 양지은에게 감사를 전한다.

과학자, 건축가, 연구자, 그 밖에 너그럽게 나에게 이야기와 경험을 들려준 여러 취재원에게 큰 빚을 졌다. 이 책의 지면에 실을 수 있었던 것보다 훨씬 많은 사람에게 훨씬 많은 이야기를 들었기 때문에 많은 이들이 책에 실리지 못했다. 하지만 모두 내게 꼭 필요한 정보와 관점을 제공해주었고 덕분에 책의 줄기와 내용을 구성할 수 있었다. 또한 때로는 내가 끝도 없이 후속 질문을 할 때도 친절히 응해주었다.

마지막으로 나의 삶과 글 모두에 굽힘 없는 신뢰와 지원을 보내준 게리, 캐럴라인, 알리, 블레인에게 감사를 전한다.

감사의 글

찾아보기

에밀리 앤시스(Emily Anthes) 지음

과학 저널리스트. 예일 대학에서 과학 및 의학사를 공부했으며, MIT에서 과학 글쓰기로 석사학위를 받았다. 2018년 AAAS 카블리 과학 저널리즘상과 NASW 과학 저널리즘상을 수상했다. 저서『프랑켄슈타인의 고양이』는 2014년 PEN/E.O.윌슨 과학저술상 후보에 올랐다.『뉴욕타임스』,『뉴요커』,『와이어드』,『네이처』,『사이언티픽 아메리칸』등 다수의 매체의 글을 기고한다.

김승진 옮김

서울대학교 경제학과를 졸업하고『동아일보』경제부와 국제부 기자로 일했으며, 미국 시카고 대학교에서 사회학 박사학위를 받았다. 옮긴 책으로『친절한 파시즘』,『계몽주의 2.0』,『그날 밤 체르노빌』,『힘든 시대를 위한 좋은 경제학』,『20 vs 80의 사회』,『앨버트 허시먼』,『예언이 끝났을 때』,『기울어진 교육』,『불복종에 관하여』등이 있다.

우리는 실내형 인간

하루의 90%를 육면체 공간에서 보내는 이들을 위한 실내 과학

에밀리 앤시스 지음
김승진 옮김

초판 1쇄 인쇄   2021년 6월 30일
초판 1쇄 발행   2021년 7월 15일
ISBN 979-11-90853-17-0 (03590)

발행처	도서출판 마티
출판등록	2005년 4월 13일
등록번호	제2005-22호
발행인	정희경
편집	전은재, 서성진, 박정현
디자인	조정은

주소	서울시 마포구 잔다리로 127-1, 8층 (03997)
전화	02. 333. 3110
팩스	02. 333. 3169
이메일	matibook@naver.com
홈페이지	matibooks.com
인스타그램	matibooks
트위터	twitter.com/matibook
페이스북	facebook.com/matibooks